Enigmas de
la humanidad

Enigmas de la humanidad

Herbert Genzmer
Ulrich Hellenbrand

p

Índice

¿Mito o realidad?

Paraciencias 184

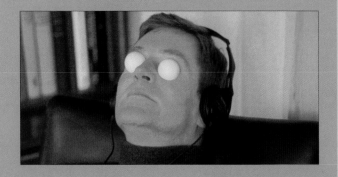

Misterios
del presente

256

Prólogo

Aunque vivimos en un mundo avanzado y dominado por la alta tecnología, todavía nos rodean muchos enigmas sin resolver. Lugares antiquísimos y seres misteriosos, mundos y civilizaciones desaparecidos bajo las aguas, paisajes cargados de simbolismo, apariciones inexplicables y hallazgos insólitos de tiempos remotos siguen planteando numerosos interrogantes pese a todos los logros científicos.

De vez en cuando se desvela algún misterio, al menos en parte, pero siguen ejerciendo una irresistible atracción sobre el ser humano. La Atlántida, por ejemplo, el continente legendario que se supone que existió en la antigüedad y quedó sumergido bajo las aguas, es objeto de controversia desde hace siglos. A pesar de que muchos investigadores están convencidos de que la Atlántida nunca existió, son muchas las personas que siguen entregadas a la búsqueda del reino perdido en la firme creencia de que es algo más que un mito. La misma fascinación seguimos sintiendo ante las pirámides de los faraones egipcios, sobre todo teniendo en cuenta la maldición de Tutankamón, que, al parecer, ha acabado con la vida de muchos de los investigadores que intervinieron en las excavaciones. ¿Superstición o realidad?

Este libro aborda aquellos enigmas que han fascinado desde siempre y siguen fascinando a la humanidad. Lugares sagrados y ciudades antiquísimas acerca de cuyos fundadores aún sabemos muy poco, mundos desaparecidos y legendarios, civilizaciones hoy extinguidas de las que ignoramos cómo eran y de dónde procedían sus avanzados conocimientos. ¿Acaso recibían la ayuda de formas de vida extraterrestres, como sostienen algunos investigadores de prestigio? ¿Existen los espíritus? ¿Pueden los difuntos ponerse en contacto con los vivos? También se repasan otros enigmas más recientes, como los avistamientos de ovnis o la aparición de misteriosos círculos en campos de cereales. Por supuesto, tampoco podían faltar los fenómenos paranormales, algunos de los cuales cuestionan los dogmas de las ciencias «serias».

Lo cierto es que leyendas y mitos se entremezclan con arqueología y ciencias naturales en muchos ámbitos. Ambas facetas se combinan en este libro para plantear preguntas fascinantes acerca de los enigmas de la humanidad, ofreciendo diversas interpretaciones y siguiendo el rastro de las fuerzas ocultas que nos rodean...

Página anterior: Santa Bernardita de Lourdes (véanse las páginas 239 y 282) falleció en 1879 a la edad de 36 años. 40 años más tarde, en 1919, su tumba fue abierta y su cuerpo no presentaba signos de descomposición: un enigma sin resolver. Su cadáver se conserva en un relicario en la capilla de las monjas, recubierto de una capa de cera.

El enigmático legado de las civilizaciones antiguas

Lugares

misteriosos

Los yacimientos antiguos son una fuente esencial de información, historias, leyendas y otras referencias para arqueólogos e historiadores y, por consiguiente, para el estudio de las civilizaciones. En el pasado no se solía ser tan cuidadoso con los monumentos y los templos antiguos como ahora. Muchos de ellos fueron destruidos o quedaron en ruinas después de ser abandonados. La mala conservación y los desastres naturales también han contribuido a que gran parte de los yacimientos más antiguos se encuentren, en el mejor de los casos, en un estado ruinoso.

Sin embargo, las ruinas también pueden proporcionar datos valiosos, como la extensión original de un yacimiento, el tipo y la calidad de los materiales empleados para su construcción o, incluso, las causas de su desmoronamiento. La ubicación o la finalidad a la que estaban destinados los edificios a menudo brindan indicios adicionales sobre cultos y culturas del pasado.

Aun así, no siempre es posible desvelar todos los secretos que esconde un edificio o un lugar de culto. Las pistas falsas o mal interpretadas o las leyendas asociadas a un yacimiento en particular, además de la ausencia de datos esenciales, contribuyen a impedir que se resuelvan muchos misterios o, incluso, a plantear nuevos enigmas.

Los vestigios de civilizaciones antiguas que presentamos a continuación están plagados de mitos y leyendas y plantean interrogantes irresolubles tanto al público en general como a los científicos. Muchos de estos yacimientos misteriosos se levantan en puntos de confluencia energética, lugares caracterizados por la acción de poderosas fuerzas naturales desconocidas para nosotros pero que las civilizaciones antiguas sabían reconocer, interpretar y aprovechar.

El famoso monumento megalítico de Stonehenge plantea numerosos interrogantes a los científicos desde hace siglos. Todavía no sabemos quién, cuándo ni por qué erigió esta impresionante obra.

La pirámide del Adivino, en la ciudad maya de Uxmal, es una de las pirámides más singulares por su planta ovalada y las cinco superestructuras.

Las pirámides

Las pirámides no son exclusivas de Egipto, sino que están repartidas por todo el planeta. Las hay en Sudán, Irak, México, Chile, Guatemala e, incluso, Roma. Estas construcciones fueron erigidas también en Filipinas y en Austria. En el siglo pasado se descubrió una pirámide sumergida bajo las aguas al sur de Japón. Muchas de ellas no han sido estudiadas a fondo o en absoluto, sobre todo porque en muchos casos están en lugares difícilmente accesibles.

¿SON TUMBAS LAS PIRÁMIDES?

Es más que probable que muchas pirámides fueran concebidas como tumbas, pero también existen indicios de que ése no era el único motivo de su construcción. Durante los cerca de 48 años que duró el reinado de Seneferu (a partir de hacia 2575 a.C.), padre y antecesor de Keops, fueron construidas cinco pirámides, entre las que destacan la pirámide Acodada (véase el recuadro de la página 16) y la pirámide Roja de Dahshur, en el Bajo Egipto.

Una teoría muy difundida es que los faraones también se servían de estas impresionantes construcciones para hacer ostentación de grandeza, fortaleza y poder. Otros investigadores sostienen que las pirámides fueron construidas para llevar a cabo observaciones astronómicas. El hecho de que muchas plantas de pirámide estén orientadas hacia los cuatro puntos cardinales parece avalar esta teoría. No hay duda de que la astronomía era una ciencia muy avanzada en Egipto, lo que a su vez podría dar peso a la teoría de que la construcción de las

Se cree que la pirámide submarina del mar del Japón se edificó en la costa. La construcción quedó sumergida bajo las aguas a causa del ascenso del nivel del mar de unos 30 metros durante los últimos milenios.

pirámides persiguiera una finalidad astronómica. Sin embargo, hasta el momento no se dispone de pruebas concluyentes.

Desde luego, también hubo pirámides construidas con fines funerarios. En vista de que casi todas las tumbas ocultas del Valle de los Reyes fueron saqueadas por los ladrones de tumbas (la de Tutankamón era la única excepción que se conocía hasta que recientemente se descubrió otra intacta), cabe suponer que las llamativas construcciones debieron de despertar la codicia de los maleantes a lo largo de los milenios. De hecho, en casi todas las pirámides estudiadas se han encontrado indicios de robos, que, en algunos casos, podrían explicar la ausencia de ofrendas funerarias o, incluso, de alguna que otra momia.

LA CONSTRUCCIÓN DE UNA PIRÁMIDE

Todavía no ha sido posible desvelar a ciencia cierta cómo fueron construidas las pirámides originales. Tales construcciones constituirían un reto arquitectónico incluso para los medios actuales. La abundancia de pirámides que erigieron distintas civilizaciones parece indicar que los métodos empleados fueron también diversos.

A finales de la década de 1980, el químico francés Joseph Davidovits difundió una teoría según la cual los sillares de una pirámide (en este caso, egipcia) se fabricaban sobre el terreno mezclando barro de piedra calcárea con otros materiales y vertiendo la mezcla en un encofrado de madera, arcilla o adobe en su emplazamiento definitivo para que fraguara lentamente. Esta teoría puede ser refutada sin más en el caso de las pirámides egipcias, puesto que los sillares que las integran son irregulares y no encajan los unos con los otros. No obstante, cabe la posibilidad de que este sencillo método fuera empleado en otros lugares.

La mayoría de los científicos defienden la teoría de que las piedras eran transportadas a la obra desde una cantera y arras-

tradas o empujadas por los obreros por una rampa que se iba alargando conforme avanzaba la construcción de la pirámide. Hay quienes sostienen que la rampa se acababa integrando en la pirámide: las piedras de la rampa habrían servido para tapar los agujeros dejados a propósito. A comienzos del siglo XXI fueron hallados en Egipto indicios de la probable verosimilitud de esta teoría de la rampa, aunque todavía se carece de pruebas fehacientes. La posibilidad de haber recurrido a una rampa queda excluida en ciertos casos en que el espacio disponible no hubiera sido suficiente.

La pirámide escalonada de Saqqara está considerada como la primera construcción monumental en piedra de Egipto. Data de hacia 2700 a.C.

RUMORES Y MISTERIOS

Incluso las pirámides que ya han sido estudiadas parecen seguir ocultando algún secreto. A los rumores de la existencia de objetos de gran valor ocultos en pasadizos y cámaras secretas cabe sumar los incidentes acaecidos durante las investigaciones o las excavaciones, que refuerzan la sospecha de que las pirámides tienen que esconder algo más de lo que se ha descubierto hasta ahora. Los arqueólogos John Shea Perring y Howard Vyse, que trabajaron en la pirámide Acodada en 1839, relataron que durante las excavaciones soplaban por los pasadizos unos vientos fríos tan fuertes que hubo que suspender las labores por unos días. A excepción del camino por el que los arqueólogos habían penetrado en el interior de la pirámide, no se conocía ninguna otra conexión con el mundo exterior. A principios de la década de 1950, el investigador egipcio

Ahmed Fakhry contaba que en los días ventosos se podían oír ruidos en el interior de la pirámide. Las causas de ambos fenómenos todavía no han podido ser dilucidadas. Es posible que existan otras aberturas y cámaras que permitan la entrada del aire en la pirámide y que la circulación provoque corrientes de aire o ruidos.

Según un rumor que corre desde hace siglos, los constructores de las pirámides pretendían transmitir mensajes a sus descendientes o a sus dioses, y por eso dejaron señales o acertijos aritméticos.

Hay quienes afirman que las pirámides están orientadas al norte porque todas ellas fueron concebidas según un plan global. Pero, a pesar de la persistencia de este rumor, está comprobado que las pirámides egipcias fueron prácticamente las únicas que se construyeron teniendo en cuenta los puntos cardinales, algo completamente lógico dado el interés que sentían los egipcios por la astronomía. Todas las demás pirámides, pero sobre todo las que fueron erigidas en siglos más recientes siguiendo el modelo egipcio, no fueron orientadas hacia los puntos cardinales de forma intencionada.

Tampoco es cierto que las pirámides sean gigantescos relojes de sol, ya que algunas proyectan su sombra sobre desfiladeros y cursos fluviales. Por otra parte, la sombra de una pirámide no se presta para señalar un punto determinado en un reloj de sol porque es demasiado ancha.

Por último, se dice que las pirámides fueron construidas según una pauta establecida y que, conociendo la superficie que ocupa la base, es posible calcular su altura. La pirámide Acodada (véase el recuadro) demuestra por sí sola la falsedad de esta afirmación. La altura de una pirámide no depende únicamente de su área, sino también del ángulo de inclinación de los muros exteriores, ángulo que respondía al gusto personal

La pirámide Acodada es la primera pirámide egipcia que no está escalonada.

del constructor y a la habilidad técnica de los obreros. Esta simple hipótesis causó en el pasado graves perjuicios a algunos científicos, como Charles Piazzi Smyth (1819-1900), quien quiso calcular el tiempo que necesitaría para desenterrar una pirámide sepultada bajo la arena en función únicamente del vértice visible.

Por supuesto, existen otros muchos rumores y enigmas en torno a las pirámides, pero la mayoría son muy antiguos y por eso no se les concede demasiado crédito.

La pirámide de cristal construida en el patio interior del Louvre en 1989 es obra del arquitecto chino-americano leoh Ming Pei.

Las pirámides son el elemento más característico de la ciudad maya de Tikal, en la actual Guatemala. Aquí se alza la pirámide maya más alta que se conoce, de 72 metros.

Las pirámides de Giza

Las pirámides más famosas del mundo se encuentran en la meseta egipcia de Giza. Descritas en su día por Herodoto, son la única de las siete maravillas del mundo antiguo que se ha conservado hasta la actualidad. Constituyen el legado de la antigüedad sobre cuya historia y función se discute con más frecuencia. A continuación le revelamos dos descubrimientos recientes como muestra de los incontables rumores y teorías que rodean a estos monumentos.

LOS ESCLAVOS DE HERODOTO

Alrededor del año 450 a.C., el historiador Herodoto confeccionó su lista de las siete maravillas del mundo y, al describir las pirámides, creó la idea de hordas de esclavos transportando durante años pesados bloques de piedra. Sin embargo, la sospecha de que estuviera equivocado y las pirámides fueran construidas por obreros libres está cobrando cada vez más fuerza en los últimos años.

La base de esta nueva teoría es el Nilo, río caudaloso y arteria vital ya en la antigüedad que se desbordaba periódicamente e inundaba cada año, entre junio y octubre, extensas zonas del país. El lodo del Nilo fue uno de los motivos que permitió el extraordinario avance de la civilización egipcia, puesto que era arrastrado hasta los campos y abonaba la tierra. Por eso las inundaciones no eran percibidas como una catástrofe, sino como una bendición. Cada año, durante estos cuatro meses, el faraón mandaba a la población construir las pirámides para celebrar dicho acontecimiento como se merecía y, probablemente, para mantener ocupado a su pueblo durante el tiempo que duraban las inundaciones. Así se estrechaba también el vínculo entre el pueblo y su gobernante y se ampliaban regularmente los conocimientos en muy diversas materias, lo que, a su vez, redundaba en beneficio de toda la sociedad.

Hoy sabemos que en las obras surgían nuevos oficios o estaban en constante evolución. Los médicos se ocupaban de los heridos y los hallazgos óseos revelan que las fracturas estaban sorprendentemente bien curadas, lo que es una prueba de que la atención médica en las obras era buena. Los panaderos podían intercambiar experiencias mientras proveían a los trabajadores. Además, según parece los capataces dejaron escrito en algunas losas el tiempo que permanecía cada trabajador en la obra.

Las pirámides de Giza se edificaron en una meseta próxima a El Cairo hace unos 4.500 años. Originalmente estaban revestidas de piedra caliza blanca.

EN EL CORAZÓN DE LA PIRÁMIDE

Muchas pirámides tienen fama de esconder grandes tesoros. La leyenda que rodea la Gran Pirámide de Giza es muy concreta a este respecto: cuenta que debajo de la pirámide hay una cámara secreta que alberga una biblioteca en la que está contenido todo el saber de los antiguos egipcios.

A finales de la década de 1980 se demostró que las piedras de la pirámide absorben el sudor humano y ello favorece la proliferación de hongos, por lo que se instaló un sistema de climatización en la cámara de Rey para poder proseguir con las investigaciones sin deteriorar el monumento. Pero en la cámara de las Reinas surgió un problema porque, a diferencia de lo que ocurría en la cámara del Rey, allí los corredores no conducían al exterior, sino que, al parecer, estaban cegados, lo que impedía la circulación del aire. Los investigadores optaron por vetar la entrada de personas y fabricaron un robot para introducirlo en los corredores y que realizara una prospección. Sin embargo, el robot se topó con un inesperado obstáculo, algo que parecían dos pasadores alargados que bloqueaban el paso en el corredor sur. La prensa no tardó en relacionar ese hallazgo con el relato de la «cámara del Saber», y un equipo de investigadores inició todos los trámites necesarios para sortear el obstáculo.

Por fin, en el año 2002, un nuevo robot equipado con una barrena y una cámara fue enviado al corredor. En vista de la gran cantidad de publicidad que había hecho la prensa alrededor del acontecimiento, se decidió retransmitir en directo por televisión el momento de la perforación. Una vez sorteado el obstáculo, el robot introdujo la cámara por el agujero y retransmitió las imágenes de lo que había del otro lado. La decepción general fue mayúscula, puesto que detrás del obstáculo sólo había otro segmento vacío del corredor, de unos 45 cm de largo, en cuyo extremo se podía distinguir un bloque de piedra que, según los cálculos realizados, formaba parte del muro exterior.

La Esfinge también interviene en algunas de las leyendas que rodean a las pirámides de Giza. Se dice que existe un pasadizo subterráneo que conecta una de ellas con la guardiana y que encierra grandes tesoros.

Sin embargo, está previsto eliminar también esa piedra para asegurarse de que detrás no haya una cámara secreta. El futuro dirá si en ése u otro lugar de la Gran Pirámide de Giza existe realmente una «cámara del Saber». No obstante, a estas alturas la ciencia se muestra escéptica ante la hipótesis.

Los preparativos del robot Pyramid Rover, que debía explorar el interior del corredor, fueron seguidos con gran interés por la prensa.

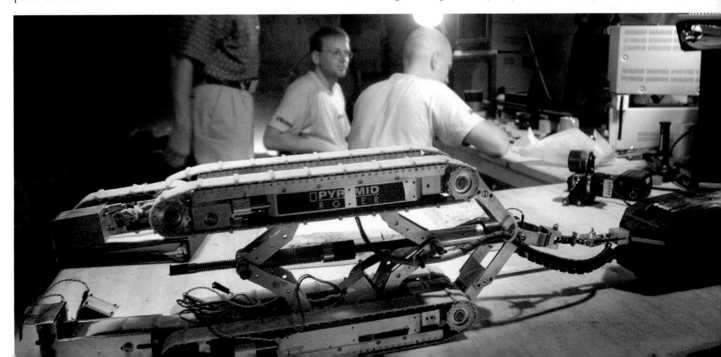

Teotihuacán, una ciudad inspirada en el cosmos

Las impresionantes pirámides de Teotihuacán se yerguen en la altiplanicie mexicana, a poca distancia de Ciudad de México. Durante mucho tiempo se creyó que habían sido construidas por los aztecas, pero en realidad fueron erigidas varios siglos antes de su llegada por un pueblo hasta ahora desconocido que planificó toda la ciudad a imagen y semejanza del firmamento.

LA HISTORIA DE LA CIUDAD

Teotihuacán quiere decir «morada de los dioses» en náhuatl, la lengua de los aztecas. Durante mucho tiempo se creyó que esta ciudad, la más antigua del continente americano, había sido construida por el pueblo indígena que le dio su nombre. Sin embargo, los aztecas no llegaron a la altiplanicie mexicana procedentes del norte hasta el siglo XIV, para fundar allí su capital,

Tenochtitlán, la actual Ciudad de México. Hoy sabemos que Teotihuacán es mucho más antigua. La ciudad estuvo abandonada durante varios siglos hasta que fue descubierta por los aztecas, para quienes fue centro de culto. Los barrios residen-

La pirámide del Sol es el edificio más alto de Teotihuacán. Sus dimensiones son similares a las de las pirámides de Giza.

ciales estaban derruidos y sólo quedaban en pie las magníficas pirámides. Teotihuacán floreció muy probablemente entre los años 150 y 600 d.C. Fue una ciudad muy próspera y, con 200.000 habitantes, la sexta más grande de su tiempo.

El final de Teotihuacán es tan enigmático como sus orígenes. Nadie sabe exactamente cuándo ni por qué fue abandonada la ciudad. Es probable que el rendimiento de las cosechas se viera tan mermado a causa de un período de sequía que ya no fuera posible sobrevivir en Teotihuacán, pero también pudieron influir motivos religiosos. Se cree que la ciudad quedó definitivamente en ruinas tras ser saqueada por pueblos bárbaros hacia el año 700 d.C.

LA CIUDAD DE INSPIRACIÓN CÓSMICA

Aún no sabemos cuál era el nombre original de Teotihuacán ni quiénes construyeron la ciudad y las fenomenales pirámides. Lo único cierto es que los fundadores de la ciudad tuvieron que ser magníficos arquitectos y artesanos con conocimientos astronómicos muy precisos, porque Teotihuacán es una copia perfecta del firmamento. En la década de 1970, el ingeniero

Al igual que el resto de las pirámides del yacimiento, la de la Luna está aplanada en la cúspide, lo que sugiere que las pirámides eran lugares de culto destinados a realizar sacrificios humanos.

estadounidense Hugh Harleston estudió las medidas y las proporciones de las distintas construcciones entre sí y calculó que reproducen a escala perfecta las dimensiones orbitales de Mercurio, Venus, la Tierra, Marte, Júpiter, Saturno, Urano e, incluso, Neptuno y Plutón, planetas que no fueron descubiertos hasta 1846 y 1930 respectivamente. Teotihuacán es una maqueta exacta de nuestro sistema solar.

El templo de Quetzalcóatl, con las cabezas de la serpiente emplumada, es una prueba más de que los artífices de la ciudad vivían en armonía con el universo. La suma de las estatuas de la fachada del templo equivale a un año bisiesto, de 366 días, el número de escaleras (13), a los meses de un año según el ciclo lunar, y la suma de todos los escalones (4 x 13 = 52), al número de semanas de un año.

Los datos más relevantes

Área de la ciudad: 24 km^2
Pirámide del Sol: base: 227 m x 227 m; altura: 67 m; edificada en el siglo I d.C.
Pirámide de la Luna: base: 150 m x 200 m; altura: 48 m.
Pirámide de Quetzalcóatl: originalmente un templo sobre el que fue edificada una pirámide y que hoy ha sido parcialmente excavado. Debe su nombre a la serpiente emplumada (Quetzalcóatl) de la fachada, símbolo del vínculo entre el cielo y la tierra.

La avenida de los Muertos está plagada de esqueletos de guerreros. Al principio se creyó que eran los de los habitantes primitivos de la ciudad, pero eso resultó ser falso porque aquéllos incineraban a sus muertos.

LA CONSTRUCCIÓN DE LA CIUDAD

El recinto de Teotihuacán está dominado por las pirámides del Sol, la Luna y Quetzalcóatl. Se supone que sólo en la construcción de la pirámide del Sol intervinieron más de 3.000 personas a lo largo de más de 30 años.

Una avenida de unos 3 km de largo cruza la ciudad de norte a sur, la avenida de los Muertos. A ambos lados se alzan pirámides más pequeñas seguidas de una serie de patios cerrados que antes se tenían por tumbas, de ahí el nombre de la avenida. Hoy se sabe que esa suposición era errónea, porque los antiguos habitantes de Teotihuacán incineraban a sus muertos.

Existen diversas teorías sobre el significado de esta avenida. El ingeniero estadounidense Alfred Schlemmer sospecha que los patios eran, en realidad, piscinas que se llenaban de agua para que reflejaran el cielo y las estrellas. El autor suizo Erich von Däniken opina que eran una inmensa pista de aterrizaje para los extraterrestres, que, según él, en calidad de dioses del universo, habrían inspirado la construcción de las pirámides y el trazado de la ciudad. Otros investigadores interpretan la avenida como un vínculo simbólico entre el cielo y la tierra, entre las edificaciones divinas de las pirámides y la ciudad residencial de los hombres.

LA CÁMARA DE MICA

El último de los misterios de Teotihuacán es la cámara de Mica. En 1983 los arqueólogos descubrieron unas estancias subterráneas cuyo techo estaba aislado con una capa intermedia de mica (piedra-mica-piedra) de 15 cm de grosor. Aún no se ha podido determinar para qué servían esas cámaras. Una de las teorías apunta a que estaban destinadas a guardar objetos delicados que necesitaban ser protegidos frente a influjos externos, como el calor. Otra teoría sostiene que en ellas se generaba calor y que eran utilizadas como una especie de horno de fusión. En opinión del controvertido autor estadounidense y científico de la antigüedad, como se califica a sí mismo, Zecharia Sitchins, se trataría de un recinto para el fraccionamiento, pulido y limpieza de minerales.

Con todo, lo más extraño es que la mica es un mineral escasísimo en México. La mica sólo abunda en Sudáfrica, Brasil, Estados Unidos y Rusia. Por consiguiente, ¿de dónde procede la mica de Teotihuacán, por qué las cámaras subterráneas fueron aisladas con este material y quién fue el responsable?

Existe otro interrogante que todavía no ha podido ser desvelado: de una de las salas subterráneas sale una tubería aislada con mica. Nadie sabe para qué servía.

¿MAESTROS EXTRATERRESTRES?

Tanto Erich von Däniken como Sitchins opinan que las culturas precolombinas nacieron gracias a los dioses Anunaki («venidos del cielo»). Los paralelismos con las pirámides de Giza, de las que también se dice que fueron erigidas por «dioses», son evidentes. Sitchins concluye que los artífices de las pirámides del Sol y la Luna conocían Giza y las copiaron íntegramente, a excepción de las escaleras y la plataforma superior. Comparten las mismas proporciones, aunque las pirámides de Giza, con 146 metros, son más del doble de altas. Los paracientíficos creen que las pirámides de Giza fueron construidas 8.500 años antes de la existencia de los faraones, es decir, hacia finales del período glacial. Esta teoría plantea nuevos interrogantes, ya que ¿cómo hubiera podido construir algo así el hombre de la Edad de Piedra? ¿Datan las pirámides de Teotihuacán de la misma

Los aztecas dejaron en Teotihuacán numerosos vestigios, como esta máscara mortuoria. Éste es uno de los motivos por los que, inicialmente, fueron considerados los fundadores de la ciudad.

época? Muchos científicos sospechan que no somos los únicos seres «inteligentes» en el universo. ¿Pero hubo realmente un tiempo en que los dioses (extraterrestres) nos hicieron de maestros? ¿Existe alguna prueba? Los paracientíficos opinan que sí: «La Tierra está repleta de pruebas —afirma Erich von Däniken—, las tenemos siempre delante, las vemos en los museos, pero no sabemos reconocerlas».

Erich von Däniken sostiene que la avenida de los Muertos fue originariamente una pista de aterrizaje para los extraterrestres que inspiraron la edificación de la ciudad.

Las ruinas de Puma Punku

En lo alto del altiplano boliviano se alzan las ruinas de la antigua población indígena de Tiahuanaco, que fue descubierta a principios del siglo XX. Sobre todo la denominada puerta del Sol, con sus grabados y sus complejas acanaladuras, plantea numerosos interrogantes a los científicos. Para colmo, al iniciarse los trabajos de investigación se pasó por alto un lugar enigmático situado a unos cientos de metros de la ciudad en ruinas.

LA PUERTA DEL SOL, LA PIRÁMIDE Y LAS RUINAS

A principios del siglo XX el ingeniero alemán Arthur Posnansky (1873-1946) pasó varios años dedicado al estudio de las ruinas de Tiahuanaco. La presencia de algunas partes de la muralla le permitió extraer conclusiones acerca de las dimensiones originales de la población y sus edificios. Posnansky prestó especial atención al recinto de Kalasasaya, que en la lengua de los indios aymara significa «piedras erguidas». De la disposición y la orientación de las piedras dedujo que hace miles de años tuvo que haber allí una pirámide o un observatorio astronómico. La hipótesis fue confirmada años más tarde por el arquitecto alemán Edmund Kiss. Posnansky trató de calcular la antigüedad del recinto atendiendo a la altura y la orientación que él atribuía a la pirámide. Así llegó a la conclusión de que tenía que haber sido construida unos 15.000 años antes de nuestra era. Esta datación estimada fue recibida con sumo escepticismo por el mundo científico y, por otra parte, en la década de 1920 incentivó a otros grupos de investigadores a recopilar más datos. Algunos investigadores confirmaron los cálculos, mientras que otros, incluido el propio Posnansky, establecieron una nueva fecha de construcción basándose en factores adicionales. La última datación publicada la sitúa entre los años 10150 y 4050 a.C. Las pruebas llevadas a cabo en 1981 con una muestra del recinto permitieron datarla en el año 1580 a.C. Sin embargo, los investigadores hicieron hincapié en el hecho de que la muestra podía no ser representativa de todo el complejo y pertenecer a una fase de construcción más reciente.

Las ruinas de Puma Punku, situadas a unos cientos de metros de allí, fueron finalmente incluidas en los trabajos de investigación por la misma época.

Una de las piedras de forma regular de Puma Punku con un dibujo grabado.

Hasta el momento no se ha podido averiguar si la acumulación de escombros se debió a una catástrofe natural o a que el complejo sirvió de cantera tras el ocaso de la civilización.

La metodología constructiva

En el campo de ruinas hay bloques de piedra de hasta 1.000 toneladas. Al parecer, se trata de los restos de diversos edificios. Las piedras llaman la atención por la extraordinaria precisión de su forma, lo que permitía encajarlas o superponerlas de diversos modos, como en los sistemas de unidades normalizadas modernos. Las piedras se sujetaban con grapas metálicas, método que los arqueólogos habían visto ya en Delfos, a unos cuantos miles de kilómetros de distancia.

Aún se desconoce cómo fueron destruidos Puma Punku y Tiahuanaco. No obstante, comparando el labrado de las piedras se deduce que ambos recintos no datan del mismo período, puesto que un intercambio de técnicas hubiera sido inevitable a tan poca distancia. Además, en el caso de Puma Punku la devastación es mucho mayor. La estructura de los edificios es muy difícil de reconocer y quedan muy pocas piedras en pie, mientras que en Tiahuanaco todavía se yerguen algunos muros. Si la causa de la destrucción de Puma Punku hubiera sido un terremoto, lo que sería probable por su ubicación geográfica, habría sido tan devastador que Tiahuanaco también hubiera resultado seriamente dañada. Como no es así, los científicos dan por supuesto que Puma Punku es mucho más antiguo que Tiahuanaco. Sin embargo, esta circunstancia plantea un problema: según consta, los indios que vivían en los alrededores todavía no conocían la escritura ni el metal, por lo que no podrían haber fabricado las grapas metálicas. También es improbable que hubieran sido capaces de tallar las piedras con tanta precisión.

Se cree que la puerta del Sol se desplomó y resultó dañada a causa de un terremoto. Hasta el siglo xx no se volvió a levantar.

Los indígenas que viven en las inmediaciones del Altiplano tampoco atribuyen la construcción de estos dos recintos a sus antepasados. Según sus leyendas, ambos fueron obra de dioses o gigantes que habitaban allí arriba. De ser cierto, habría que averiguar la procedencia y el paradero de esos seres.

La puerta del Sol

La puerta del Sol de Tiahuanaco fue tallada a partir de un único bloque de piedra, a diferencia del método de «bloques apilados» empleado en Puma Punku. Está decorada con relieves y algunos grabados, que se concentran fundamentalmente en la sección transversal sobre el vano de la puerta, de 1,40 metros de alto. El relieve central muestra una figura armada con dos cetros en forma de lanza o de serpiente acompañada de un séquito de 48 figuras aladas, de las cuales 32 tienen rostro humano y 16, cabeza de cóndor. Se cree que la figura central es una representación del dios creador Viracocha.

La puerta del Sol debe su nombre al hecho de que, a principios de primavera, el Sol sale exactamente por el centro de la puerta, siempre que el observador esté situado justo delante. Existe una teoría que sostiene que las 48 figuras talladas reproducen el concepto fundamental de un calendario, lo que supone una nueva referencia astronómica.

Tiermes, la ciudad de piedra

La ciudad de Tiermes, en el norte de España, en los límites de la meseta superior y el valle del Tajo, llama sobre todo la atención porque muchos de sus elementos arquitectónicos no fueron construidos, sino tallados en la roca. Sin embargo, la piedra está esculpida con tanta habilidad y originalidad que existen serias dudas acerca de si las culturas a las que se atribuye Tiermes intervinieron realmente en su creación. La ciudad es objeto de estudios arqueológicos desde finales del siglo XIX.

LA HISTORIA DE LA CIUDAD DE PIEDRA...

No se sabe exactamente quién ni cuándo fundó Tiermes, en la provincia castellana de Soria. La primera mención de la ciudad la hizo el matemático y geógrafo Tolomeo (hacia 100-hacia 175), quien alude a Tiermes como la ciudad de los arévacos, un pueblo celtíbero. Se sabe que la ciudad fue sometida por los romanos en el año 98 a.C. Durante el siglo I d.C. Tiermes devino la capital de una provincia romana, lo que supuso un impulso económico para la ciudad y la ejecución de obras nuevas, como un foro y un acueducto. Tiermes cayó en manos de los visigodos en el siglo VI o VII, y de los moros a principios del siglo VIII. El hecho de que la ciudad estuviera situada justo en la frontera entre cristianos y musulmanes originó el declive de la cultura local en el transcurso de las décadas siguientes. Tiermes perdió toda su relevancia como muy tarde a partir del siglo XII.

Alrededor de 1888, después de visitar la ciudad, el historiador Nicolás Rabal inició los primeros estudios científicos de los restos arquitectónicos, que se han conservado gracias al clima templado.

El «bazar» de Tiermes ejemplifica la estructura de la ciudad: además de las casas excavadas en la roca también hay muros de mampostería, calles y estructuras arquitectónicas como en cualquier otra urbe.

... Y SUS HABITANTES

Muchas de las construcciones de Tiermes son insólitas para su época o las culturas de su tiempo, como el sistema de tuberías, que servía tanto para el suministro de agua como para la evacuación de las aguas residuales. Es evidente que en ciertos puntos hacía falta algún tipo de mecanismo de bombeo para que el sistema pudiera funcionar, pero no tenemos ninguna pista de cómo pudo haber sido dicho mecanismo.

Muchas paredes y techos son inusualmente gruesos: no son raras las paredes con un grosor de entre 1,5 y 3 metros. Además, muchos de estos edificios y plazas públicas presentan rampas sobre las que parece adivinarse un sistema de vías de 1,40 metros de ancho. Toda la meseta está surcada por estrechas muescas que, en ocasiones, desembocan en pasadizos subterráneos.

En la década de 1960, algunos investigadores apuntaron que esos vestigios, más que de su época, parecían propios de un sistema de defensa antiaérea moderno en el que estuviera previsto que los civiles se refugiaran en búnkeres mientras las fuerzas de defensa enviaban el armamento pesado a los lugares correspondientes mediante rieles.

Conforme avanzaban las excavaciones se descubrieron más restos que no se corresponden con las fortalezas de la época, como unos fosos que recuerdan las trincheras de la Segunda

Hay vestigios del sistema de raíles por todo el yacimiento de Tiermes. Se ignora cuál era su finalidad.

No se sabe a ciencia cierta si Tolomeo visitó realmente la ciudad de Tiermes o si basó sus descripciones en los relatos de los viajeros.

Guerra Mundial y a los que nadie parece encontrar explicación. Además, no ha sido posible atribuir su autoría a alguno de los pueblos que vivieron en Tiermes desde la conquista romana. Se cree que la ciudad es más antigua de lo que se suponía hasta ahora y en sus orígenes estuvo habitada por un pueblo que utilizaba esas singulares instalaciones para un fin determinado. En las décadas de 1980 y 1990 se especuló con la idea de que se trataba de vestigios dejados en la prehistoria por extraterrestres al defenderse de los ataques procedentes del espacio. Ante tales hipótesis, los científicos serios prefieren remitirse a antecedentes más recientes en los que tales conjeturas han podido ser refutadas por nuevos hallazgos científicos.

Las sencillas viviendas de la «calle principal», que quedaron parcialmente destruidas como consecuencia de un terremoto en el año 363, podían alojar a unas 30.000 personas.

Petra, la ciudad excavada en la roca

En agosto de 1812, durante un viaje por Oriente, el suizo Johann Ludwig Burckhardt (1784-1817) se enteró por boca de un peregrino de que muy cerca de donde se encontraba había una ciudad excavada en la roca. Con un pretexto cualquiera consiguió que los beduinos lo condujeran hasta allí, y así fue como descubrió la ciudad de Petra en un desfiladero de 1.200 metros de longitud y 100 metros de altura en algunos tramos. Hasta ese momento, los europeos creían que Petra era sólo una leyenda.

LA CIUDAD EN LA ROCA

Los hallazgos más antiguos señalan que el hombre habitaba en la garganta del Siq (del árabe *siq,* garganta, desfiladero) ya en el Neolítico. Los orígenes de la ciudad de Petra, situada en la actual Jordania, se remontan a la tribu de los edomitas, enemigos acérrimos de Israel, que se asentaron en este lugar. Los edomitas hicieron de Petra uno de los principales centros comerciales de Oriente Próximo. Sin embargo, gran parte de los edificios esculpidos en la roca fueron obra de los nabateos o, al menos, adquirieron su forma actual gracias a ellos, como el Tesoro del Faraón *(Khazne al-Firaun),* originalmente una tumba rupestre, el Teatro Romano, con un aforo de 5.000 localidades, el centro de la ciudad, con su avenida con columnata, y otras tumbas rupestres que sugieren que Petra fue primero una ciudad funeraria y que posteriormente fue ampliada. Los nabateos cayeron bajo la dominación romana en el año 106 d.C.

Mitos y leyendas

En el siglo XIX se divulgó la noticia del redescubrimiento de la ciudad de Petra, aunque sólo podían visitarla musulmanes. Eso suscitó la aparición de macabros rumores acerca de la permanencia en el interior de las casas de piedra de los restos de los últimos cruzados que estuvieron en la ciudad. Además, algunos relatos hacían alusión al supuesto origen bíblico de Petra, según el cual Moisés hizo manar agua de una piedra en ese lugar para abastecer al pueblo judío. Un rumor que corría en el siglo XIX afirmaba que el agua estaba envenenada y sólo lo sabían los musulmanes. Otras historias acerca de las atrocidades perpetradas contra los cristianos en la aislada ciudad de piedra por parte de criaturas en parte vivas y en parte muertas, y de los grandes tesoros que debían de estar escondidos en pasadizos subterráneos laberínticos, dieron pie a la fama de Petra como ciudad inquietante y a la vez fascinante.

La región y su capital, Bostra, fueron anexionadas al Imperio Romano y Petra perdió su protagonismo. Grandes partes de la ciudad de piedra fueron destruidas por sendos terremotos en los años 363 y 551, y sus habitantes la fueron abandonando. Es casi seguro que la ciudad ya estaba prácticamente deshabitada cuando la región fue conquistada por los árabes en el año 663.

Después de las Cruzadas medievales, Europa se olvidó de Petra, y con el tiempo la ciudad se fue convirtiendo en leyenda, hasta su redescubrimiento. Las excavaciones no se iniciaron hasta la década de 1920, y más o menos por la misma época se abrió la ciudad al turismo.

¿LÓGICA O MISTERIO?

La ciudad de Petra fue construida en un largo desfiladero seguramente por motivos estratégicos. Sin embargo, para conquistar una ciudad situada en un lugar de esas características basta con hacerse con el control de los riscos circundantes, siempre que los edificios se hallen en la garganta. Pero los constructores de Petra fueron más listos y ubicaron las casas en el interior de las paredes. De ese modo adquirieron una gran ventaja, porque el enemigo ya no podía atacar sin más los edificios y mucho menos evaluar la fuerza combativa y la resistencia de sus habitantes. También había algún edificio en el desfiladero, pero se trataba sobre todo de comercios que apenas ofrecían ninguna pista acerca del armamento y el número de habitantes. Para conquistar Petra era necesario desistir de la propia defensa y asaltar el desfiladero sin protección. Demasiado riesgo para muchos enemigos, como quedó demostrado en varias ocasiones.

El carácter legendario que tuvo Petra en Europa durante mucho tiempo contribuyó a popularizar ciertos mitos y suce-

Aún no se ha podido averiguar si el Tesoro del Faraón servía efectivamente para guardar tesoros. La hipótesis más común es que se tratara de una tumba.

sos acerca de este lugar que han perdurado hasta nuestros días, sobre todo durante el siglo XIX, cuando los no musulmanes tenían prohibido visitar la ciudad. Pero, en realidad, ni es una ciudad antediluviana ni tiene un origen enigmático.

El Monasterio ostenta la mayor fachada de la ciudad, con una anchura de más de 50 metros. En su interior fueron halladas numerosas cruces, y de ahí procede su nombre. Sin embargo, no se sabe si estaba destinado al oficio de misas.

El recinto Elíptico debió de ser el primer y mayor centro comercial africano de su tiempo, puesto que la prosperidad de Gran Zimbabue dependía directamente del comercio a escala mundial.

Gran Zimbabue

En el sudeste de Zimbabue, entre los ríos Zambeze y Orange, hay una ciudad en ruinas que supone un misterio desde hace siglos. Comerciantes y navegantes hablaban de un lugar que en el idioma de los shona se llamaba *dzimba dza mabwe*, «grandes casas de piedra». La leyenda dice que se trata de la ciudad de la reina de Saba.

UNA GRAN CIUDAD DE PIEDRA

Los primeros europeos que contemplaron las ruinas fueron los portugueses, en el siglo XVI. Fueron ellos los que difundieron la leyenda de que era la ciudad de la mítica reina de Saba. En 1871, el investigador alemán Karl Gottlieb Mauch (1837-1875) logró encontrar Gran Zimbabue. Muchos de los interrogantes que plantean sus ruinas desde entonces están relacionados con la destrucción de vestigios arqueológicos por parte de cazatesoros y arqueólogos aficionados entre 1890 y 1910. La ciudad en ruinas consta de tres partes: la llamada Acrópolis, que se alza sobre una colina en medio de curiosas

formaciones rocosas, el valle de las Ruinas y el recinto Elíptico o Gran Plaza. Este último está rodeado por una muralla de piedra de 253 metros de largo construida sin mortero y cuyas piedras están talladas como ladrillos. Tiene una altura de entre 4,9 y 10,7 metros. El interior del recinto está distribuido en numerosos edificios y plazas pequeños que no se sabe para qué servían. Sin embargo, el mayor misterio de todos es la torre cónica situada junto al muro exterior. Dicha torre ha estimulado la fantasía de los investigadores desde siempre, ya que no desempeña ninguna función aparente y carece de puertas, ventanas y escaleras. Algunos opinan que se trata de un símbolo fálico-religioso, emblema de la fertilidad del país, mientras que otros la consideran algo así como una torre de señalización o un observatorio.

EL ORO DEL REY SALOMÓN

La búsqueda de las fabulosas minas de Ofir, de donde procedían los tesoros del rey Salomón, ha ocupado al hombre durante siglos.

En 1522 el historiador portugués João de Barros describió una fortaleza en Sofala que ostentaba una advertencia indescifrable en la puerta. Los habitantes de la región se llamaban *symbaoe*, lo que suena muy parecido al actual Zimbabue. Los primeros hallazgos se remontan hasta el siglo IV a.C. La ciudad vivió su época de máximo esplendor, que se prolongó durante más de 400 años, entre los siglos X y XV como centro del Imperio Munhumutapa, que abarcaba los países actuales de Zimbabue y Mozambique. Esos cuatro siglos se dividen en tres períodos: ya en el siglo XI existía una poderosa zona de influencia, puesto que la extracción de oro se inició alrededor del año 1000. Se sospecha cierta influencia hindú, porque la técnica de prospección utilizada es la misma que en la India. En el segundo período, a partir del siglo XIII, el comercio exterior tuvo que intensificarse notablemente, puesto que en 1932, durante unas excavaciones sistemáticas, fueron descu-

Adosada a los muros exteriores del recinto Elíptico hay una torre cónica sin ninguna función aparente y que no tiene puertas, ventanas ni escaleras. ¿Se trata de un observatorio o de un símbolo fálico de la fertilidad de la llanura?

biertos fragmentos de cerámica de la dinastía Ming (1384-1644) y de la Persia de los siglos XIII y XV. Ese comercio floreciente y la riqueza que comportó dieron lugar a la arquitectura monumental cuyas ruinas se pueden admirar en la actualidad. Gran Zimbabue empezó a decaer en el siglo XV, al iniciarse el tercer período. Las causas del declive de una civilización tan avanzada, la única de África a excepción de la egipcia muy anterior a la invasión árabe y el colonialismo europeo, no están claras. Se cree que pudo deberse al fin o la interrupción del comercio exterior.

GRAN ZIMBABUE, CENTRO COMERCIAL

El arqueólogo Wilfried Mallows defiende la teoría según la cual Gran Zimbabue fue un importante centro comercial que, más tarde, fue utilizado por los árabes como enclave para el tráfico de esclavos.

El singular carácter de la ciudad en ruinas y su fascinante relación con Arabia, la India y el Lejano Oriente dan alas a la imaginación de investigadores y visitantes y la convierten en uno de los monumentos más grandiosos y enigmáticos del mundo.

La muralla exterior del recinto Elíptico se yergue hasta alcanzar una altura de 10 metros. Las piedras tienen forma de ladrillo y están apiladas sin mortero.

Ciudades subterráneas

Aparte de Petra, que casi se confunde con las rocas que la rodean, existen otras ciudades ubicadas en emplazamientos singulares. Sobre todo en Turquía, han sido descubiertas ciudades que se extienden por el subsuelo.

EL AGUJERO PROFUNDO

En 1963 Ömer Demir descubrió por casualidad en Turquía un agujero profundo (en turco, *derinkuyu*), a unos 30 km al sur de Nevşehir. Se dice que reparó en él porque una de sus gallinas desapareció de pronto por una grieta. Entonces comenzó a cavar y llegó a una angosta galería que se perdía en las profundidades. Ömer descendió con una lámpara y se encontró con escaleras, estrechos corredores y nichos y galerías excavados en la roca. A pesar de que algunos de los pasadizos se habían desmoronado o habían quedado bloqueados con el paso del tiempo, pronto se hizo evidente que aquel lugar escondía algo más que una simple cueva subterránea.

En efecto, los intensos trabajos de desescombro revelaron que el «agujero profundo» encerraba una ciudad construida íntegramente bajo tierra. Y no en una sola planta, como se podría pensar. Las galerías y pasadizos se adentraban cada vez más en las profundidades de la Tierra, y algunos de ellos se podían cerrar por uno de sus lados con piedras redondas del tamaño de piedras de molino. Al principio, eso hizo suponer que Derinkuyu había sido una especie de alojamiento provisional o refugio. Sin embargo, conforme se iba explorando la ciudad, mayor era el convencimiento de que tenía que haber sido algo más, porque el recinto era demasiado grande como para ser un simple refugio. Además de viviendas, almacenes, bodegas y comercios, durante las excavaciones se descubrieron unas grandes salas en las que se cree que se impartían clases. La ciudad contaba con una iglesia subterránea de 65 metros de largo y distintos espacios destinados muy probablemente a establos. En total, la ciudad subterránea ocupa una superficie de unos 4 km². Hasta ahora han sido desescombradas 13 plantas, y se supone que existen aún más. La planta inferior actual está situada a una profundidad de 85 metros. Se calcula que

Los pasadizos subterráneos de Derinkuyu eran abastecidos de aire fresco mediante un complejo sistema de galerías.

el recinto podía albergar cómodamente a más de 20.000 personas. La posición y conformación de las salidas secretas y las miles de galerías de ventilación parecen tan bien diseñadas, y los corredores tan espaciosos, que no se puede hablar en absoluto de una solución provisional realizada a toda prisa. Por otra parte, la distribución de los pasillos con piedras a modo de puerta, algunas salas comunitarias y el complejo sistema de ventilación, que también podía servir para comunicarse, revelan que los habitantes de Derinkuyu tenían miedo a algún enemigo.

¿UNA CIUDAD ÚNICA?

El sensacional hallazgo de Derinkuyu motivó la búsqueda de otras ciudades subterráneas en la región de Capadocia, búsqueda que finalmente terminó dando fruto. Hasta el momento se tiene noticia de 30 ciudades como ésta, pero es muy probable que existan o hayan existido todavía algunas más. La existencia de algunos corredores que se alejan del «recinto urbano» subterráneo llevaron a esa conclusión. Se cree que conectan con otras ciudades, sin embargo, la mayoría de éstas se han derrumbado o el acceso a ellas se ha hecho imposible por otros motivos.

Derinkuyu, Kaymakli y Özkonak son los tres yacimientos en los que se ha avanzado más con las excavaciones. Algunas

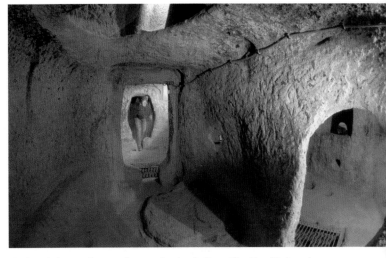

Muchos de los amplios pasadizos y estancias de Kaymakli están abiertos a los turistas, aunque las excavaciones todavía no han concluido.

partes de los pasillos y estancias subterráneos pueden ser visitadas por los turistas.

Las ciudades subterráneas no son un fenómeno exclusivo de Capadocia, sino que están diseminadas por casi todo el mundo. Se cree que en total hubo o sigue habiendo entre 300 y 500 ciudades como éstas en todo el planeta.

El extenso sistema de túneles de Kaymakli se extendía a lo largo de varias plantas.

LOS ORÍGENES DE LA CIUDAD SUBTERRÁNEA

La presencia de una iglesia y de una piscina que supuestamente se utilizaba como pila bautismal hizo pensar a los arqueólogos que los habitantes de Derinkuyu fueron perseguidos por su fe cristiana.

Además, otras teorías que se enunciaron se han cuestionado por distintos motivos: la hipótesis de que la población debió de buscar refugio en los pasadizos subterráneos en tiempos de guerra o bien huyendo de los ríos de lava de un volcán en erupción fue refutada con el argumento de que las galerías de ventilación hubieran sido un punto débil en ambos casos. Si los enemigos las hubieran taponado o se hubieran llenado de lava, ello habría significado la muerte segura para todos sus pobladores. Por otra parte, la teoría de los cristianos perseguidos está avalada por el hecho de que las iglesias abundan en las partes de la ciudad que se han dejado al descubierto hasta ahora.

Actualmente se cree que las ciudades subterráneas datan de hace unos 3.000 años, de la época de los frigios. Pero no está claro si ellos fueron también los impulsores de su construcción, porque existen algunos indicios de que pudieran haber sido los hititas. Mientras que en las ciudades vecinas de Bogazköy o Alacahöyük existen restos de incendios de la

época de los frigios, no se han encontrado indicios similares en Derinkuyu. Así pues, es muy probable que los hititas se refugiaran en los túneles para sortear a sus enemigos, pero para eso los túneles tenían que existir ya. La ausencia de cualquier rastro frigio en Derinkuyu hace pensar a ciertos investigadores y autores que debió de ocurrir así y que la estrategia hitita se coronó con el éxito.

Más tarde, la ciudad cayó en manos de los bizantinos, quienes la ampliaron. En el siglo VI d.C. los árabes penetraron en la región y atacaron Derinkuyu en diversas ocasiones. La ciudad acabó perdiendo su relevancia.

Pero todo eso deja sin explicación la existencia de las iglesias subterráneas, ya que ni los hititas ni los frigios practicaban el cristianismo. Una teoría sostiene que las iglesias fueron construidas mucho más tarde. Aunque esta posibilidad no ha sido excluida, es bastante improbable debido al trazado de los corredores que rodean las iglesias.

ARENA EN LOS PASADIZOS Y GANADO EN LOS PASTOS

Derinkuyu y muchas otras ciudades subterráneas de la región permanecieron ocultas durante mucho tiempo porque algunas galerías y pasadizos habían sido cegados a propósito con arena y piedras al abandonar la ciudad. No se conocen los motivos de tal actuación, sobre todo porque no existe ninguna documentación al respecto. Sin embargo, cabe suponer que esos trabajos eran habituales en un complejo de tales dimensiones.

La ciudad de Uçhisar presenta ciertos paralelismos con las ciudades subterráneas. Algunas viviendas también podían cerrarse con grandes piedras.

Los hititas

Según los datos de que se dispone en la actualidad, los hititas procedían del Cáucaso, desde donde en el III milenio a.C. emigraron a Anatolia, la parte asiática de la actual Turquía, para mezclarse con los hatti, que habitaban allí. Por motivos que todavía se ignoran, lograron hacerse con el poder en la región y levantar un gran imperio, al que perteneció durante un tiempo gran parte de la Siria actual. El Imperio Hitita fue igual de poderoso que Egipto o Babilonia durante casi un milenio.

El declive del gran Imperio Hitita culminó a principios del siglo XII a.C., después de que la mayoría de las ciudades hititas quedaran destruidas por incendios o asaltos. Algunas tribus siguieron viviendo en el sur o el este del antiguo Imperio durante unos cuantos siglos más, pero su rastro se pierde en el tiempo. Se cree que los grupos que quedaron fueron dominados por los asirios.

Se supone que la ciudad fue abandonada y los accesos, bloqueados, para poder edificar una nueva ciudad sobre suelo firme sin peligro de que se derrumbara. Esta idea sería comprensible en tanto que, como demuestran los establos subterráneos, los habitantes de Derinkuyu debían desempeñar ciertas actividades al aire libre si querían sobrevivir bajo tierra. El ganado bovino que se criaba en el recinto subterráneo tenía que pastar al aire libre. Ello hace que nos preguntemos por qué un pueblo se tomó la molestia de construir una ciudad bajo tierra.

Por lo tanto, se plantean diversos interrogantes que todavía no han podido ser desvelados: ¿cuál fue el motivo de la construcción subterránea? ¿Cuál era la identidad del pueblo que edificó estos pasadizos y galerías? Y, por último, ¿qué medios se utilizaron para excavar galerías de casi 20 plantas de profundidad y retirar las piedras?

La región de Capadocia está salpicada de casas y viviendas aisladas excavadas en la roca.

Las ruinas de Bogazköy, a unos 200 km de Ankara, coinciden plenamente con Hattusas, la antigua capital del Imperio Hitita.

El templo megalítico de Malta

Los complejos de templos de Malta son casi tan antiguos como el cementerio prehistórico irlandés de Newgrange pero mucho más extensos.

TEMPLOS DE PIEDRA

Se ignora qué clase de culto rendían los antiguos habitantes de Malta a sus dioses, pero los huesos hallados en los templos sugieren la práctica de sacrificios animales. Sea como sea, el estudio de los templos permite deducir que la religión desempeñaba un papel importante en esta civilización, porque los recintos fueron edificados con mucho esmero e imaginación. La planta de una parte del templo de Gantija, por ejemplo, recuerda una hoja de trébol. Ciertos cálculos permiten concluir que en la construcción de un templo participaban varias generaciones sucesivas. Las dimensiones y el peso de las piedras, de alrededor de 50 toneladas cada una, hacen suponer una duración de las obras de cerca de 500 años para algunos recintos.

LOS VESTIGIOS DE UN PUEBLO DESCONOCIDO

Los templos de piedra de Malta pertenecen a una civilización muy desarrollada, que, sin embargo, sigue envuelta en numerosos interrogantes. Al margen de los edificios, de unos cuantos recintos funerarios, de varios templos subterráneos y de algunos objetos de arte, parece que no se ha conservado nada más de esta civilización. Hasta el momento tampoco se ha hallado ningún indicio que pueda arrojar algo de luz sobre los orígenes y el posterior paradero de esta cultura. Con todo, los

En el recinto del templo de Hagar Qim («piedra erguida») se aprecian unos curiosos remates de piedra que tal vez representaran espíritus o demonios.

En muchas excavaciones se han hallado representaciones femeninas en forma de estatua o grabados.

nas, aunque representadas con la cabeza, las manos y los pies muy pequeños. Esas figuras inducen a pensar que antiguamente en Malta se veneraba a una diosa de la fertilidad. Otros opinan que la presencia habitual de figuras femeninas en los templos es más bien un signo de matriarcado, es decir, de una sociedad regida por mujeres.

Es poco probable que en el futuro se pueda obtener más información sobre esta cultura desaparecida hace ya tanto tiempo. El aire salino ha causado graves daños en muchas ruinas, y cabe suponer que otros restos corrieran la misma suerte con anterioridad. Sin embargo, todavía se tiene la esperanza de encontrar más templos subterráneos y objetos que permitan profundizar en las investigaciones.

restos que se conservan revelan que sus artífices poseían unos conocimientos de astronomía extraordinarios, ya que la mayoría de los templos que se han estudiado estaban orientados hacia la órbita de los astros, lo cual daba lugar a una iluminación sorprendente de los edificios en determinados momentos del día. Un fragmento de piedra presenta un dibujo que parece un mapa celeste.

En algunos puntos de los templos se puede apreciar una insólita abundancia de agujeros en determinadas piedras o muros. Se cree que podría tratarse de un simple adorno, pero también es probable que los dibujos estuvieran inspirados por las estrellas o las plantas.

Asimismo, en algunos templos se pueden distinguir piedras tremendamente irregulares y quebradas en su parte superior. Ciertos bloques fueron apilados o alineados de modo que es posible vislumbrar el contorno de rostros. Existe una teoría que sostiene que esas piedras servían para representar ciertas criaturas, como espíritus o dioses.

Además, según parece, las mujeres desempeñaban un papel destacado en la sociedad o, al menos, en la religión. Muchas de las piezas halladas corresponden a figuras femeni-

Normalmente, los templos están descubiertos. Sólo algunas partes, como esta entrada, están protegidas con un techo de piedra.

Newgrange

Newgrange (en irlandés, *An Liamh Greine*, «cueva del Sol») es un cementerio prehistórico irlandés del condado de Meath que fue construido hace unos 5.000 años, en la Edad del Bronce, y que, por lo tanto, es más antiguo que las pirámides de Giza o que Stonehenge. Newgrange es uno de los primeros yacimientos arqueológicos donde se ha podido constatar una cultura prehistórica con conocimientos de astronomía.

LUGAR DE CULTO ASTROLÓGICO

Newgrange es una edificación megalítica, lo que significa que fue construida con grandes bloques de piedra enteros y sin labrar. Los megalitos formaban un círculo de unos 70 metros de diámetro. Se calcula que sólo la edificación de ese círculo megalítico debió de llevar al menos 20 años, suponiendo que un gran contingente de personas (se habla de unos 300 hombres) interviniera en la construcción del monumento funerario. El muro exterior fue revestido con cuarcita (una roca granular) cuando estuvo terminado. Esa capa de cuarcita sufrió un notable deterioro con el paso de los milenios, aunque fue reproducida poco después de haber desenterrado la tumba prehistórica.

En Newgrange hay un pasadizo de unos 17 metros de largo. Sobre la entrada, que se debía de cerrar con una losa, hay una estrecha abertura de unos 10 cm de alto. Aproximadamente una semana antes y una semana después del solsticio de invierno, el 21 de diciembre, los rayos de sol pasan exactamente por ese hueco, recorren el pasadizo y van a dar a un bloque de piedra decorado con espirales. Por las dimensiones de la piedra y los huesos hallados en Newgrange, durante mucho tiempo se creyó que ese megalito había sido un altar destinado a los sacrificios humanos. Sin embargo, la hipótesis más aceptada en la actualidad es que los muertos eran incinerados en el exterior del recinto y sus restos, sepultados en Newgrange.

ESPIRALES, SÍMBOLO DIVINO

Muchas de las piedras de Newgrange que no forman parte del muro exterior están decoradas con espirales. Se desconoce su significado preciso, pero se supone que simbolizaban una divinidad. Por una parte, eso explicaría su abundancia; pero, por otra, también daría un nuevo significado al recorrido del Sol, que finaliza en una piedra adornada con espirales, en el supuesto de que el pueblo que levantó Newgrange venerara al Sol como divinidad autónoma, como ocurría en muchas otras civilizaciones. Sería lógico que así fuera, ya que el recinto está

En el solsticio de invierno, los rayos de sol recorren el pasadizo de 17 metros de largo que conduce a la cámara funeraria.

Los megalitos

Los monumentos megalíticos datan de entre el Neolítico y la Edad del Bronce, lo que equivale al período comprendido entre los años 5000 y 1000 a.C. Además de piedras aisladas, también se han conservado estructuras elementales, como Stonehenge (véanse las páginas 40-43), o construcciones íntegras. Los monumentos megalíticos se localizan principalmente en Europa, si bien el fenómeno no es exclusivo de este continente. En el norte de África, Sudamérica, la isla de Pascua (véanse las páginas 56-57) y algunos países asiáticos también se han descubierto construcciones megalíticas. Hasta el momento no se ha podido esclarecer por qué esas estructuras y edificios proliferaron en todo el mundo precisamente durante el mismo período.

orientado de acuerdo a los movimientos del Sol. Eso presupondría que sus creadores poseían conocimientos de astronomía. Es cierto que existen otras tumbas de la misma época en Escocia e Irlanda, algunas incluso con una arquitectura más avanzada, pero sólo aquí la orientación del recinto respecto al Sol y sus movimientos es tan precisa que hace posible el fenómeno de la incidencia del rayo de sol. Sin duda, el Sol debía de tener un significado muy especial para los constructores del complejo, tal vez el rango de divinidad.

Después de haber establecido la antigüedad del túmulo funerario, las investigaciones de Newgrange se han basado en

Entre 1962 y 1975 los arqueólogos reconstruyeron parcialmente el recinto, centrándose sobre todo en la reparación de los daños del muro exterior.

su mayor parte en suposiciones, ya que no se sabe qué cultura pudo ser la responsable de la construcción del recinto. No se han podido encontrar suficientes vestigios útiles acerca de la naturaleza ni el paradero de aquella civilización, ni en el interior de la tumba ni en los alrededores.

Newgrange es un hoy un yacimiento abierto al público. La trayectoria del Sol durante el solsticio de invierno se imita con medios artificiales para deleite de los asistentes.

Muchas piedras de Newgrange están grabadas con espirales. Se cree que simbolizan una divinidad a la que estaría consagrado el recinto.

El monumento megalítico de Stonehenge, en Salisbury, Inglaterra, se erigió en el Neolítico.

Stonehenge

El complejo megalítico de Stonehenge está ubicado en Salisbury, en el condado de Wiltshire, Inglaterra, y plantea numerosos interrogantes a la comunidad científica. Sus orígenes se remontan al Neolítico, y es probable que permaneciera en uso hasta bien entrada la Edad del Bronce. Se cree que el recinto estaba destinado a la observación del Sol y la Luna. Sin embargo, su estructura presupone unos conocimientos astronómicos de los que se carecía en aquella época y que aún tardarían mucho tiempo en adquirirse. Entonces, ¿de dónde los obtuvieron sus constructores?

LAS «PIEDRAS COLGANTES» DE STONEHENGE

El nombre de Stonehenge proviene del inglés antiguo *stanhen gist*, que significa «piedras colgantes». Stonehenge es un recinto funerario rodeado de varios círculos de piedra. El círculo exterior está formado por una hilera de pilares de piedra de hasta 4 metros de alto unidos entre sí por piedras horizontales. En su interior hay diez bloques dispuestos en forma de herradura y cubiertos de dos en dos con piedras horizontales. Entre medio hay otras estructuras compuestas por piedras más pequeñas, además de agujeros en el suelo.

Stonehenge fue edificado en varias fases a lo largo de aproximadamente un milenio y medio. El período de construcción

> **Períodos de la prehistoria**
> Paleolítico: Edad de Piedra antigua, 2 millones de años –
> 10.000.000 años a.C.
> Mesolítico: Edad de Piedra media, entre los siglos VIII y V a.C.
> Neolítico: Edad de Piedra reciente, 6500-4000 a.C.*
> Edad del Cobre: cuarto milenio-siglo XVIII a.C.
> Edad del Bronce: siglo XVIII-siglo VIII a.C.
> * La transición entre los distintos períodos no es lineal porque los procesos evolutivos varían de un lugar a otro.

se puede dividir en tres fases principales: la primera comprende un montículo circular y una zanja y data de hacia 3100 a.C. La singular estructura megalítica se erigió en una

Carnmenyn, en Gales, es la colina que alberga la cantera de la que fueron extraídos los inmensos bloques de piedra de Stonehenge, que luego fueron transportados a lo largo de casi 300 km.

segunda fase entre 2500 y 2000 a.C. Hacia 1700 a.C. fueron excavadas otras dos zanjas circulares con hoyos fuera del círculo megalítico. Los círculos, cada uno con 30 hoyos, nunca se llenaron con piedras, y con el paso del tiempo acabaron volviendo a rellenarse de tierra por sí solos. En ciertos momentos también sirvieron de tumbas.

STONEHENGE EN LA HISTORIA

El historiador galés Nennius fue el primero que escribió sobre Stonehenge, en el siglo IX. Cuenta que nació como un monumento en honor de 400 nobles que habían sido masacrados en 472 cerca de Hengist. En 1615 el arquitecto inglés Inigo Jones conjeturó que podía tratarse de un templo romano consagrado al dios pagano Caelus. Otros historiadores posteriores fueron de la opinión de que había sido obra de los daneses. La autoría de Stonehenge se atribuyó a los sajones hasta bien entrado el siglo XIX. El estudioso de las religiones William Stukeley (1687-1765) fue el primero en hacer, en 1740, un dibujo correcto del recinto, gracias al cual se podía interpretar el significado astronómico y como calendario de la posición de las piedras. Por fin, hacia 1900 se demostró que Stonehenge había estado en uso hasta la Edad del Bronce.

Este monumento se asocia hoy a actos rituales y se justifica por la presencia de fuerzas sobrenaturales. La causa de estas afirmaciones es la existencia de numerosas tumbas y la situación del complejo entre muchas otras construcciones sagradas de los alrededores.

EL TRANSPORTE DE LOS BLOQUES DE PIEDRA

El significado de Stonehenge no es lo único que trae de cabeza a científicos de todo el mundo. Otro enigma sin resolver es, sobre todo, la procedencia de las piedras empleadas en su construcción. Hasta la fecha sólo se ha podido desvelar la procedencia de los sillares del círculo interior. Al parecer, provienen de una pequeña cantera del sudoeste de Gales, lo que significa que fueron transportados desde una distancia de unos 300 km. ¿Cómo pudo ser con las condiciones de transporte de aquel entonces?

En 2001 se llevó a cabo un experimento consistente en transportar una piedra del tamaño de las de Stonehenge desde Gales a lo largo del supuesto trayecto. Un contingente de voluntarios la arrastraron por el suelo sobre un trineo de madera. Pudieron hacerlo porque existen métodos para desplazar bloques gigantescos de piedra con ayuda de cuerdas y palos. Sin embargo, luego hubo que embarcarla en una reproducción de una nave de las que se utilizaban en aquella época, y se hundió a causa del oleaje. El arqueólogo inglés Aubrey Burl propuso la teoría alternativa de que las piedras podrían haber sido transportadas a su lugar de destino arrastradas por los glaciares.

Los druidas modernos se congregaban en Stonehenge pertrechados con antorchas para celebrar el solsticio de verano. Estos actos están hoy prohibidos en el recinto monumental.

La construcción de Stonehenge

Los arqueólogos han calculado cuánta mano de obra y cuánto tiempo fueron necesarios para la construcción de Stonehenge. Entre todas las fases de su creación, hubo que invertir varios millones de horas. La primera precisó unas 11.000 horas de trabajo, la segunda, 360.000, y los distintos períodos de la tercera fase alrededor de 1,7 millones de horas en total. Para el conformado de las piedras se calculan unos 20 millones de horas, sobre todo teniendo en cuenta las herramientas al uso en aquella época. Por consiguiente, el deseo de construir este lugar tuvo que ser muy fuerte. La organización de las obras debió de ser perfecta. Además, los impulsores del proyecto tuvieron que ser muy ricos, porque debían alimentar a varios miles de peones que, a su vez, no tenían tiempo de procurarse alimento. ¿Quién podría haber organizado una empresa tan colosal?

La orientación astronómica del monumento

Las piedras de Stonehenge están ordenadas en función de los solsticios y equinoccios, lo que demuestra que se conocían los ápsides estacionales. ¿Eran esos conocimientos aprovechados por los reyes-sacerdotes en beneficio de su pueblo, eminentemente agrícola? Al menos la siembra y la cosecha estaban estrechamente relacionadas con esas fechas. Para calcular los valores astronómicos hubiera sido imprescindible contar con unos conocimientos avanzados. Y ello significaría que Stonehenge habría sido un observatorio prehistórico. Lo cierto es que no se tiene ni la más remota idea de para qué servía el recinto. En cualquier caso, es muy poco probable que la disposición de las piedras sea fortuita. Es demasiado exacta para eso. El punto de ascenso más septentrional del Sol depende de la latitud geográfica y equivale a 51° 11', valor que fue calculado u obtenido mediante observación absolutamente precisa para Stonehenge. La determinación exacta era importantísima para el posicionamiento de las piedras, porque sólo así se podían establecer con exactitud las otras funciones. Según esta explicación, Stonehenge sería una especie de calendario para predecir los cambios de estación.

Stonehenge en la mitología

Por lo que se refiere a la mitología, Stonehenge se suele relacionar con la leyenda del rey Arturo. El arzobispo de la localidad galesa de St. Aspa, Godofredo de Monmouth, escribió que el druida Merlín había trasladado Stonehenge desde Irlanda

¿Cómo pudieron ser transportados los inmensos bloques hace tantos años? En 2001 se llevó a cabo un experimento que consistió en transportar un bloque de piedra sobre un trineo con la ayuda de cuerdas y troncos desde Gales hasta Salisbury. El viaje duró varios meses.

El artista modernista inglés Aubrey Beardsley es el autor de este grabado de 1893, perteneciente a la serie *La muerte de Arturo*, en el que aparecen representados el mago celta Merlín y la Dama del Lago. Algunos investigadores opinan que Merlín fue el impulsor de Stonehenge.

Tumba megalítica

La tumba megalítica es una forma funeraria propia del Neolítico y la Edad del Bronce temprana en el área mediterránea y la costa atlántica de Europa occidental. Se distingue entre dólmenes, formados por al menos cinco piedras grandes de soporte y una de cobertura, y tumbas de corredor, cámaras con pasillos más o menos largos. En las tumbas megalíticas se solían hacer enterramientos colectivos.

Una grúa coloca en su sitio la última piedra transversal de las que habían caído al suelo en 1797. Con esta acción, el círculo de piedra de Stonehenge recuperaba su estado original.

hasta su emplazamiento actual. Cuenta que el monumento había sido erigido en lo alto del monte Killarus en la Isla Verde por gigantes que habían traído los bloques de piedra desde África.

El erudito inglés John Aubrey escribió en el siglo XVII que los círculos de piedra eran templos de druidas, y que ellos mismos habían construido y utilizado Stonehenge. Sin embargo, esta hipótesis no tiene fundamento porque cuando aparecieron los druidas el monumento contaba ya con 2.000 años de antigüedad.

La elección del lugar también resulta interesante. En las proximidades de muchos megalitos de Inglaterra y Gales se han podido observar fenómenos luminosos, luces en la tierra. ¿Serían un presagio o una puerta al inframundo? El profesor Michael Peringer de Ontario, Canadá, apuntó que las luces terrestres están provocadas por campos electromagnéticos muy intensos que pueden alterar la conciencia. Por tanto, ¿es Stonehenge un lugar de culto en todos los sentidos?

El complejo de Avebury está formado por un gran círculo exterior del año 2500 a.C. Tiene un perímetro de cerca de 1.200 metros y un diámetro de 427.

Los círculos de piedra de Avebury

Los círculos de piedra de Avebury, en el condado de Wiltshire, Inglaterra, figuran entre los más grandes y antiguos de las Islas Británicas. Tienen la misma relevancia que Stonehenge y Silbury Hill.

EL RECINTO DE AVEBURY

Incluyendo la muralla que lo rodea, Avebury ocupa una superficie de unas 15 ha. El recinto consta de un gran círculo exterior del año 2500 a.C. con un perímetro de unos 1.200 metros y un diámetro de 427. Originalmente, sobre un terraplén de 6 metros de alto se erguían 98 menhires, de los cuales se conservan 27. El círculo exterior encierra otros dos. El círculo norte, el más pequeño, data de 2600 a.C. y tiene un diámetro de 98 metros. De los 27 monolitos con que contaba originalmente sólo quedan cuatro. El círculo sur, de la misma época, tiene un diámetro de 104 metros y estaba formado por 29 piedras, de las que quedan cinco.

A diferencia del caso de Stonehenge, las areniscas proceden de yacimientos cercanos y pudieron ser transportadas sin problemas. Miden entre 2,1 y 5,5 metros de alto y pesan hasta 40 toneladas. Las piedras se anclaron en la tierra hundiéndolas entre 15 y 60 cm para que no pudieran tumbarse. El obelisco, la piedra más grande del complejo, debió de tener una altura de 5,5 metros pero fue derribado y destruido en el siglo XVIII. Dos avenidas jalonadas por bloques de piedra se alejan del gran círculo exterior.

El monumento permaneció prácticamente intacto hasta el siglo XIV, fecha a partir de la cual se inició la demolición de los lugares de culto «paganos» instigada por la Iglesia.

Durante los siglos XVII y XVIII se retiraron algunas piedras para poder aprovechar el espacio para la agricultura, o bien para construir casas. Se trata de un fenómeno muy habitual que han padecido muchos monumentos a lo largo de la historia. La misma suerte corrieron el Coliseo de Roma o, en España, la muralla romana de Tarragona.

EL DESCUBRIMIENTO Y LA INTERPRETACIÓN DE LOS CÍRCULOS DE PIEDRA

El arqueólogo John Aubrey identificó en 1648 los megalitos diseminados por los campos y el pueblo como círculos de piedra prehistóricos, y los atribuyó a los druidas, como había hecho ya antes con Stonehenge. Hacia 1720, el erudito William Stukeley también describió el círculo de piedra como un santuario de druidas. La National Trust se encargó de restituir un gran número de piedras en 1930. A pesar de todo, de los 154 megalitos originales sólo se conservan 36. Antiguamente, la cifra total contando las avenidas rondaba los 600.

William Stukeley fue el primero en reparar en que la planta de Avebury imita una serpiente que se desliza sinuosamente a través de un círculo y, de ese modo, reproduce un símbolo alquímico tradicional. La cabeza y la cola del gigantesco ofidio están representados por las dos avenidas de 17 metros de ancho de piedras erguidas que serpentean por este paraje a lo largo de unos 2,5 km. Una de las dos avenidas, la

Las areniscas proceden de lomas cercanas, miden entre 2,1 y 5,5 metros de alto y pesan hasta 40 toneladas. Fueron ancladas en el suelo a una profundidad de entre 15 y 60 cm para que no se cayeran.

West Kennet Avenue, desemboca en otro círculo de piedra, el Sanctuary o santuario.

AVEBURY, UN TEMPLO PAGANO DE LA FERTILIDAD

El autor Terence Meaden ofrece una interpretación de los dos círculos de piedra interiores. Según él, Avebury fue un santuario consagrado al Sol y la Luna, simbolizados por los dos círculos. La Luna representa el sexo femenino o la diosa de la tierra Tara, mientras que el Sol personifica la naturaleza masculina o el dios del cielo Taran. La diosa de la tierra y el dios del cielo se funden en el solsticio de verano en señal de la renovación del planeta. Meaden argumenta que, en el marco de los rituales y las religiones de la fertilidad, el círculo era un símbolo de la naturaleza femenina y las piedras erguidas representaban la naturaleza masculina.

En los alrededores es habitual observar luces en la tierra, y también es común la aparición de círculos en los campos de cereales cercanos.

Los nombres de la diosa de la tierra y el dios del cielo

Tara era el nombre indoeuropeo de la diosa de la tierra. Se llamaba Tara en la India, los etruscos la conocían por *Turan*, los hebreos, por *Terah*, y los romanos, por *Terra Mater*.
Su equivalente masculino era Taran, el dios del trueno, la lluvia y la fertilidad. Los hititas lo llamaban *Taru*, y los andamanos, *Tarai*. En los países escandinavos era conocido por el nombre de *Thor*, en Germania, por los de *Thunar* o *Donar* (en alemán *Donnerstag*, jueves, es el día del dios Donar), y los anglosajones le llamaban *Thunaer* (en inglés *thursday*, día de Thor). Por último, los celtas le llamaban *Taran* en Gales y *Torann* en Irlanda.

Silbury Hill

Se desconoce cuál era el significado original de Silbury Hill, cuyos orígenes datan de hace más de 4.500 años. Algunas teorías sostienen que se trataba de un observatorio solar o de una escultura para la diosa de la tierra. Los expertos en geomancia reconocen el poderoso campo magnético que envuelve este misterioso lugar.

EL COMPLEJO DE SILBURY HILL

La impresionante colina artificial de Silbury Hill, de unos 40 metros de altura y aplanada en la cima, está situada al sur de Avebury. La colina está formada por 339.600 m³ de tierra apilada y fue erigida en tres fases. La primera se inició hacia 2660 a.C., durante la segunda se construyó una espiral de creta que rodea el montículo desde el suelo hasta la cima en seis vueltas, y a continuación, en la última fase, esa espiral fue cubierta con grava y tierra para conferir a la colina su característica forma cónica.

LA FIESTA CELTA DE LAS SEGADORAS

Según una leyenda, aquí se encuentra la tumba de la reina olvidada Sil, mientras que otros relatos hablan de la sepultura de un caballero con una armadura dorada y un caballo de oro macizo. También se dice que el diablo pretendía volcar un saco de tierra sobre la ciudad de Marlborough pero los poderosos sacerdotes de la cercana Avebury lo obligaron a vaciar allí el saco.

El erudito William Stukeley escribió que en 1723 se llevaron a cabo unas excavaciones en la cima en las que fueron descubiertos huesos y arreos antiguos. Las excavaciones se repitieron en los años 1776, 1849 y 1967, pero nunca se ha podido descubrir ninguna tumba ni desvelar el significado del túmulo. El arqueólogo Richard Atkinson determinó la fecha exacta del inicio de la construcción gracias al método de radiocarbono (datación de sustancias orgánicas mediante determinación del contenido en carbono radiactivo): la noche

Algunos investigadores opinan que Silbury Hill fue un observatorio solar o una escultura natural dedicada a la diosa de la tierra. Los expertos en geomancia reconocen el poderoso campo energético que rodea este misterioso lugar.

El famoso túmulo funerario de West Kennet Long Barrow está situado en la línea ley de Avebury y Silbury Hill. Las primeras excavaciones se iniciaron en 1859, y el recinto fue desenterrado en su totalidad entre 1955 y 1956.

del 31 de julio al 1 de agosto del año 2660 a.C., durante la fiesta celta de *lugnasadh* (también llamada «fiesta de las segadoras»), un ritual chamanístico al aire libre para mujeres.

ESCULTURA NATURAL O PUNTO DE REUNIÓN DE OVNIS

Cada día aparecen nuevas teorías acerca del significado de Silbury. El investigador Michael Dames sospecha que podría tratarse de una escultura natural de la Madre Tierra Tara embarazada, como la Tor de Glastonbury.

Otra teoría contempla Silbury como un observatorio solar perfecto por la sombra que proyecta la colina sobre el llano.

Los expertos en geomancia han reconocido que Silbury está situada en una línea ley en perfecta armonía con el recinto funerario neolítico de West Kennet Long Barrow y el obelisco de Avebury. Es el mismo meridiano que atraviesa Glastonbury, la iglesia de Avebury, Stonehenge y el círculo de piedra de Winterbourne Abbas. La calzada romana que va de Marlborough a Bath desemboca justamente en Silbury y rodea la colina. De ello se deduce que los responsables de la construcción de la calzada romana conocían esa línea cuando

proyectaron la vía. El autor John Michell apunta al respecto: «Teniendo en cuenta que en China fueron construidas colinas similares a la de Silbury en el *lung-mei,* el Camino del Dragón, existen motivos para pensar que Silbury fue proyectada por druidas pre-celtas en la línea del dragón con la ayuda del compás geomántico. Cabe suponer que el *lung-mei* chino se extiende por todo el planeta». (1)

LAS FUERZAS CURATIVAS DEL CAMPO ENERGÉTICO DE SILBURY

Al campo energético de Silbury se le atribuyen fuerzas curativas, además de otras propiedades. Los zahoríes han constatado que la línea ley sobre la que se alza la colina tiene cualidades femeninas, y en los alrededores es habitual observar luces terrestres. En los campos de cereales cercanos también suelen aparecer círculos. Los investigadores del fenómeno ovni opinan que en este lugar se desarrollan actividades extraterrestres.

Habrán de pasar muchos años antes de que los enigmas que envuelven Silbury y los yacimientos vecinos puedan ser desvelados. Las disciplinas científicas y espirituales no aunaron esfuerzos hasta la década de 1980, y la arqueología y la intuición trabajan hoy de la mano para poder dar respuesta a los interrogantes en torno a este misterioso lugar.

La colina artificial de Silbury Hill tiene alrededor de 40 metros de altura y está formada por 339.600 m³ de tierra.

Glastonbury, un lugar sagrado y celestial en la Tierra

La Glastonbury Tor, un montículo de 160 metros de altura, se alza en mitad de la llanura de Somerset como un formidable animal primitivo. En lo alto del promontorio descansan las ruinas de una iglesia legendaria. La Tor es uno de los lugares más misteriosos de toda Inglaterra. ¿Se celebraban allí ritos de la fertilidad basados en la leyenda de la diosa de la tierra? ¿O se trata de la legendaria isla de Avalón que esconde la tumba del rey Arturo?

AVALÓN, LA MORADA DE LOS MUERTOS

La colina de Glastonbury Tor (*tor* es una palabra de origen celta que significa «colina» o «montaña») está rodeada de un sistema de terrazas que, a pesar de estar erosionadas y desgastadas por los elementos, aún se distinguen con claridad, a semejanza de lo que ocurre en Silbury Hill. Desde siempre se ha creído que esos senderos configuraban un gigantesco laberinto según un antiguo modelo mágico. De ser así, nos encontraríamos ante uno de los centros rituales creados hace 4.000 o 5.000 años, como Stonehenge. Hace 2.000 años el mar bañaba los pies de la Tor, cercando la colina y convirtiéndola en una isla cuando subía la marea. El mar se retiró y dejó tras de sí un gran lago. En aquella época, la Tor se conocía como «Ynys-witrin», isla de cristal. El nombre de Avalón proviene de la mitología celta y alude al semidiós Avalloc o Avallach que gobierna en los avernos. Según la tradición celta, Avalón era un lugar encantado pero pagano. Por eso es digno de mención que la iglesia situada en lo alto de la colina fuera bautizada con el nombre del arcángel Miguel, que combatía las fuerzas de las tinieblas. Avalón, punto de encuentro entre mar y tierra, era la morada de los muertos, el lugar de transición de un mundo a otro.

Glastonbury Tor, con las ruinas de la legendaria iglesia de San Miguel, se yergue como un animal primitivo.

Las ruinas de la abadía de Glastonbury se levantan sobre suelo sagrado, puesto que se dice que José de Arimatea erigió aquí la primera capilla.

LA HISTORIA DE LA ABADÍA

Somerset fue conquistado en el siglo VII por los sajones convertidos al cristianismo bajo el reinado de Ine de Wessex, una de las figuras más relevantes de la historia de la abadía. Él mandó edificar una iglesia de piedra, cuyos cimientos conforman la parte occidental de la nave. La iglesia fue ampliada en el siglo X por el abad de Glastonbury san Dunstan, quien fue nombrado arzobispo de Canterbury en 960. En 1066 los normandos conquistaron Inglaterra, y Turstin, el primer abad normando, hizo ampliar el templo desde el cementerio hasta la iglesia sajona. En 1086 Glastonbury era el monasterio más rico del país, pero apenas 100 años más tarde, en 1184, la abadía fue pasto de las llamas y muchos valiosos tesoros quedaron destruidos. La iglesia nueva no fue consagrada hasta el día de Navidad de 1213. Glastonbury fue el segundo monasterio más rico de Inglaterra, después de la abadía de Westminster, hasta bien entrado el siglo XIV, y su abad era un hombre poderoso. En 1536, bajo el reinado de Enrique VIII, había en Inglaterra más de 800 monasterios. Cuando Roma le denegó el divorcio de Catalina de Aragón, Enrique VIII fundó una nueva Iglesia anglicana y se autoproclamó su máxima autoridad. Los monasterios fueron suprimidos, los monjes y monjas, perseguidos, los tesoros pasaron a manos de la corona y Glastonbury quedó en ruinas.

LA TUMBA DEL REY ARTURO

Uno de los grandes misterios de Glastonbury es la cuestión de la tumba del rey Arturo. Ya en 1190, unos monjes aseguraron haber hallado sus restos mortales y los de su esposa Ginebra en una tumba debajo de la abadía. En el ataúd, tallado en un tronco de árbol, figuraban las siguientes palabras latinas sobre una cruz de plomo: *Hic iacet sepultus inclitus rex arturius in* *insula avalónia* («Aquí yace enterrado el rey Arturo en la isla de Avalón»). Los huesos fueron trasladados a la tumba de mármol negro situada frente al altar mayor de la abadía en 1278 con motivo de la visita del rey Eduardo I. Al parecer, permanecieron allí hasta que la abadía fue destruida, en 1536. Desde entonces se les ha perdido el rastro, y se cuenta que un legendario caballero negro con los ojos rojos atacó la abadía y borró cualquier huella del mítico rey.

El nombre oficial del Festival de Glastonbury, que se celebra en la Worthy Farm de Pilton desde 1970, muy cerca de las ruinas, es «Festival of Contemporary Performing Arts».

Las ruinas de la abadía de Glastonbury se levantan sobre suelo sagrado y en el pasado pertenecieron a uno de los monasterios más grandes de Inglaterra.

EL SANTO GRIAL

A los pies de la colina hay un viejo pozo cuyas aguas suenan como el latido de un corazón y son de color rojo oscuro por el óxido ferroso de la roca circundante; por eso se conoce también por el nombre de «pozo de sangre». Cuenta la leyenda que ese pozo fue perforado por los druidas para esconder el cáliz de la Última Cena, el Grial, que José de Arimatea había llevado consigo a Inglaterra después de recoger en él la sangre de Jesús crucificado. Según las leyendas de Glastonbury y Somerset, fue el propio Jesús quien edificó la primera iglesia de mimbre trenzado aquí en Glastonbury, en su juventud, con su tío José de Arimatea. Por eso José volvió allí para esconder el Grial. Se dice que José enterró el cáliz debajo de la Tor, no muy lejos de la entrada al Averno. Al poco, de allí brotó un manantial, Chalice Well o «pozo del cáliz», cuyas aguas otor-

gaban la eterna juventud. Se trataba del Grial que Arturo y los caballeros de la Mesa Redonda llevaron a Avalón.

LA DIOSA DE LA TOR

La autora Kathy Jones sospecha que la Tor debía de ser un centro ritual consagrado a la diosa de la tierra y que la propia Tor es una escultura colosal creada en su honor. La diosa de la tierra y la fertilidad tenía muchos nombres: Rhiannon, Venus, Afrodita y Estrella matutina y vespertina. La Tor sería una colina hueca llena de grutas en las que habitan troles y elfos en honor a la diosa. Está diseñada como un laberinto de siete plantas como el que aparece representado en monedas de Creta o se puede contemplar en las rocas de Tintagel en Cornualles. También es el símbolo de la Madre Tierra de los indios norteamericanos hopi. En el dolmen Luffang-en-Crach de Carnac hay una representación de la diosa de la fertilidad. La entrada al laberinto estaría situada supuestamente en el extremo oeste de la Tor y conduciría hasta el corazón de la diosa a través del montículo.

EL TEMPLO DE LAS ESTRELLAS DE GLASTONBURY

El Zodiaco de Glastonbury está diseminado a lo largo de 16 km a la redonda. Se trata de un «parque natural» de los signos del Zodiaco situado en escenarios naturales tales como bosques, ríos, arroyos, senderos, parajes y llanos. Este fabuloso templo natural de las estrellas es una combinación de astrología, leyenda artúrica y *new age*. Hace falta tener mucha imaginación para localizarlo, porque el parque se basa más en nombres geográficos y leyendas que en hechos históricos: Arturo era Sagitario, Ginebra, Virgo, Merlín, Capricornio, Lancelote, Leo, y Glastonbury está en Acuario, como lo muestra un ave fénix (lo nuevo proviene de lo antiguo). El pozo del cáliz es el pico del ave, Tauro, su cabeza, y la abadía, la fortaleza del Grial. La escultora Katherine Maltwood descubrió los signos del Zodiaco en la naturaleza en 1929, y la profesora de arte Mary Caine los filmó desde un avión y trazó el primer mapa. Además, sostiene que los signos se combinan para formar un rostro gigantesco del Mesías.

Glastonbury es un lugar encantado con una energía palpable. El historiador William de Malmesbury (hacia 1080-hacia 1143) escribió en el siglo XII sobre él: «Es un lugar sagrado y celestial en la Tierra».

El pozo del cáliz. Según la leyenda, lo construyeron los druidas y más tarde en sus aguas rojas fue escondido el Grial.

Un laberinto en el suelo, el Julians Bower, en el Humberside inglés. Los laberintos son símbolo de purificación en casi todas las culturas.

Los laberintos, símbolos del alma

Intrincados caminos o pasillos que se entrecruzan y entrelazan y en los que el visitante debe encontrar la salida. Desde siempre, los laberintos han simbolizado los caminos de la purificación en casi todas las culturas del mundo. Los siete niveles o anillos de la mayoría de los laberintos son equiparables a los siete *chakras* (centros energéticos principales del hombre) o se interpretan como los distintos estadios físicos, mentales, psicológicos o espirituales que podemos encontrar en nuestro camino. Los laberintos adquirieron un significado lúgubre con la construcción del laberinto tridimensional de Cnosos, donde vivía el Minotauro, un semidiós entre hombre y animal. Según Kathy Jones, la simbología femenina de la fertilidad de los laberintos culminaba en su interpretación como camino para reencontrarse a sí mismo y así liberarse de un sistema amenazador propio del patriarcado. El laberinto representa el modelo de nuestro destino: no podemos cambiarlo, sólo recorrerlo de forma diferente y aceptarlo.

Las avenidas megalíticas de Carnac

En torno a 3000 a.C., un pueblo desconocido erigió unos enormes bloques de piedra como los que jalonan muchas costas desde las islas Orcadas hasta las tierras del Jordán. La mayoría se localizan en la Bretaña francesa, y los más misteriosos son los de Carnac. Estas avenidas megalíticas interminables, que fueron sagradas para un pueblo extinto, ejercen un efecto mágico sobre quienes las contemplan.

UN MONUMENTO PREHISTÓRICO CON MÁS DE 3.000 MEGALITOS

Cerca de Carnac, en la costa atlántica norte de Francia, se encuentra un monumento prehistórico formado por más de 3.000 colosos de piedra de hasta 4 metros de alto alineados a lo largo de más de 3 km, si bien en sus orígenes ocupaba una extensión de 8 km. Las hileras y círculos de piedra y los com-

Sucesivas generaciones han dejado sus símbolos en las piedras sagradas de un pueblo desaparecido.

plejos de tumbas datan de entre el tercer milenio y 1800 a.C. Los menhires (del bretón *ar-men-hir*, «piedra larga») están tallados en granito y se yerguen en solitario, en las denominadas «avenidas» o formando grandes tumbas de piedra.

Se considera seguro que estas piedras no fueron colocadas por los romanos, los galos ni los celtas. El monumento fue erigido con un esfuerzo sobrehumano por un pueblo desconocido hacia finales del Neolítico. No sabemos quiénes eran, pero han quedado inmortalizados gracias a su obra. Los investigadores suponen que los creadores primitivos eran navegantes, porque casi todas las piedras están situadas cerca del mar.

EL MEN-ER-H'ROEK DE LOCMARIAQUER

En las proximidades de las tumbas alargadas y de corredor integradas por piedras de soporte y de cobertura es habitual encontrar grandes menhires aislados. El mayor de ellos medía unos 20 metros de alto y pesaba 350 t. Nos referimos al Men-er-H'roek de Locmariaquer. Tenía una altura equivalente a una casa de seis plantas. Siempre será un misterio cómo fue tallado por sus creadores y transportado y erigido aquí. Para hacerse una idea, basta con pensar que en 1556, 800 hombres y 70 caballos tardaron cerca de un año en erigir el obelisco de la plaza de San Pedro de Roma, que «sólo» pesaba la mitad.

Los constructores de Carnac debían de tener una estructura social muy desarrollada, ya que las piedras atestiguan un elevado nivel técnico y organizativo. El menhir de Locmariaquer fue alcanzado por un rayo hacia 1700, y por eso hoy reposa roto en el suelo. Sirvió de mojón para los navegantes durante miles de años.

¿OBSERVATORIO O SÍMBOLOS DE FERTILIDAD?

Las piedras fueron veneradas por los bretones como objetos de culto hasta bien entrada la Edad Moderna, mientras que en épocas anteriores habían servido para fines religiosos. Los ejércitos romanos las vieron durante sus campañas y tallaron imágenes de dioses sobre su superficie. En la Edad Media, los cristianos añadieron cruces y símbolos cristianos.

En torno a las piedras de Carnac existen innumerables leyendas. Se dice que san Cornelio, que murió martirizado en 235, se refugió en la Bretaña huyendo de los romanos. El emperador envió a sus legionarios en pos de Cornelio, pero el sucesor de san Pedro convirtió en piedras a los soldados con sus rezos.

Con todo, todavía queda una cuestión por resolver. ¿Para qué servían estas enormes filas y círculos? ¿Por qué fueron erigidos? Algunos investigadores opinan que son cementerios, mientras que otros piensan que las piedras fueron levantadas con fines astronómicos.

Lo que está claro es que las piedras eran sagradas para sus creadores, y las costumbres paganas y druídicas han perdurado entre la población hasta hoy. Se cree que algunas piedras propician la fertilidad, y las parejas que quieren tener hijos se congregan por la noche en un círculo mágico alrededor de los menhires. Se dice que el menhir de Saint Cado otorga fertilidad a las mujeres. Las piedras de Carnac están rodeadas de un sinfín de historias maravillosas o espantosas. Pero sólo son historias, porque la verdad acerca de estas piedras ha quedado sumida en las tinieblas de la historia.

Algunos investigadores consideran Carnac un gigantesco cementerio. Las tumbas corredor como ésta abundan en este lugar. Otros investigadores apuntan que las tumbas son mucho más recientes que los menhires.

Más de 3.000 colosos de piedra de hasta 4 metros de alto están alineados a lo largo de 3 km conformando un colosal monumento prehistórico.

Las piedras del bosque de Teutoburgo

Las Externsteine («piedras externas») son un conjunto de rocas que se alza en mitad de un paisaje por lo demás no pedregoso como una reliquia primitiva. Resultan impresionantes ya sólo como creación de la naturaleza. El misterio que envuelve estas caprichosas piedras reside sobre todo en los vestigios del uso que les dio el hombre en la Edad Media y, probablemente, también en la prehistoria.

MONUMENTO NATURAL Y CULTURAL

Las caprichosas formaciones rocosas de casi 40 metros de altura ofrecen un espectáculo natural de incomparable belleza pero, al mismo tiempo, son un enigmático monumento cultural. Se cree que éste fue un lugar de culto en el Paleolítico. En el siglo XII, el obispo de Paderborn consagró una gruta de las rocas occidentales como iglesia, tal y como reza una inscripción. Entrando a mano izquierda se puede contemplar la imagen en piedra más antigua que se conserva en Alemania, un relieve del Descendimiento de la Cruz. Ésos son los únicos datos documentados. La corriente *new age* y el esoterismo volvieron a poner de actualidad las piedras externas, que se convirtieron en un centro de atracción para brujas, druidas, comunidades de fieles celtas y esotéricos modernos.

Arriba, en la cima de la roca, hay una cámara a la que sólo se puede acceder por el puente arqueado. Sirvió de capilla durante mucho tiempo.

INTERÉS ETNORRACISTA POR LOS LUGARES DE CULTO GERMÁNICOS

Este lugar fue objeto de particular interés por parte del nacionalsocialismo. En aquella época se pretendía hallar la prueba de la supremacía de las culturas nórdicas respecto a las civilizaciones mediterráneas. En 1935 el arqueólogo aficionado Wilhelm Teudt creyó haber descubierto el santuario sajón de Irminsul en las Externsteine del bosque. Entre los círculos neopaganos y neofascistas, Irminsul es un símbolo de la resistencia de las religiones germanas frente a la cristianización. Según ellos, Carlomagno destruyó el centro de culto de las Externsteine e Irminsul en 772 durante las guerras contra los sajones.

Por eso los grupos neonazis se siguen reuniendo allí para celebrar los solsticios y venerar a dioses germánicos como Odín y Freya a fin de reavivar lo que quedó enterrado en 1945. Sus consignas etnorracistas pretenden resucitar algo que la ciencia nunca ha podido demostrar. En consecuencia, muchas inter-

En las Externsteine del bosque Teutónico se puede contemplar un bajorrelieve que representa el Descendimiento de la Cruz. Tampoco se descarta que se trate de una escena de iniciación de la Orden del Temple.

pretaciones de las piedras en el marco de la historia pregermánica se acercan involuntariamente a la ideología fascista.

Hallazgos del Paleolítico

Cerca de las rocas se han encontrado puntas de piedra y lascas del Paleolítico (hacia 10000 a.C.). Pero eso sólo prueba que allí vivieron seres humanos, no que el lugar estuviera destinado al culto como a algunos les gustaría creer. En ninguna de las excavaciones arqueológicas se han hallado piezas destacables que hagan pensar que se practicara algún tipo de culto en las rocas. Aún no se ha podido averiguar qué función desempeñaban esas piedras en la época precristiana. La lista de teorías es larga y variopinta. Unos creen que eran un observatorio religioso natural germánico o un poderoso centro de culto de los dioses germanos; otros, como el experto en antroposofía Rolf Speckner, opinan que servían de oráculo. La pregunta sigue en el aire: ¿realmente presentan las rocas huellas de un labrado prehistórico de la piedra, como sugiere el picapedrero y autor Ulrich Niedhorn? Todas las teorías siguen siendo puras especulaciones.

Rastros de hogueras en las grutas

Hace unos años Ulrich Niedhorn descubrió restos de hollín en las grutas, que son artificiales, y los vestigios de fuego demuestran que fueron utilizadas por el hombre, tal vez incluso horadadas mediante el calor del fuego. Pero ¿de qué época son esos restos?

Por el momento, el procedimiento de la luminiscencia es el único que permite datar las huellas dejadas por el fuego y determinar el momento del último calentamiento de los granos de cuarzo y feldespato contenidos en la piedra. Sin embargo, en este caso la prueba no ha arrojado ningún resultado concluyente, como si se negara a revelar su secreto.

A la derecha, Nicodemo aparece posado sobre el símbolo arqueado de Irminsul, y debajo está representada la serpiente del mundo, que simboliza las fuerzas telúricas (fuerzas de la Tierra) en las Externsteine. Al parecer, no fue esculpida por el mismo artista, sino que es de origen anglosajón.

Los gigantes de la isla de Pascua

El domingo de Pascua de 1722, un barco capitaneado por el navegante holandés Jacob Roggeveen (1669-1729) tomó tierra en una isla desconocida. Sus habitantes sólo tenían primitivas herramientas de piedra y armas y unas cuantas canoas, pero los marineros quedaron atónitos y aterrorizados al ver las más de mil enormes y misteriosas estatuas de piedra diseminadas por la isla.

LOS POLINESIOS, EL PUEBLO DE LAS MUCHAS ISLAS

Jacob Roggeveen bautizó la isla de los colosos de piedra con el nombre de «isla de Pascua». El descubrimiento supuso para los isleños el inicio de un largo calvario que no concluyó hasta mediados del siglo pasado. Alrededor del año 1000 a.C., un pueblo marinero de Nueva Guinea navegó hasta la isla de Fiyi y, desde allí, hasta Samoa y Tahití. 400 años más tarde, aquel pueblo errante volvió a partir para seguir buscando islas «sobre los vientos», como cuentan sus leyendas. Emprendieron largos viajes en gigantescos catamaranes y se convirtieron en el pueblo de las muchas islas, los polinesios.

Al parecer, los polinesios de Tuatomu fueron en busca de nuevas tierras hacia el año 380 y llegaron a una isla donde su clan vivió sin contacto con otros pueblos durante más de 1.000 años; la bautizaron como Rapa Nui, «ombligo del mundo».

En cambio, el investigador noruego Thor Heyerdahl defiende la teoría de que los primeros pobladores llegaron a la

La escritura rongorongo

Rongorongo es una escritura ideográfica mezclada con fonogramas que designa personas, animales, partes del cuerpo y utensilios corrientes. Se cree que era una especie de ayuda a la memoria para los primitivos pobladores de la isla de Pascua. Consta de conceptos generales que deben ser completados con palabras y frases memorizadas. Las tablillas encontradas se exponen en museos de todo el mundo.

isla procedentes del continente sudamericano. Sólo así se explicaría que hubieran sido capaces de tallar las piedras con tal grado de perfección. Porque los habitantes del ombligo del mundo fueron los mejores picapedreros de todo el Pacífico. Además, la cultura de la isla de Pascua es la única de aquella

Las esculturas no miran al mar sino que le dan la espalda. Contemplan la tierra y a las gentes del clan.

Localización geográfica
La isla de Pascua es una isla del sudeste del Pacífico y pertenece a Chile. Está situada al sur del trópico de Capricornio, a 27 grados de latitud sur y 109 grados de longitud oeste. Se encuentra a 3.700 km de la costa chilena y a 4.000 km de Tahití. En 2002 vivían en la isla de Pascua 3.791 personas.

zona del mundo que desarrolló una escritura propia, llamada «rongorongo».

LA FIGURA CON CABEZA ESTILIZADA Y LARGAS OREJAS

Alrededor del año 400 empezaron a ser construidas en la isla unas inmensas plataformas de piedra llamadas *ahu* a modo de tumbas al aire libre. Los cadáveres se depositaban sobre las plataformas y allí permanecían hasta que los pájaros y los insectos habían limpiado los huesos con la ayuda del viento y sólo quedaba el esqueleto. A continuación se enterraban los huesos dentro del *ahu,* se celebraba una fiesta en honor del difunto y se erigía una colosal figura de piedra esculpida en la piedra blanda del volcán Ranu Raraku para reflejar la riqueza y el poder del clan. A partir del año 1000 aproximadamente, predominó la figura de un hombre con cabeza estilizada y orejas muy largas, a veces con el cuerpo adornado con lo que debía de representar tatuajes. Las esculturas estaban orientadas hacia tierra y observaban a los miembros del clan. El tamaño y la ornamentación de las estatuas eran un símbolo de prestigio y poder.

EL OCASO DE LOS HABITANTES DE LA ISLA DE PASCUA

Tal vez la isla fuera atacada por algún enemigo después de 1400, pero ese extremo no ha podido ser comprobado. Lo que es seguro es que la madera empezó a escasear porque el transporte y la erección de las estatuas, así como la construcción de casas y barcos cada vez más ostentosos, acabaron con los árboles de la isla. La vida se complicó a causa de la falta de árboles, porque la tierra se secó y se volvió yerma. Se implantó el canibalismo y se empezó a devorar a las mujeres y niños de los ene-

Las figuras fueron talladas en roca volcánica y el blanco de los ojos se les dio con cal de conchas. Muchas estatuas llevaban sombreros de piedra como signo de la particular nobleza de su clan.

migos. Los *ahu* fueron destruidos, y las estatuas, derribadas. Entonces llegaron los peores enemigos de todos, los europeos ávidos de tierras. La isla padeció numerosas adversidades. En 1862 los peruanos raptaron como esclavos a todos los hombres y mujeres aptos para trabajar en sus minas. Los pocos que regresaron se llevaron consigo epidemias. En aquella época había muy pocas estatuas en pie, porque los cristianos habían destruido la «obra pagana». En 1877 la isla contaba únicamente con 110 habitantes, y en 1888 fue anexionada a Chile. Los chilenos la usaron de pasto para el ganado y como colonia de leprosos. El gobierno de la isla se rige por estructuras democráticas desde finales de la década de 1960. Pero el enigma de los colosos de piedra sigue vivo.

Rapanui
Rapanui es el nombre que recibe actualmente la lengua oficial de la isla de Pascua. Hay entre 200 y 300 hablantes de esa lengua, que viven en Chile, Tahití y Estados Unidos.

El tamaño y los adornos de las estatuas eran un símbolo de prestigio y poder. La construcción y el transporte de las estatuas acabaron con los árboles de la isla.

Los aborígenes australianos, sobre todo los anangu, conocen el macizo rocoso rojo de Ayers Rock, su mayor santuario, por el nombre de Uluru.

Ayers Rock

Uluru es el nombre con el que los aborígenes australianos, en particular los anangu, denominan la roca roja, su santuario más sagrado. Según las leyendas mitológicas de los aborígenes, Uluru fue creada en el Tiempo del Sueño por dos niños que estaban jugando en el barro tras un aguacero. Cómo eran los seres míticos que habitaban en este lugar sigue siendo un misterio.

ULURU, «MORADA DE LOS ANTEPASADOS» Y SANTUARIO DE LOS ABORÍGENES

En 1873 el ingeniero William Gosse exploró los territorios septentrionales de Australia y fue el primer blanco que contempló el gran monolito. Gosse le puso el nombre del entonces primer ministro australiano, *sir* Henry Ayers. El hallazgo supuso la continuación de las prácticas habituales desde el descubrimiento del continente: el exterminio y la expulsión de la población autóctona de sus territorios de caza, la destrucción de sus lugares sagrados. La vida se hizo tan insoportable para los aborígenes que su número se ha reducido a los 50.000.

En el idioma de los anangu, *uluru* significa «morada de los antepasados». Tienen prohibido hollar la roca excepto con ocasión de alguna ceremonia. Sin embargo, cientos de turistas peregrinan a diario hasta lo alto de la montaña desde que se descubrió. Muchos de ellos sufren caídas, insolaciones u otros percances. En el lugar se ha levantado un hospital con un helicóptero propio para asistir a los heridos. Los aborígenes están condenados a contemplarlo todo con impotencia.

PUNTO DE INTERSECCIÓN DE LA SENDA DEL TIEMPO DEL SUEÑO

Uluru es el segundo monolito más grande de la Tierra y está formado por roca sedimentaria o, más exactamente, arcosa. Tiene un perímetro de 9,4 km y mide 2,4 km de ancho por 3,6 km de largo. Ocupa una superficie de 3,3 km^2 y tiene una altura de 348 metros. Se le calcula una edad de 600 millones de años. La roca va perdiendo pequeños fragmentos de su superficie total a causa de la erosión, pero sigue conservando su forma original porque el desgaste es uniforme.

Cada repliegue, cada saledizo, cada prominencia rocosa, por pequeña que sea, es importante para los aborígenes. Las manchas de humedad de las paredes son las manchas de sangre de los hombres-serpiente venenosos que fueron derrotados en la famosa batalla del Tiempo del Sueño.

Cada cueva de la falda de Uluru tiene un significado concreto y está vinculada a ciertos rituales. Las cuevas están decoradas con numerosos dibujos, algunos de los cuales tienen más de 3.000 años de antigüedad. Hasta el momento no ha sido posible descifrar las imágenes, que muestran acontecimientos del Tiempo del Sueño. El Tiempo del Sueño comprende la historia de la creación y la mitología de los aborígenes, pero no se transmite por vía escrita sino oral. La población autóctona y sus ritos secretos y tradiciones están amenazados de extinción.

LA VENGANZA DE LOS ESPÍRITUS

Uluru encierra un campo energético mágico, tal y como acostumbran a relatar muchos de los que han visitado este lugar. También se habla de una venganza de los espíritus aborígenes dirigida a los intrusos blancos, lo que justificaría las incontables caídas y accidentes. Una mujer recibió amenazas de muerte porque se había acercado demasiado a un lugar vedado a las mujeres. Sin embargo, el caso más famoso es el del bebé Azaria. La familia Chamberlain perdió a su bebé de dos meses de edad a los pies de la montaña. Los Chamberlain declararon que había sido raptado de la tienda por los dingos, perros salvajes, y devorado. Pero Lindy Chamberlain fue acusada de haber matado al bebé y condenada a cadena perpetua hasta que, al cabo de seis años, se halló la chaquetita ensangrentada de la niña en una madriguera de dingos y la dejaron en libertad.

Cursos de agua escondidos recorren el macizo de Uluru. La mayoría sólo son conocidos por los aborígenes.

Como es lógico, el suceso reavivó el mito de que la muerte del bebé había tenido lugar cerca de unos tótems del Tiempo del Sueño y se volvió a hablar de la venganza de los espíritus.

Los aborígenes llaman «hormigas» a los turistas blancos porque cuando trepan agarrándose al cable de acero que hace de barandilla parecen una fila de ellas.

Taishan, la montaña sagrada

«No muy lejos de la aldea natal de Confucio se encuentra el monte Tai o montaña sagrada de Taishan, el Olimpo chino. El monte Tai se yergue en medio de un inmenso macizo montañoso desde los tiempos más remotos de la historia china. Se extiende sobre el paisaje con majestuosa imperturbabilidad y a sus pies confluyen arterias fluviales desde distintas direcciones. Las nubes se acumulan en torno a su cima. Y en la lejanía prodiga lluvia y sol.» (2)

ARMONÍA ENTRE EL CIELO Y LA TIERRA

El Taishan se alza en el valle del río Amarillo, en la provincia de Shandong, la cuna de la civilización china. Con una altitud de 1.524 metros, es la tercera montaña más alta de un macizo que se conoce como las Cinco Montañas Sagradas. A pesar de no ser la más alta, el monte está considerado el mayor santuario de China y centro de la religión taoísta. En los albores de la civilización china marcaba la frontera entre lo conocido y lo desconocido, ya que, según la tradición, en Shandong habitaban unos magos dedicados al estudio de la vida eterna y en estrecho contacto con los seres inmortales. En 2000 a.C. los emperadores chinos ya ofrecían sacrificios a los pies del monte Tai, y 72 de ellos peregrinaron hasta este lugar para ofrecer sus sacrificios

Lugar de oración con caracteres chinos en el camino hacia el cielo. Aquí se siguen haciendo ofrendas simbólicas, quemando dinero para garantizar la riqueza y el bienestar.

Un peregrino con su hatillo al hombro ascendiendo por la escalera celestial.

al cielo y la tierra. Pero, en realidad, Taishan nunca guardó relación con los preceptos de Confucio ni, por consiguiente, con la doctrina política de la corona china, sino que aquí gobernaba el mago, el alquimista, el revolucionario.

El macizo de las Cinco Montañas Sagradas se oculta entre densas nubes. En los albores de la civilización china, estas montañas marcaban la frontera entre lo conocido y lo desconocido.

LA RELIGIÓN DE LA REBELIÓN

El revolucionario era Lao Tsé, el autor del *Tao Te-king,* el «libro del camino y de la virtud». No se sabe mucho acerca de este maestro místico nacido aquí en el año 604 a.C. y contemporáneo de Confucio. Él enseñaba el camino de la resistencia mínima, de la armonía con la naturaleza, no de la lucha. El taoísmo es, al mismo tiempo, la religión más estricta y más mundana de todas. Lao Tsé, que nació en una era de incesantes guerras, predicaba la paz, la armonía y la compenetración del mundo interior y exterior. Según él, todas las confrontaciones eran consecuencia de la incapacidad de vivir en armonía con la auténtica naturaleza de la realidad, el Tao.

Los taoístas rechazan la distinción entre supremacía e inferioridad en el mundo humano y el animal; prefieren la observación, la creación de armonía entre todos los seres. Ello los llevó a convertirse en maestros de la alquimia y la predicción del futuro. El taoísmo considera la tierra un organismo vivo, lleno de energía vital, y por eso ha creado la doctrina del viento y el agua, el *feng shui,* para saber qué lugares son los que cuentan con las mejores cualidades y cómo se deben orientar los edificios para que se beneficien de ellas. Todos los centros del taoísmo fueron escogidos en función de la energía vital que concentraban. En el monte Tai, el más misterioso y sagrado de todos los lugares, es donde se concentra más energía.

EL CAMINO ES EL OBJETIVO

6.293 escalones conducen desde el templo más bajo de la ladera, consagrado al dios de la Montaña, hasta el templo del Emperador de Jade, salvando un desnivel de 1.350 metros. Antes de llegar a lo más alto hay que cruzar la Puerta Sur del Cielo. Yu Huang, el Emperador de Jade, es la divinidad suprema del taoísmo porque es el señor del presente. Pero el camino está jalonado de templos más pequeños, fuentes, bosques de cipreses, cascadas y lagos, todos ellos lugares de recogimiento, oración y sacrificio. En el pasado, la cifra de peregrinos que ascendían al santuario a diario llegó a rondar los 10.000, pero, según la doctrina taoísta, cada uno de los innumerables dioses se puede encontrar por el camino, y los fieles les hacen ofrendas y les rezan en cualquier parte, porque el camino es, al fin y al cabo, el objetivo.

Chartres

La catedral de estilo gótico temprano de Chartres es una de las obras arquitectónicas más colosales e impresionantes del mundo: 130 metros de largo, 46 de ancho, más de 36 de alto y, las torres, más de 100 metros de altura. La confección de las 173 gigantescas vidrieras que conforman una Biblia ilustrada llevó 30 años. El nombre del arquitecto ha caído en el olvido pero, sin duda, era un maestro en su profesión. Renunció al uso de muros de sustentación y los remplazó por los arcos ojivales sobre los que descansa toda la fantástica construcción.

EL MILAGRO DE LA IMAGEN DE LA VIRGEN

Chartres está a tan sólo 90 km de París, en una fértil llanura a orillas del Eure que ha vivido desde siempre de la agricultura. En medio de la población se alza una colina con una iglesia que parece vigilar la ciudad como una gallina clueca desde hace más de 1.500 años. También hay un dolmen de la misma época en que fue construido Stonehenge. Se supone que marca uno de los puntos energéticos más importantes de la Tierra. Sea como sea, tanto el dolmen como un pozo adyacente han sido venerados desde tiempos inmemoriales como lugar sagrado. Cuenta la leyenda que un druida predijo con cien años de antelación el nacimiento de Cristo de una mujer virgen. Por eso este lugar fue consagrado a ella ya antes del cristianismo, y se empezó a venerar a una Virgen negra. Los druidas celtas tallaron una pequeña imagen de la Virgen y el Niño en un tronco de peral. La llamaron la Virgen Subterránea porque la guardaban en una gruta.

Nuestra Señora de Chartres, edificada en perfecta armonía según la sección áurea.

El culto a la Virgen se ha practicado en Chartres desde los tiempos de los druidas, quienes tenían una escuela encima de un dolmen.

Los primeros cristianos descubrieron el lugar y la figura de la Virgen en el siglo III, y fundaron la primera iglesia, consagrada a su culto. Así comenzó la historia de la iglesia de Chartres. Lo que nosotros admiramos hoy es el sexto templo, Nuestra Señora de Chartres. Todos sus predecesores fueron pasto de las llamas. El duque de Aquitania incendió la primera iglesia en 743, los daneses quemaron la segunda en 858, la tercera y la cuarta fueron víctimas del fuego en 962 y 1020, y la primera catedral sufrió un incendio en 1194. En torno a ese último siniestro se ha ido tejiendo una historia de misterios. Las llamas no sólo arrasaron la catedral sino toda la localidad. Todos los intentos de apagar el fuego fueron vanos, y los cronistas cuentan que la columna de humo se veía desde París. Al cabo de unos días, tanto el pueblo como la iglesia habían quedado arrasados hasta los cimientos. En la cripta, bajo los escombros, se halló el manto de la Virgen que el nieto de Carlomagno había donado a Chartres en 876. La reliquia estaba intacta. La nueva catedral tal y como la conocemos ahora surgió como el ave fénix de sus cenizas al cabo de apenas 30 años.

SOLAZ PARA EL ESPÍRITU, ESTÍMULO PARA EL INTELECTO

La arquitectura gótica empezó a florecer en Europa a comienzos del siglo XII, aunque nadie sabe quién ni dónde puso la primera semilla. Chartres es la más impresionante de las más de 80 catedrales que fueron construidas en Francia durante esa época.

¿Acaso los templarios habían descubierto algún secreto en Tierra Santa que ahora podían poner en práctica en Europa con la ayuda de los cistercienses? Existe la teoría de que los cruzados encontraron en Jerusalén el anillo de Moisés, anillo que regulaba números, pesos y medidas según la medida divina. Los cistercienses descifraron sus secretos y los aplicaron por primera vez en la construcción de la nueva catedral de Chartres, edificio proyectado y edificado a escala divina. Todas las proporciones, alineaciones, estructuras y símbolos están concebidos para solaz del espíritu y estímulo del intelecto. Todas las dimensiones toman como referencia la proporción fundamental de la sección áurea (1,618 a 1), que se conoce desde la antigüedad clásica. La distancia entre las columnas y la longitud de las naves, el crucero y el coro son resultado de multiplicaciones por el número áureo. A una profundidad de 37 metros por debajo del altar se encuentra el nivel de agua del pozo, y a la misma distancia hacia lo alto se localiza el punto más alto del tejado gótico. Sus arcos ojivales presentan unas proporciones tan perfectas que parece que no estén soportando peso alguno.

Esta vidriera del siglo XII se salvó de las devastadoras llamas, al igual que el manto de la Virgen que el nieto de Carlomagno había donado a la catedral en 876.

Después de la Revolución Francesa la catedral fue reconvertida en almacén de vinos. Robespierre la salvó de la demolición consagrándola al «Ser Supremo».

Notre Dame

La madre de todas las catedrales góticas está en París. Notre Dame, Nuestra Señora, es como se conoce a la Virgen María en Francia. La catedral de Notre Dame es el corazón de Francia. El kilómetro cero, punto de referencia de todas las distancias, como las autopistas que conducen a París, está situado en la plaza de la catedral. Allí fue donde Napoleón Bonaparte se proclamó emperador el 2 de diciembre de 1804 en presencia del papa Pío VII y nombró emperatriz a su esposa Josefina.

LA FIEBRE CONSTRUCTORA EN LA FRANCIA DEL SIGLO XII

Muchísimas catedrales e iglesias francesas llevan el nombre de Notre Dame, y por eso este templo gótico se conoce como Notre Dame de París. Las obras comenzaron en 1163 bajo los auspicios del obispo Maurice de Sully pero no concluyeron hasta 1345. Todas las tendencias principales que fue tomando el estilo arquitectónico gótico dejaron su huella en la arquitectura del edificio a lo largo de esos 182 años, casi siempre por la influencia de otras grandes catedrales francesas. No obstante, este lugar ya se sabía rodeado de una energía especial y estaba destinado al culto antes del cristianismo. Antes de nuestra era se levantaba en su emplazamiento un templo galorromano, que fue remplazado por una basílica paleocristiana para, posteriormente, construir una iglesia románica. El obispo de Sully mandó derribar la basílica, que acababa de ser restaurada, para construir su catedral. Ese acto es una prueba de la fiebre constructora que se adueñaba de toda Francia en aquella época. Era la manifestación del deseo que despertaba la nueva arquitectura gótica, que, a diferencia del pesado estilo romano, transmitía sensación de ingravidez. El anhelo de una nueva trascendencia que los templarios trajeron a Europa.

La nave central de Notre Dame mide 130 metros de largo, 48 de ancho y 35 de alto. El interior de la iglesia tiene capacidad para 9.000 personas. El rosetón del extremo norte está integrado por 80 escenas del Antiguo Testamento y es bellísimo. Casi todas las vidrieras son del siglo XIII.

hoguera por herejes. Con ellos desapareció también el estilo arquitectónico gótico, de forma tan súbita como había surgido 200 años atrás. Se siguieron construyendo iglesias de estilo gótico, caracterizadas por las altas bóvedas y los arcos ojivales, pero ya no destacaban por su gracilidad. La geometría sagrada del gótico había desaparecido del mismo modo que sus impulsores. Es probable que los conocimientos secretos de los templarios tuvieran mucho que ver con el Arca de la Alianza que Salomón pretendía proteger en su templo. Los templarios, nueve nobles de Francia y Flandes, habían sido enviados para indagar sus secretos en diez años. ¿Qué poder otorgaba la geometría sagrada a los hombres y qué fuerzas se esconden en las catedrales góticas, todas ellas construidas en lugares cargados de energía? La catedral gótica despertó unas fuerzas de la conciencia que siguen siendo desconocidas hoy en día.

EL MISTERIO DEL CULTO MARIANO

Como hemos dicho, en apenas 150 años se construyeron muchas catedrales góticas en el norte de Francia. Notre Dame de París fue la primera, seguida en 1176 de la de Estrasburgo, en 1185 la de Bourges, en 1194 la de Chartres, en 1200 la de Rouen, en 1211 la de Reims, en 1220 la de Amiens y en 1247 la de Beauvais, además de las de Bayeux, Laon, L'Epine y Evreux. Si sobre un mapa unimos todas esas localidades con una línea, aparece el signo zodiacal de Virgo. Al igual que con Chartres, eso demuestra que la veneración de una Virgen embarazada tiene que remontarse a antes de la era cristiana, porque todos estos lugares fueron poblados celtas. Así lo atestiguaban los dólmenes y los centros de culto que aún existían cuando las legiones de César marcharon sobre el país, o sea, antes del nacimiento de Jesús. ¿Quién transmitió los conocimientos a los arquitectos góticos? Los testimonios escritos más antiguos que se conservan acerca del culto celta a la Virgen datan del siglo XIV, es decir, de cuando se acababan de erigir las catedrales.

LA GEOMETRÍA SAGRADA DEL GÓTICO

La Orden del Temple fue disuelta por Felipe el Hermoso a principios del siglo XIV y los templarios fueron quemados en la

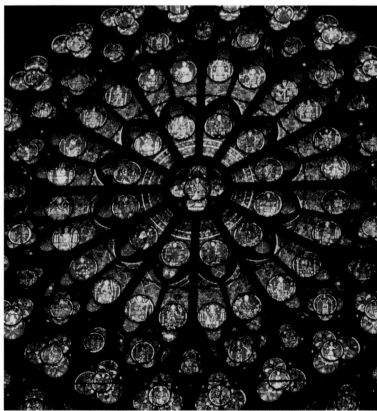

El rosetón tiene un diámetro de 10 metros y se conserva intacto después de más de 700 años.

LEGADOS MISTERIOSOS

Los objetos encontrados en el interior o fuera de los edificios son para el estudio de las civilizaciones antiguas al menos igual de esenciales que los monumentos históricos. Las herramientas, los textos escritos y los objetos de arte o religiosos nos permiten evocar culturas pasadas e investigar las condiciones de vida y los antecedentes de su civilización. De ese modo podemos extraer conclusiones acerca de nuestra propia cultura y descubrir los orígenes de ritos y leyendas.

Gracias al análisis de esos vestigios se han podido resolver muchas cuestiones acerca del pasado, aunque ciertos datos son bastante sorprendentes. Se han hallado indicios de unos conocimientos tecnológicos que se fueron perdiendo con el paso de los siglos y no se recuperaron hasta épocas relativamente modernas. Por supuesto, de vez en cuando aparecen copias o imitaciones fraudulentas que pretenden hacer creer en la existencia de una tecnología primitiva. No siempre es fácil distinguir lo auténtico de lo falso, sobre todo porque en algunos casos los objetos falsos se mezclan con hallazgos auténticos. Además, a veces también ocurre que se extraen conclusiones precipitadas de los restos, es imposible clasificar los objetos en función de su finalidad original hasta mucho tiempo después de que se hayan descubierto o algún malentendido conduce a una interpretación errónea. Las publicaciones, que en demasiadas ocasiones han sido fruto de especulaciones aisladas, han provocado una imagen distorsionada de los hallazgos ante la opinión pública que, en algunos casos, ha perdurado hasta hoy.

Las páginas siguientes hacen un repaso de algunos hallazgos relevantes, los resultados de su estudio y la importancia que se les atribuye.

Las piedras del departamento peruano de Ica muestran imágenes de personas, objetos y animales que, por lo que sabemos, es imposible que existieran en la época en que fueron creadas.

Geoglifos

En 1927 unos pilotos que estaban sobrevolando la Pampa peruana, nombre por el que los indios aymara conocen la llanura que se extiende entre los Andes y el Pacífico, descubrieron unas figuras que parecían dibujadas en el suelo. Pero nadie los creyó hasta que no presentaron fotos como prueba. Figuras de monos, pájaros o formas geométricas indescifrables cubren un territorio de varios kilómetros de extensión.

LÍNEAS EN EL SUELO

Hace varios miles de años la oscura roca de los Andes se fue depositando sobre la llanura a causa de la erosión, y con el paso del tiempo se fue oxidando cada vez más. Esa capa oscura más superficial fue apartada en ciertos puntos hace unos 2.000 años para dibujar las figuras antes mencionadas dejando al descubierto el estrato inferior de color ocre. Y las

La matemática Maria Reiche dedicó 50 años de su vida al estudio de las líneas de Nazca.

piedras oscuras fueron apiladas en una prominencia de unos centímetros de altura alrededor del contorno para acentuar las siluetas. Al contemplar las líneas a ras de suelo, apenas se distingue la diferencia de color entre el estrato inferior y las piedras, ni de altura entre ambas capas, sobre todo porque el amontonamiento lateral de piedras, aunque no suele ser demasiado alto, actúa en cierto modo de pantalla. Las siluetas no se distinguen con claridad mientras no se contemplan desde gran altura. Por eso hay carreteras que discurren por las líneas o las cruzan sin que nadie se percatara de ello al construirlas.

Una de las peculiaridades más notorias de las denominadas «líneas de Nazca» es que algunas de ellas recorren varios centenares de kilómetros en línea recta. La investigadora alemana Maria Reiche (1903-1998), que desde 1946 estudió las líneas de Nazca, partía de la idea de que a las figuras debieron de preceder dibujos a menor escala, que habrían sido transferidos al suelo de la Pampa en sus dimensiones actuales con la ayuda de cuerdas tensadas. Las cuerdas rectilíneas habrían permitido desenterrar las piedras con absoluta precisión.

¿CUADERNOS DE ESBOZOS, CULTO DIVINO O MARCAS DE AGUA?

Hasta ahora no se ha podido averiguar a qué respondía la creación de esas líneas y las figuras en la piedra. La teoría más popular sostiene que fueron concebidas como pistas de aterrizaje para extraterrestres o dioses. Sin embargo, también hay una leyenda que cuenta que un dios creó la árida Pampa después de que los hombres que allí habitaban lo hubieran irritado. Según esa leyenda, las líneas no serían pistas de aterrizaje, sino que habrían sido construidas para reconciliarse con el dios.

Otra teoría defiende que los pobladores de la zona dejaron constancia de sus conocimientos astronómicos en forma de constelaciones dibujadas en el suelo. Esta hipótesis ha sido muy discutida porque se ha podido comprobar que otras culturas también disponían de unos conocimientos astronómicos similares y, sin embargo, acostumbraban a consignarlos en mapas celestes más manejables. Algunos investigadores relacionan las figuras con pozos o cursos de agua subterráneos que habrían sido ubicados gracias a las marcas en el suelo. Esta hipótesis podría ser acertada en el caso de las estructuras puramente geométricas, pero no explica por qué también hay figuras de animales y seres humanos.

Tampoco está nada claro quién fue el autor de las escarificaciones. Se cree que la Pampa no acogió a ninguna civilización porque es un territorio yermo. La población más cercana, Nazca, a la que las líneas deben su nombre, está situada a unos 20 km de distancia, y no existe ningún indicio de otros asentamientos en la Pampa. Los pueblos indígenas que hoy conocemos o han sido estudiados parecen haber evitado ese lugar y sus huellas se pierden en los Andes.

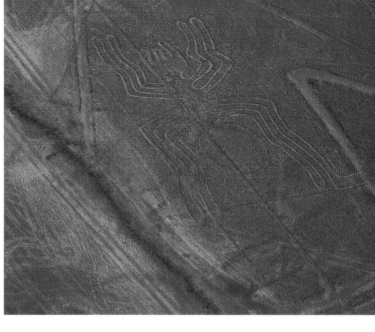

No todos los cerca de 900 geoglifos son tan fáciles de identificar como la araña u otras figuras de animales o humanas. En este caso, cuesta decidir si se trata de una representación simbólica de un par de manos o de un ave.

La araña, en el margen de la Pampa de San José, está rodeada de otras líneas y triángulos.

El caballo blanco...

Pero los dibujos escarificados no son exclusivos de Perú. En Oxfordshire, Gran Bretaña, está el Caballo Blanco sobre la colina homónima, próxima al castillo de Uffington. Se trata de un montículo artificial que data de la Edad del Hierro. Sobre su superficie, escarbando y dejando al descubierto la creta blanca que queda oculta bajo la vegetación, se dibujó la estilizada figura de un caballo. La imagen es muy difícil de distinguir a ras de suelo porque mide 110 x 37 metros y la superficie de la loma es bastante irregular. La silueta del animal ha ido variando con el paso del tiempo debido al viento y la vegetación, e incluso llegó a desaparecer casi del todo durante el siglo XVIII. Sin embargo, la figura es despejada periódicamente por English Heritage, la principal organización británica dedicada a la conservación de los monumentos desde el siglo XIX. El Caballo Blanco se ha hecho tan famoso que ha impulsado la creación de otras siluetas de caballos en varias colinas del sur de Inglaterra.

No existe ningún dato acerca de la edad exacta del Caballo Blanco ni de sus autores. Hasta bien entrada la década de 1990 se pensó que podía datar de la Edad del Hierro (hacia 800-50 a.C.), la época del cercano castillo de Uffington. Sin embargo, la aparición de un nuevo método de datación permitió fechar el caballo en la Edad del Bronce (entre el tercer

En muy pocos sitios del montículo de Adams County resultan tan evidentes como aquí los contornos de las serpientes.

milenio y el primero antes de nuestra era). Este resultado contradice la leyenda que circula por la región desde hace tiempo, según la cual los invasores anglosajones crearon la figura en el siglo V d.C.

... y las serpientes verdes

También en América del Norte se pueden encontrar representaciones parecidas, aunque realizadas de distinta forma. En vez de excavar la silueta como en la Pampa peruana, allí se construían montículos artificiales en forma de animal. La mayoría de estas esculturas han sido halladas en Wisconsin, pero en Iowa, Illinois y Georgia también se han descubierto formaciones terraplenadas del mismo estilo. Esas figuras también deben

El Candelabro es una de las pocas figuras que, a pesar de medir 236 metros de largo, no sólo se pueden contemplar desde las alturas. Como está situado frente a la costa del Pacífico, también se divisa desde el mar.

contemplarse desde gran altura para poder distinguir las criaturas que representan (véase el recuadro).

Cabe suponer que tuvieron que existir más montículos como éstos y que, por desgracia, han sido víctimas del crecimiento urbanístico. Así lo confirman las anotaciones del comerciante William Pidgeon, arqueólogo aficionado y coleccionista de mitos indios que en 1858 relató sus viajes e investigaciones. Sus primeras notas contienen esbozos de montículos aislados y de «procesiones» de montículos con forma de animales hoy desaparecidos. Además, sus publicaciones ofrecen información acerca del profeta indio De-coo-dah, quien

Representaciones

Los montículos en forma de figuras de Estados Unidos casi siempre representan serpientes, algunas de ellas a punto de devorar un huevo. Otras lomas, sobre todo en Wisconsin, muestran pájaros con cabeza humana, hombres bicéfalos o, también, la silueta de lo que parece un perro. Además, en algunos lugares, por ejemplo en McGregor, Iowa, se han descubierto varios montículos idénticos alineados a intervalos regulares como si representaran una fila de animales.

El esquemático «Caballo Blanco» de Uffington sólo se distingue con claridad desde el cielo.

se presentó a Pidgeon como descendiente del pueblo que había construido los montículos.

Él le contó que, antiguamente, las protuberancias y ondulaciones habían sido letras y encerraban un mensaje para los descendientes. Al preguntarle por la forma de serpiente que Pidgeon había observado con asombrosa frecuencia en los montículos, De-coo-dah respondió con historias en las que se entremezclaban mitos y descripciones astronómicas, lo que hizo pensar a Pidgeon que algunas de las figuras habrían sido diseñadas como calendarios o como representación de las constelaciones.

Aunque muchos científicos no dieron crédito a sus palabras, sirvieron de acicate para el estudio de los montículos, la toma de apuntes sobre su emplazamiento e, incluso, para iniciar excavaciones en el interior de los mismos con la esperanza de encontrar algo que ratificara las palabras del indio. Por desgracia, no se halló nada, de modo que el enigma de los montículos en forma de animal de América del Norte sigue sin resolver aun habiéndose producido posteriores hallazgos y publicaciones.

Las piedras de Ica

En 1961 se hallaron cerca de la ciudad peruana de Ica unas piedras con figuras grabadas. El análisis de su revestimiento permitió concluir que tenían más de 10.000 años de antigüedad. Pero los objetos y seres vivos que aparecen representados en ellas contradicen esa datación porque, ateniéndonos a los conocimientos científicos actuales, es imposible que existieran en aquella época.

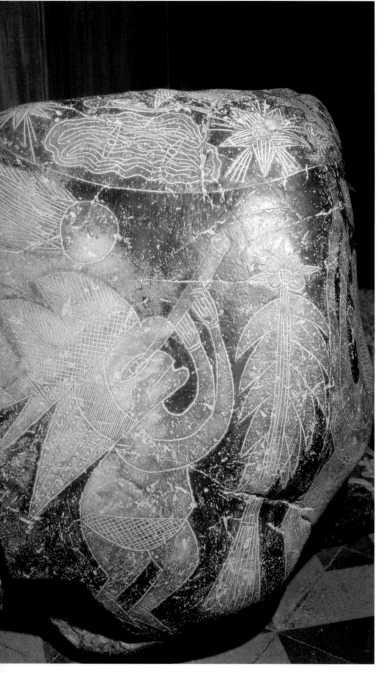

TRASPLANTES DE CORAZÓN, TELESCOPIOS Y MAPAMUNDIS

En 1974 el autor científico de nacionalidad francesa Robert Charroux escribió un artículo acerca de la colección del doctor Javier Cabrera, que en aquel momento ya llevaba reunidas más de 11.000 piedras. El médico también estaba en posesión de diversos objetos, como figuras de arcilla o de piedra. El doctor Cabrera sostenía que las piezas de su colección pertenecían a civilizaciones hoy desaparecidas. Estaba convencido de que, sobre todo las piedras, probaban la existencia de una cultura prehistórica.

Las imágenes grabadas muestran a personas que, aparentemente, están observando el firmamento con telescopios o llevando a cabo una operación a corazón abierto con el instrumental correspondiente, y la reproducción anatómica del órgano vital es totalmente correcta. En otras piedras se puede ver a seres humanos cazando dinosaurios o mapamundis casi completos. En sus publicaciones, Robert Charroux conjeturó que aquellas piedras podrían constituir la biblioteca de la Atlántida y tener realmente varios millones de años de antigüedad. El doctor Cabrera compartía su opinión, al menos en cuanto a la antigüedad, y creó un museo para exhibir su colección, exponiendo sin reparos sus teorías ante todos los periodistas y científicos curiosos.

EL TALLER DE LOS INDIOS

En 1977 Erich von Däniken retomó los relatos de Charroux y se puso a investigar por su cuenta. En sus declaraciones se refirió a las discusiones que había mantenido con el doctor Cabrera, a quien calificaba de «testarudo» insinuando que no toleraba que le contradijeran. Von Däniken dejó en evidencia al doctor cuando le mostró unas piedras muy parecidas a las de su colección que le había comprado a un indio que las había hecho él mismo. El doctor Cabrera siguió insistiendo en todo momento en que las piedras pertenecían a una civiliza-

El Indio que supuestamente grabó las piedras de Ica para el doctor Cabrera explicó su método a la BBC: primero las ennegrecía con betún y después las quemaba con estiércol de asno. ¿Fue ése el origen de todas las piedras de la colección?

ción primitiva. Pero el hecho de que también aparecieran figuras con símbolos cristianos hizo dudar a muchos científicos de las afirmaciones del doctor Cabrera. Por otra parte, la piedra no es una materia orgánica y eso dificulta notablemente su datación, a lo que cabe sumar que la edad de las figuras no tiene por qué coincidir con la de las piedras.

A finales de la década de 1990 un equipo de televisión encontró a un indio que mostró a los reporteros lo fácil que era grabar una piedra de Ica. Les aseguró que él era el autor de gran parte de la colección del doctor Cabrera, tanto de las piedras como de las figuritas de arcilla y piedra, todo ello por encargo expreso del médico. Como es lógico, el aludido se defendió de las acusaciones, pero no pudo aportar ninguna prueba que las refutara. El equipo de reporteros siguió investigando y descubrió más piedras con grabados en la región de la ciudad de Ica, pero ninguna presentaba imágenes de objetos o actividades insólitos. Los periodistas llegaron a la conclusión de que las piedras de Ica de la colección debían de ser falsificaciones.

El doctor Javier Cabrera murió el 30 de diciembre de 2001. Su colección sigue expuesta en el museo que creó. El asunto de las piedras de Ica se apaciguó un poco después de los resultados obtenidos por el equipo de reporteros, pero aún

hay algún científico que espera demostrar la autenticidad de al menos parte de la colección para poder profundizar en el estudio de las civilizaciones antiguas con la ayuda de esos objetos. Sin embargo, casi todos opinan que las piedras y las figuras de arcilla carecen de valor histórico.

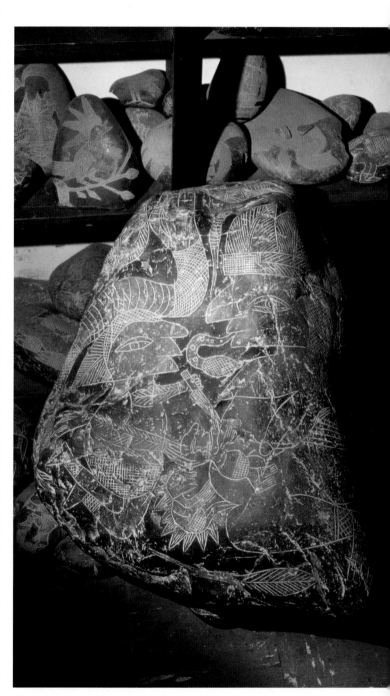

El autor francés Robert Charroux fue el primero que describió las piedras de Ica en sus publicaciones.

Algunas de las piedras muestran grabados donde aparecen seres vivos, objetos o actividades que no pertenecen a la misma época, como seres humanos antediluvianos con telescopios.

La columna de hierro de Delhi

Uno de los vestigios de un pueblo primitivo que se hizo famoso sobre todo a lo largo del siglo xx es la denominada «columna de hierro de Delhi», de la que se dice que colmará de suerte en el futuro a quien consiga abrazar el monumento con la espalda apoyada contra la columna y entrelazar los dedos al primer intento. Cuentan que la columna desafía a los elementos desde su creación, hace varios miles de años, y que, a pesar de todo, no presenta el menor indicio de oxidación.

LA COLUMNA DE HIERRO: DESCRIPCIÓN...

El complejo de Qutab Minar, llamado así por una columna triunfal de 73 metros de alto que fue erigida en Delhi en 1193, alberga la primera mezquita de la India, que se conoce como Quwwat ul Islam Mashid («Mezquita del poder del Islam»). La colocación de la primera piedra del edificio y la erección de la columna triunfal datan aproximadamente de la misma época. El patio interior de la mezquita alberga otra columna de unos 7 metros de alto, ésta de hierro. Ese pilar ya estaba aquí mucho antes de que comenzaran las obras del complejo. Una inscripción en sánscrito explica que, originalmente, la columna se levantaba en otro lugar, pero que fue trasladada a su emplazamiento actual.

En 1969 Erich von Däniken publicó un artículo acerca de la columna de hierro en uno de sus libros. Según él, está formada por varias piezas soldadas de una aleación de hierro especial y hoy totalmente desconocida, sin fósforo ni azufre, que lleva 4.000 años impidiendo la formación de óxido.

... Y REALIDAD

Para ser sinceros habría que decir que Erich von Däniken reconoció unos años más tarde que se había equivocado. Pero su descripción primera tuvo tanta aceptación que sigue vigente. Sin duda, la columna también despierta el interés de los científicos, pero primero habría que aclarar los dos errores de von Däniken.

En primer lugar, es muy probable que la columna date del siglo v d.C. Se cree que fue erigida en o junto a un templo del estado indio de Bihar consagrado a Vishnú, el dios hindú de la conservación. Su inusual remate induce a pensar que, en un principio, estaba coronada por una figura o estatua.

La columna de hierro mide 7 metros de alto y está situada en el patio interior de la Quwwat ul Islam Mashid, la «Mezquita del poder del Islam».

En segundo lugar, la columna no se compone de distintas piezas de hierro fundido, y mucho menos de una o varias aleaciones desconocidas.

Pero precisamente eso es lo más raro de todo. Según parece, la columna fue fundida en una sola pieza. Y dada su altura, de 7 metros, se calcula que debe de pesar unas 6 toneladas. Además, está hecha con un hierro de tal pureza (99,75%) que no presenta el menor signo de óxido ni aun sometido a los rigores del clima húmedo y cálido de la India durante la estación de los monzones.

En Europa, por ejemplo, habrían de transcurrir unos 1.500 años, hasta llegar hacia finales del siglo XIX, para que se realizaran obras semejantes, porque hasta ese momento se carecía de la técnica necesaria para fabricar una columna parecida. Y cabe decir que incluso hoy en día los conocimientos químicos de que disponemos no nos garantizarían una aleación similar. De hecho, en 1938 ya era posible fabricar hierro con el mismo grado de pureza en laboratorio, pero en circunstancias normales no hubiera sido posible alcanzar un grado de pureza final tan alto.

Hasta el momento no se ha podido averiguar cómo los creadores de la columna pudieron obtener un hierro tan puro y manipularlo sin que perdiera calidad.

Se cree que la columna de hierro debía de estar coronada por una figura del mensajero de los dioses, Garudá.

La inscripción en sánscrito constata que la columna estuvo ubicada originalmente en otro lugar.

El enigmático legado de las civilizaciones antiguas   75

Las tablillas de Glozel

En 1924 un campesino de la pequeña aldea francesa de Glozel, cerca de Vichy, estaba arando la tierra cuando de pronto tropezó con varios fragmentos de piedra, debajo de los cuales se abría una cavidad subterránea. Su nieto extrajo del agujero una tablilla de arcilla con unos signos de escritura que no fueron capaces de descifrar. Decidieron enseñar su hallazgo a un arqueólogo aficionado que conocían en Vichy. Lo que ocurrió después desató una encarnizada polémica, que estribaba en que unos atribuían una enorme antigüedad a las tablillas mientras que otros las calificaban de burdas falsificaciones.

LA CONTROVERSIA EN TORNO A LAS TABLILLAS

Existen diferentes versiones acerca de cómo el médico y arqueólogo aficionado Antonin Morlet entró en disputa con el prestigioso arqueólogo Louis Capitan. De lo que no cabe duda es de que Morlet organizó una excavación después de haber visto las tablillas por primera vez. De hecho, en la cavidad encontró más tablillas escritas y huesos. Morlet escribió un informe sobre sus hallazgos en posteriores excavaciones y se lo hizo llegar al doctor Capitan, quien respondió con entu-

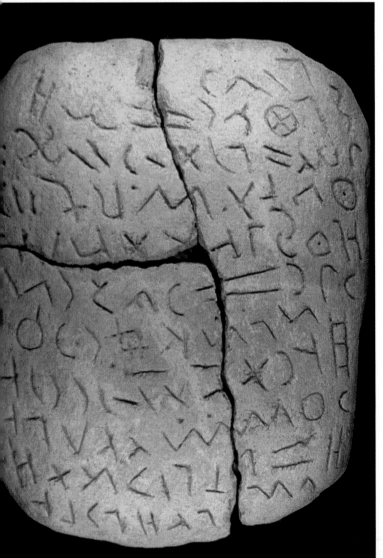

siasmo y al poco tiempo se personó en Glozel para llevar a cabo sus propias investigaciones y presentar los resultados ante la opinión pública. Es probable que Morlet no compartiera su forma de proceder. Sea como sea, el informe en el que afirmaba que las tablillas databan de unos 8.000 años antes de nuestra era apareció publicado poco después de la llegada del experto a Glozel con los nombres del médico y el campesino. Posteriormente, Capitan cargó en sus publicaciones contra las tesis del arqueólogo aficionado, cuestionó su competencia y calificó las tablillas escritas de «evidente falsificación». Asimismo, expuso numerosos argumentos que demostraban que en el año 8000 a.C. no había existido ninguna civilización que dominara la escritura. Además, la disposición de los caracteres no permitía llegar a la conclusión de que se tratara realmente de un lenguaje, puesto que no se podía reconocer la estructura de ninguna palabra o frase.

La polémica en torno a las tablillas prosiguió en los años siguientes y se amplió a otros expertos que, sin embargo, no se pronunciaron de forma unitaria a favor o en contra de la autenticidad de los hallazgos. El inicio de la Segunda Guerra Mundial puso fin a la discusión y las tablillas cayeron en el olvido.

REDESCUBRIMIENTO Y DATACIÓN

La discusión sobre la autenticidad de las tablillas no se reavivó hasta finales de la década de 1970, cuando los avances de la técnica permitieron datar las tablillas y los huesos. El hallazgo más antiguo, una lámina ósea, tiene una antigüedad de cerca de 17.000 años, mientras que otros se acercan a los 15.000. Las tablillas de arcilla son muy posteriores, ya que fueron cocidas hacia el año 600 a.C. Por supuesto, es posible que existieran más tablillas y que se hayan desintegrado debido a la fragilidad del material.

Las tablillas de Glozel fueron descubiertas por casualidad y siguen siendo un misterio para los científicos por la extraña disposición de sus signos.

Después de tanto tiempo es casi imposible descifrar las tablillas, sobre todo porque (como ya hemos mencionado) no se aprecian divisiones claras entre palabras y frases. Se han hecho especulaciones según las cuales se trataría de textos astronómicos o religiosos, pero los resultados son muy controvertidos.

La postura de la ciencia respecto a los hallazgos de Glozel sigue sin ser unánime. Si unos expertos reconocen su autenticidad, otros siguen pensando que son un fraude y ciertas publicaciones llegan a cuestionar incluso la existencia de los hallazgos. De todos modos, la polémica ha contribuido a sostener el mito de las tablillas de Glozel.

Una de las teorías que circulan defiende que los símbolos no son de la misma época que los objetos sobre los que están grabados. Se cree que fueron escritos por peregrinos celtas entre los años 700 y 100 a.C. No obstante, la escritura aún no se ha podido descifrar.

Los caracteres hallados en un poblado chino de la Edad de Piedra presentan notables paralelismos con los de Glozel.

Otros hallazgos de tablillas

Las tablillas de Glozel fueron consideradas únicas durante mucho tiempo, hasta que en China fueron descubiertas unas tablillas de arcilla con signos de escritura casi o totalmente idénticos. Se hallaron entre las ruinas de un poblado de la Edad de Piedra con una antigüedad estimada de cerca de 8.000 años. En Australia también se han encontrado caracteres muy parecidos a los de las tablillas de Glozel.

El mecanismo de Antiquitera

En 1900 un grupo de submarinistas descubrió casualmente un navío naufragado a unos 40 metros de profundidad frente a las costas de la isla griega de Antiquitera. Sacaron numerosos objetos del casco, como estatuas y otros objetos de arte, pero también un mecanismo de engranajes bastante deteriorado. A primera vista, los científicos no fueron capaces de determinar cuál había sido su función. Hasta la década de 1950 no se dieron cuenta de que podría tratarse de una computadora analógica primitiva.

UN PLANETARIO ACCIONADO POR UN DIFERENCIAL

El mecanismo consta de diversas ruedas de bronce unidas por engranajes. Las ruedas están provistas de muescas y caracteres que sugieren un instrumento astronómico. El arqueólogo griego Spyridon Stais ya reparó en ello en 1902. Sin embargo, el mecanismo estaba roto en cuatro fragmentos cuando fue hallado por los buzos, y por eso no se le prestó demasiada atención. Los restos del naufragio hacen suponer que el navío debió de hundirse alrededor del año 82 a.C. Se cree que el mecanismo data aproximadamente de la misma época.

Derek de Solla Price, catedrático de historia de la ciencia de la Universidad de Yale, rescató el mecanismo del olvido en la década de 1950. En 1955 redactó su primer informe al respecto, aunque el artículo que daba a conocer el artilugio al público en general no fue publicado hasta 1959. En él, Price describía la estructura del instrumento, deducía de algunos vestigios que el mecanismo debía de haber estado alojado en un armazón de madera y llegaba a la conclusión de que había sido utilizado para realizar cálculos astronómicos. Eso era necesario en el mar para determinar la posición del barco y navegar. El instrumento permitía calcular tanto el movimiento de los planetas entonces conocidos como determinadas fechas a lo largo del año, por ejemplo, los equinoccios. Ajustando los engranajes también se podían conocer las fases lunares, incluso con un año de antelación.

Todo ello era posible gracias a que el mecanismo estaba provisto de un diferencial. La patente del diferencial en su forma actual no fue inscrita hasta el año 1828. Tan sólo existe un modelo anterior y que nunca se llevó a la práctica, obra de Leonardo da Vinci (1452-1519).

La reconstrucción del funcionamiento del mecanismo de Antiquitera llevó varias décadas.

ESTRUCTURAS COMPLEJAS

Las investigaciones acerca del mecanismo habían avanzado tanto a partir de la década de 1970 que algunos científicos intentaron reconstruirlo. Pero hasta mediados de los años noventa no fue posible crear una copia exacta y funcional, y gracias a los análisis radiológicos. En 2002 se construyó otra unidad basada en los resultados de las investigaciones.

El complejo mecanismo de engranajes, que funciona básicamente como una unidad de cálculo mecánica, tuvo que ser único para su época. De hecho, los griegos ya tenían experiencia en el ámbito de la astronomía y las matemáticas, y los árabes demostraron contar con unos conocimientos similares. Ellos fueron capaces de construir calendarios mecánicos, pero los científicos jamás habrían podido imaginar la existencia de

Los fragmentos rescatados del navío naufragado están expuestos en el Museo Arqueológico Nacional de Atenas.

un instrumento tan sofisticado para su época. Curiosamente, hasta ahora no se ha encontrado ningún otro mecanismo parecido, y el planetario tampoco aparece mencionado en ningún texto, lo que hace que sus orígenes sean aún más misteriosos. Por eso todavía no se sabe quién construyó el mecanismo, y tampoco está claro para qué servía exactamente, porque para ser un puro instrumento de navegación ofrece demasiada información.

El diferencial

Un diferencial es un mecanismo que permite regular la velocidad de rotación de un eje según determinadas constantes. Es muy habitual en los vehículos de tracción mecánica, puesto que, en las curvas, las ruedas motrices izquierda y derecha tienen que recorrer caminos de distinta longitud. Si ambas ruedas estuvieran fijas a un eje recibirían el mismo impulso, lo que dificultaría considerablemente el giro. El diferencial procura la compensación necesaria de forma mecánica.

Hasta el momento no se ha encontrado ningún otro mecanismo parecido. Por otra parte, sigue siendo un misterio por qué no siguieron aprovechándose tales conocimientos.

Tecnología de la antigüedad

De vez en cuando ocurre que durante las excavaciones o el estudio de dibujos aparecen formas que, consciente o inconscientemente, traen a la mente determinados acontecimientos u objetos. A veces eso ha permitido descubrir indicios de una tecnología primitiva. Pero en la mayoría de los casos se trata de pistas falsas, de una mala jugada de la imaginación.

LOS JEROGLÍFICOS DE ABIDOS

Durante los trabajos de investigación realizados en el templo de Seti de Abidos fueron descubiertos unos extraños jeroglíficos sobre una columna. Viendo la forma de los símbolos, hubo quien pensó que representaban un submarino, un tanque, un buque cañonero y un helicóptero. En efecto, los jeroglíficos presentan una gran similitud con estos vehículos. Los jeroglíficos coparon los titulares de los periódicos al poco de haber sido descubiertos, sobre todo porque aparecían todos juntos. Las inscripciones parecían demostrar que en el momento de la construcción del templo, hacia 3000 a.C., ya existía una tecnología como ésa.

La decepción no se hizo esperar, porque al poco tiempo resultó que los jeroglíficos situados a izquierda y derecha de esos signos se podían traducir sin problemas. Al principio la tarea planteó serias dificultades en este pasaje concreto, hasta que se destaparon las partes ocultas de los símbolos. Al pare-

cer, en el fragmento donde se encuentran los jeroglíficos en cuestión fueron llevadas a cabo ciertas correcciones, rellenando con yeso u otro material algunos signos y escribiendo nuevos jeroglíficos encima. Con el paso del tiempo, dicho material se deterioró y se fue desprendiendo, haciendo visibles los caracteres originales debajo de los nuevos. Por consiguiente, las figuras del helicóptero, el buque de guerra, el tanque y el submarino son fruto de la casualidad y, tal vez, de un mal trabajo del escriba autor de los jeroglíficos.

Aun así, diversas agrupaciones siguen esgrimiendo los jeroglíficos como prueba de la existencia de una civilización con una sofisticada tecnología en el antiguo Egipto. Pero esa afirmación carece de fundamento.

Los jeroglíficos de Abidos parecen representar un helicóptero (arriba a la izquierda), un tanque (arriba a la derecha) y un submarino (a la derecha).

EL PLANEADOR DE SAQQARA

En 1898 se descubrió en una tumba de la ciudad egipcia de Saqqara una maqueta de madera que, según investigaciones recientes, data del año 200 a.C. Al principio no se le prestó demasiada atención y fue catalogada junto con un grupo de figuras de pájaros. El arqueólogo y catedrático Kahlil Messiha (1924-1999) la rescató del olvido en 1969 y se propuso estudiarla en profundidad porque, aunque parte de la cola estaba rota, la forma de la maqueta le recordaba mucho los planeadores modernos.

En efecto, las investigaciones revelaron que la maqueta habría podido volar si no hubiera estado rota. Sin embargo, no fue posible hallar una respuesta a la pregunta de si el planeador pudo servir de prototipo para fabricar un planeador real de mayor tamaño.

Curiosamente, el «planeador de Saqqara» volvió a ocupar el centro de la atención científica con motivo de la exposición de una colección de piezas de oro colombianas entre las que figuraban unas joyas en forma de avión. No podían volar a causa de su peso y diseño, pero algunos de sus detalles apuntan a que el fenómeno del vuelo ya fue objeto de estudio en Sudamérica entre los años 500 y 800 d.C. No obstante, se desconoce si se llevaron a cabo experimentos al respecto.

El planeador de Saqqara (o la «paloma») se expone hoy en El Cairo. Hay teorías que defienden que podría tratarse tanto de un prototipo de un planeador real como de una simple veleta.

Algunas joyas de oro de Colombia fabricadas en el período comprendido entre 500 y 800 d.C. presentan similitudes con los aviones modernos.

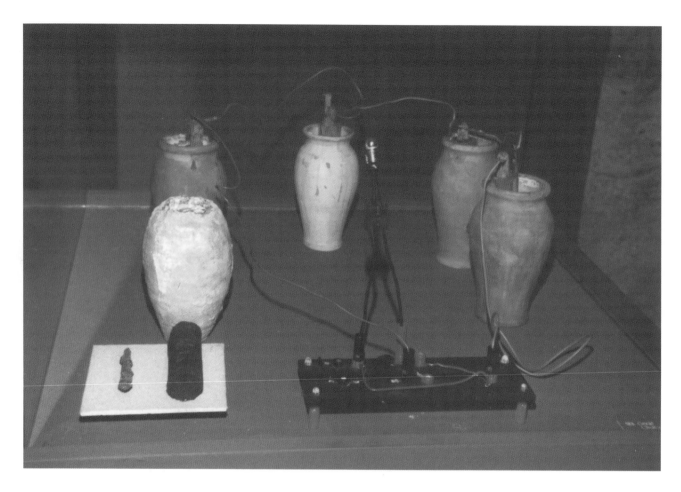

El jaguar de Panamá

Al principio la figura hallada en 1920 en Panamá también fue tomada por un objeto vulgar, a saber, una reproducción poco afortunada de un jaguar. Pero al poco tiempo surgió la duda de si podría ser el prototipo de una máquina.

La figura es insólitamente plana y angulosa, mientras que la cola del jaguar parece muy fuerte y está provista de dos grandes ruedas dentadas en el extremo. Las garras del jaguar están muy curvadas y no terminan en punta, aunque parecen estar unidas por el extremo superior. Todo ello indujo a pensar que el «jaguar» podría ser la maqueta de una excavadora cuyas palas, representadas por garras y patas, debían de servir para recoger grandes cantidades de tierra. Las palas se accionarían mediante una transmisión de cadena, seguramente por las ruedas dentadas del extremo de la cola. Según algunos expertos, este tipo de tecnología habría permitido edificar ciudades como Machu Picchu, la «ciudad perdida» de los Andes peruanos. No obstante, otros más escépticos defienden que el

Al sumergir metales distintos (aquí, cobre y hierro) en una solución ácida se genera una tensión eléctrica. En el caso de la batería de Bagdad es probable que se introdujera una solución ácida (por ejemplo, vinagre) en el cilindro para dar lugar al intercambio de electrones.

Cuantas más de estas sencillas baterías se conectan en paralelo, mayor es la intensidad de corriente que generan. De todos modos, se desconoce para qué serviría esa corriente, porque su rendimiento energético es mínimo, muy lejos del de las pilas modernas.

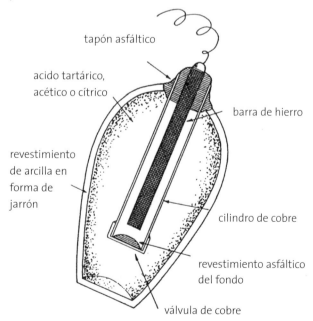

tapón asfáltico

acido tartárico, acético o cítrico

barra de hierro

revestimiento de arcilla en forma de jarrón

cilindro de cobre

revestimiento asfáltico del fondo

válvula de cobre

mismo trabajo podría haber sido realizado con la fuerza muscular y aducen que para construir una excavadora habría que haber dispuesto de otras tecnologías y conocimientos, como la fundición de hierro o la fabricación de piezas de maquinaria. El hecho de que hasta ahora no se haya encontrado ninguna prueba de la existencia de tales conocimientos resta fuerza a la teoría de la excavadora.

LA BATERÍA DE BAGDAD

En 1936, durante unas excavaciones en el monte Khujar Rabu'a, al sur de Bagdad, se descubrió un recipiente de barro en cuyo interior se alojaba un cilindro de chapa de cobre que, a su vez, contenía una barra de hierro. El arqueólogo austriaco Wilhelm König dedujo del hallazgo que existieron civilizaciones antiguas que ya conocían la electricidad.

Al cabo de unos años se hicieron diversos experimentos con una reconstrucción que, en efecto, tuvieron éxito. Al llenar el cilindro con un líquido ácido, como ácido acético o cítrico, se generaba una tensión de 1,5 a 2 V entre el cilindro y la barra de hierro.

El hallazgo se relacionó con un fenómeno que así pasaba a ser comprensible: en la región de Bagdad se habían encontrado figuras revestidas con una fina capa de oro. Otros hallazgos de naturaleza similar habían permitido constatar que tales figuras solían estar tratadas con un dorado a martillo o a fuego. En cambio, las figuras de oro de Bagdad no presentaban ni rastro de golpes de martillo. Ese problema quedaba resuelto si se aceptaba que en aquella época, es decir, aproximadamente entre 250 a.C. y 225 d.C., ya se empleaba la galvanización, es decir, el recubrimiento de un material por medio de la electrólisis. Estudios posteriores revelaron que ya

se habían descubierto con anterioridad recipientes de arcilla galvanizados, que siguieron apareciendo después. También fueron hallados diversos relatos que prueban que la electricidad estática se conocía, aunque no era generada por medios químicos sino frotando ámbar, que después atraía partículas ligeras como polvo o cabellos.

De todo ello se desprende que el uso de una batería hubiera sido posible, aunque todavía no está claro si realmente fue así.

Al principio la figura dorada fue catalogada como jaguar. Posteriormente se sugirió que podía tratarse de una especie de excavadora con la que se hubieran podido mover grandes cantidades de tierra por medios mecánicos.

Cráneos de cristal

Pocos hallazgos han suscitado tanta controversia entre la opinión pública como los denominados «cráneos de cristal», calaveras de cristal de roca o máscaras de cuarzo. Durante décadas se ha especulado sobre la cuestión, y se han llevado a cabo estudios tanto en el campo científico como en el esotérico.

¿UNA CALAVERA DE CRISTAL DE ROCA COMO REGALO DE CUMPLEAÑOS?

En 1927 Anna Mitchell-Hedges, una investigadora de la civilización maya que por aquel entonces tenía tan sólo 17 años, hizo un insólito hallazgo durante las excavaciones de las ruinas de Lubaantun (Belice). El objeto, que había sido localizado cerca de un altar, parecía una calavera de cristal de roca a la que le faltara el maxilar inferior, maxilar que fue descubierto al cabo de tres meses a pocos metros de distancia. Los arqueólogos pronto se dieron cuenta de que se trataba de una pieza extraordinaria. El cristal de roca es muy común en la naturaleza pero, debido a su elevado grado de dureza y a su estructura, para trabajarlo hacen falta herramientas y habilidades especiales, sobre todo si se aspira a lograr una reproducción tan realista como la del cráneo de Lubaantun (véase también el recuadro).

Poco después de hacerse público el descubrimiento empezaron a oírse las primeras voces críticas que lo calificaban de montaje, porque aquel día había sido el cumpleaños de Anna Mitchell-Hedges. El arqueólogo Frederick A. Mitchell-Hedges fue acusado de haber enterrado el cráneo cerca del altar como regalo para su hija. Además, se extendió el rumor de que la calavera había sido fabricada poco antes con maquinaria moderna. Investigaciones recientes parecen respaldar esa afirmación, ya que después de examinarla bajo el microscopio electrónico se han hallado marcas como las que dejan los instrumentos modernos. Pero, por otra parte, ése no ha sido el único cráneo del que se tenga constancia, sino que desde entonces se han encontrado otras calaveras de cristal fabricadas con similar meticulosidad.

F. A. Mitchell-Hedges creía que aquel cráneo perfecto era el resultado del trabajo de varias generaciones, que habrían estado tallando un cristal de roca durante más de 150 años. Además, lo consideraba una personificación del mal que los sacerdotes mayas habrían esgrimido como instrumento de poder.

El cráneo de cristal se descubrió durante unas excavaciones en la región selvática de Lubaantun, en el actual Belice. Abajo, un asentamiento maya moderno.

¿ORIGINAL, FALSIFICACIÓN O HERENCIA DE LA ATLÁNTIDA?

Por incomprensible que parezca, sólo se cuestionó la autenticidad del primer hallazgo, que, basándose en sus propias investigaciones, muchos científicos tildaron de falsificación moderna, probablemente hecha en Europa. En cambio, diversos grupos esotéricos afirmaron que el cráneo de cristal era una pieza labrada en la Atlántida que de algún modo había llegado a manos de los mayas. La vinculación con conocimientos prehistóricos o incluso rituales había sido sugerida por la propia Anna Mitchell-Hedges al estimar que debía de tener unos 3.600 años de antigüedad. Esa hipótesis situaba la fecha de creación de la figura en una época en la que la civilización maya aún no existía. Anna llegó a esa conclusión por los estratos que había donde había hallado la pieza, cuya antigüedad había sido datada por medios geológicos. Ése es uno de los pocos métodos válidos para su datación, porque el cristal de roca es un material inorgánico.

Según otros arqueólogos, que rechazaban la teoría de la falsificación basándose en la trayectoria intachable de Mitchell-Hedges, la figura sería muy posterior. Algunos opinan que el cráneo tiene 1.500 años de antigüedad, y otros sitúan la fecha de su creación en el siglo XV. Sea como sea, esas dataciones no explicarían cómo podría haber sido creada la figura, puesto que los conocimientos técnicos no habrían permitido, teóricamente, el labrado de cristal de roca hasta el siglo XVII, ni siquiera en Europa. Además, todavía no se disponía de las herramientas adecuadas.

Hasta ahora sigue siendo un misterio cómo se fabricaron las calaveras y a qué pueblo cabría atribuir su autoría.

El labrado del cristal

El labrado del cristal es una cuestión complicada, sobre todo porque la materia prima es muy delicada. Para evitar que se astille o se rompa, es imprescindible prestar atención a la conformación estructural del cristal durante su labrado. Además, se corre el riesgo de que las grietas se prolonguen hacia el interior y se extiendan por toda la pieza. La estructura básica del cristal de roca sólo se puede distinguir con una lupa muy potente en función de la refracción de la luz en su interior.

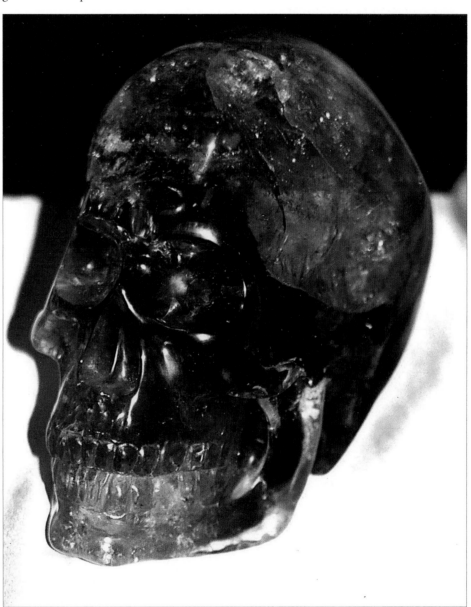

A diferencia del cráneo de Mitchell-Hedges, el de cuarzo ahumado llamado «E. T.» que fue descubierto en 1908 en Guatemala no presenta ninguna marca de métodos de labrado modernos. Se calcula que tiene una antigüedad de al menos 500 años.

Las esferas de piedra de Costa Rica

En Costa Rica hay centenares de grandes esferas de piedra, todas ellas de distinto peso y tamaño pero redondas hasta la perfección. Gran cantidad de esas esferas adornan hoy jardines privados, sobre todo después de que muchas de ellas fueran dañadas o destruidas a causa de la roturación de tierras o de ejercicios militares durante la colonización, por no mencionar la destrucción intencionada en busca de oro en su interior. Siguen siendo un enigma para la ciencia.

ESFERAS MISTERIOSAS

Nadie sabe de dónde proceden las esferas de piedra. El Museo Nacional de San José guarda varios ejemplares, y de vez en cuando se llevan a cabo excavaciones y aparecen nuevas bolas que habían permanecido ocultas total o parcialmente en el lodo de un delta fluvial o en el suelo de la selva. Sin embargo, se dispone de muy poca información acerca de ellas.

Se sabe que la esfera más pesada encontrada hasta ahora pesa 16 toneladas. La circunferencia de las bolas es perfecta y su diámetro es el mismo se mida donde se mida. Muchas esferas presentan una superficie muy lisa, que probablemente se consiguió puliéndola con una mezcla de arena y agua. Pero lo que no está nada claro es cómo se obtuvo una redondez tan perfecta en las esferas más grandes, de varias toneladas de

peso. Aparte de ciertos conocimientos de geometría imprescindibles, también tendría que haber existido una tecnología que permitiera su fabricación. La producción de una bola así sería prácticamente imposible incluso hoy día sin instrumentos mecánicos y, para colmo, las esferas están fabricadas con un tipo de granito inexistente en el lugar donde han sido halladas la mayoría de ellas. A unos 50 km río arriba hay una cantera que suministra el mencionado granito.

¿SÍMBOLOS ASTROLÓGICOS O PERFECCIÓN DIVINA?

Los lugares donde han sido halladas las esferas estuvieron antaño habitados por una nutrida población indígena, pero hasta el momento no se ha podido encontrar ninguna tribu cuyas leyendas hagan referencia a sus creadores. Además, al parecer, ninguna de esas tribus quiere atribuir su autoría a sus antepasados ni contribuir a esclarecer el enigma de ninguna otra forma. Lo que parece claro es que las esferas debían de

Una de las esferas de piedra está colocada frente al Museo Arqueológico de Costa Rica. En el país hay muchos jardines decorados con esferas, cuyo significado se desconoce.

En el Parque Nacional Braulio Carrillo, unos 20 km al norte de San José, también se han hallado esferas de piedra. Casi todos los hallazgos fueron obra de buscadores de oro que acudieron allí pensando que se harían ricos gracias al agua amarilla del río. En realidad, el color amarillo es consecuencia de los minerales procedentes de un volcán cercano.

tener un significado especial para los indígenas, ya que se han encontrado bolas más pequeñas dentro de algunas tumbas.

Algunas de esas «canicas» estaban dispuestas de tal modo que fueron interpretadas como constelaciones astronómicas, por ejemplo, signos zodiacales, pero esa teoría no pudo ser trasladada a las esferas de mayor tamaño. Estas últimas habían estado expuestas a los elementos y a los influjos externos durante siglos, y en la mayoría de los casos era imposible deducir cuál habría sido su posición original. Por otra parte, las contadas excepciones que todavía permitían reconocer la orientación de las esferas no confirman la teoría del significado astronómico o astrológico, porque las bolas estaban situadas en largas filas rectas, sinuosas o formando triángulos. Además, la representación de cuerpos celestes mediante esferas contradice la concepción de los incas y mayas sudamericanos, que solían representar los astros, como el Sol, en forma de disco. Por consiguiente, para que la teoría pudiera sustentarse tendría que haber existido en Costa Rica una civilización independiente, algo que para muchos científicos parece bastante improbable.

Existe otra teoría que sostiene que la perfección con que fueron realizadas las esferas responde a una especie de tributo

divino. Así pues, las esferas serían un símbolo de la perfección divina. Eso explicaría también la escasez de otros vestigios de una creencia divina anterior. Sin embargo, es probable que nunca lleguemos a saber a ciencia cierta si esa teoría es acertada o no.

Las leyendas de Costa Rica no ofrecen ningún dato acerca del pueblo que fabricó las esferas ni por qué.

El mapa de Piri Reis

Piri Reis (hacia 1465-hacia 1554), sobrenombre de Muhiddin Piri Ibn Haji Memmed, era almirante de la flota otomana y, como tal, estaba familiarizado con las cartas de navegación y los mapas terrestres. En aquella época no era raro hacer uso de un lápiz para corregir los mapas y mejorar los datos cartográficos de un territorio. Tampoco tiene nada de extraño que Piri Reis se familiarizara con otros mapas de su destino antes de emprender viaje y tratara de confeccionar su propia carta a partir de ellos. No obstante, uno de sus mapas muestra territorios que eran desconocidos cuando él vivió.

El palacio de Topkapi fue la sede del gobierno y el lugar de residencia de los sultanes del Imperio Otomano durante varios siglos. Allí fue encontrado por casualidad el mapa de Piri Reis.

EL MAPA DE AMÉRICA

Piri Reis fechó su mapa en el año islámico de 919, que equivale al año cristiano 1513. Es probable que fuera el primer mapamundi que confeccionara. Para hacerlo recurrió a material cartográfico antiguo, recogió todas las coincidencias y completó el mapa con anotaciones propias que había ido recopilando en sus travesías marítimas desde 1481. Hasta ese momento había recorrido principalmente el Mediterráneo. Se desconoce qué mapas le sirvieron de fuente para su mapa-

mundi, pero él mismo menciona material cartográfico portugués en algunos comentarios escritos.

En el mencionado mapamundi de 1513 aparecen representados Europa, Asia, gran parte del litoral africano y, además, el continente americano. Eso se corresponde con los conocimientos geográficos de la época, puesto que unos cuantos años antes se había reconocido que lo que había descubierto Cristóbal Colón hacía 21 años no era la ruta occidental a las Indias sino un nuevo continente. De hecho, la parte norteamericana del mapa está plagada de errores, al igual que la distribución del Caribe (omisión de varios grados de latitud y líneas costeras que no encajan). En cambio, el litoral sudamericano oriental está bien perfilado.

La parte del mapamundi que representa las costas occidentales de Sudamérica no ha llegado hasta nosotros, pero las costas orientales ya plantean suficientes interrogantes. Si los españoles y los portugueses no trazaron los primeros mapas de Sudamérica y sus costas hasta varias décadas después, durante sus expediciones de conquista y exploración, ¿cuál debió de ser el origen de los mapas que utilizó Piri Reis como referencia para su trabajo?

El descubrimiento de la Antártida

La masa de tierra de la Antártida permanece oculta bajo una capa de hielo de hasta 4.500 metros de grosor en ciertas zonas. Las descripciones del continente «Terra Australis», que según los cálculos del matemático griego Tolomeo representaría una especie de contrapeso de la masa de tierra del hemisferio norte, impulsaron al navegante británico James Cook a salir en busca de ese continente en 1772. En efecto, Cook arribó a la Antártida en 1773, pero no pudo avistar tierra a causa de la niebla y el hielo. El navegante Fabian von Bellingshausen fue el primero en descubrir la masa de tierra de la Antártida, en 1819, y un año más tarde la circunnavegó. El primer mapa de la Antártida se hizo esperar hasta las expediciones americanas «Deep Freeze» de mediados de la década de 1950.

¿Un mapa de la Antártida?

La cuestión suscitó una gran polémica en 1929, cuando el mapa de Piri Reis fue redescubierto durante unos trabajos de desescombro en el palacio de Topkapi de Estambul y sometido a examen por los científicos. Algunos coincidieron en que el mapamundi podía datar de una época posterior, tal vez de mediados del siglo XVI, cuando la costa sudamericana ya había sido cartografiada, mientras que otra teoría sostenía que Piri Reis había confeccionado el mapa basándose en conocimientos que los portugueses habrían obtenido de los chinos o de navegantes nórdicos.

El mapa volvió a despertar el interés de los científicos a finales de 1959, cuando Charles Hapgood, catedrático de historia del Keene State College de New Hampshire, Estados Unidos, lo estudió con más detenimiento y descubrió el perfil de las costas antárticas al sur de África y Sudamérica. Lo insólito era que las líneas de la costa coincidían en

Piri Reis no sólo dibujó el contorno litoral de Sudamérica y la Antártida sino que tampoco pasó por alto ríos ni montañas de un continente que todavía tardaría bastante en ser explorado.

gran parte con el trazado real, que está cubierto de hielo perpetuo desde hace unos 6.000 años. Además, el continente antártico no fue descubierto hasta 1819.

Así pues, habría que preguntarse si en tiempos de Piri Reis existía realmente material cartográfico de 4.000 años antes de nuestra era y si esos conocimientos han perdurado durante milenios. En el último caso, habría que aclarar también de dónde procedían tales conocimientos, puesto que en la actualidad no se tiene noticia de ninguna civilización que hubiera podido viajar hasta la Antártida hace tanto tiempo.

En los mapas del mundo dibujados más o menos en la misma época que el de Piri Reis (aquí, un ejemplo de 1537) falta el continente antártico. Sin embargo, todos comparten una muy deficiente representación de Norteamérica y el Caribe.

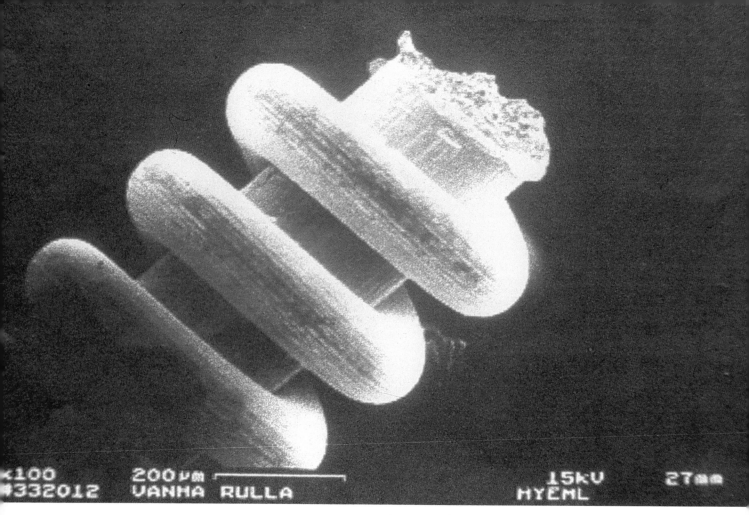

x100 200μm 15kV 27mm
#332012 VANHA RULLA HYEML

Las nanoespirales no se pueden ver a simple vista. La simetría de las estructuras sólo se puede apreciar bajo el microscopio.

Nanoespirales

En 1992 un grupo de geólogos rusos llevó a cabo diversos estudios acerca de las rocas de los Urales. Así descubrieron unas espirales microscópicas cuyos orígenes siguen siendo desconocidos. El material del que están hechas tiene una antigüedad de al menos 100.000 años. Algunos autoproclamados «ufólogos» opinan que esas estructuras son una prueba irrefutable de que los hombres prehistóricos estuvieron en contacto con seres extraterrestres.

¿CIENCIA FICCIÓN?

Durante los siglos XIX y XX abundaron las teorías y las presuntas pruebas de visitas de seres extraterrestres a la Tierra, desde los relatos de viajes fantásticos, como los del escritor francés Julio Verne en la segunda mitad del siglo XIX, hasta la introducción del tema en el ámbito paracientífico a finales de los años cuarenta, pasando por las historias de ciencia ficción y utopías de H. G. Wells a principios del siglo XX. Fueron muchas las personas que se sintieron atraídas por esta cuestión. Todos los fenómenos que se presentan a lo largo de este capítulo cuentan con algún informe que defiende que el

El uso actual de la nanotecnología

La nanotecnología se emplea actualmente en medicina, por ejemplo, en el denominado «*lab on a chip*», que aloja un laboratorio en miniatura en una superficie de las dimensiones de una tarjeta de crédito. También se aplica en el campo de la electrónica, sobre todo en la construcción de procesadores informáticos. Otro campo de aplicación son los esmaltes de automóvil, donde las estructuras nanotécnicas posibilitan la autolimpieza de superficies. En cuanto a la investigación, la nanotecnología ha permitido el desarrollo de microscopios más precisos.

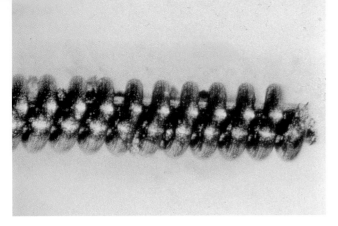

Las nanoespirales están hechas de cobre, volframio o molibdeno. Estos dos últimos metales se emplean, entre otras cosas, en electrónica y en la tecnología espacial.

objeto en cuestión sólo se pudo fabricar con algún tipo de ayuda de los extraterrestres.

De acuerdo con esa dinámica, el hallazgo de los Urales causó sensación entre los adeptos a la teoría de los visitantes extraterrestres. Unas investigaciones rutinarias revelaron la presencia de unas estructuras espirales tan diminutas que apenas son perceptibles por el ojo humano. La simetría de las estructuras sólo se puede distinguir bajo el microscopio electrónico. Se trata de espirales de entre 3 cm y 0,003 mm, en su mayoría de volframio, de superficie lisa a veces provista de agujeros. El núcleo se compone de volframio y molibdeno. En otras de las muestras encontradas se detectó la presencia de espirales de cobre. Las proporciones de las espirales son tan regulares que las estructuras sólo pueden haber sido creadas con medios artificiales. Se calcula que deben de tener una antigüedad de entre 100.000 y 300.000 años, lo que plantea el problema de que los seres humanos de aquella época no habrían sido capaces de realizar tal proeza. Hacer este tipo de objetos no plantea ninguna dificultad en la actualidad, pero la tecnología necesaria no fue desarrollada hasta la década de 1970.

¿TECNOLOGÍA EXTRATERRESTRE O FALSIFICACIÓN?

Basándonos en la teoría de Valerie Ouvarov, de San Petersburgo, la mayoría de las estructuras serían piezas de una antigua y gran antena receptora y emisora. De ser así, habría que dar por cierta la intervención de inteligencia extraterrestre, ya que la ciencia está convencida de que nuestros antepasados no habrían sido capaces de crear ese tipo de instrumento hace 100.000 años. Al fin y al cabo, por aquella época los neandertales todavía no se habían extinguido.

Tras hacerse públicos los primeros informes acerca de las nanoespirales aparecieron algunos escépticos que afirmaron que los resultados de los estudios eran producto de mediciones erróneas o falsificaciones. Esa opinión sigue estando muy extendida a pesar de que al cabo de algunos años fueron descubiertas más estructuras similares en otras regiones, por ejemplo, a orillas de los ríos Koshim y Balbanju, y estudiadas por otros investigadores. Los trabajos arrojaron los mismos resultados.

Las nanoespirales de los Urales parecen respaldar la teoría de la existencia de una inteligencia extraterrestre, pero no demuestran que los extraterrestres visitaran la Tierra en el pasado por mucho que eso les guste imaginar a algunos «ufólogos». Mientras no se realicen más hallazgos, resultará complicado demostrar la procedencia extraterrestre de los objetos encontrados hasta ahora.

Las superficies lisas y el conformado extraordinariamente regular de las nanoespirales hacen pensar que fueron fabricadas por medios mecánicos.

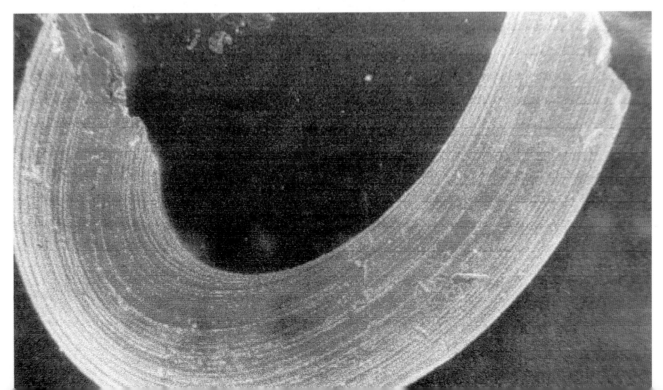

¿Mito o realidad?

Mundos, objetos, y personajes legendarios

Existen un sinfín de historias que se transmiten de generación en generación y de las que ya nadie sabe a ciencia cierta si son reales o inventadas. En ocasiones la cuestión se complica todavía más porque, a pesar de estar basadas en un hecho real, con el tiempo se han adornado con relatos fantásticos o históricos atribuidos a personajes ficticios.

El interés por épocas pasadas y remotas ha comportado que la ciencia y la investigación tengan que lidiar con las leyendas precisamente en el ámbito de la historia. Las leyendas de distintos pueblos han sido cotejadas con hechos científicamente demostrados para averiguar si algunos de los acontecimientos que relatan podrían haber sucedido en realidad. Así se ha podido comprobar la autenticidad histórica de algunas de ellas, mientras que otras han resultado ser meras fantasías. Por otra parte, existe un tercer grupo en el que realidad y ficción se han entremezclado de tal forma que es imposible separarlas. A continuación se exponen una serie de leyendas acerca de lugares, objetos y personajes junto con los resultados de las investigaciones científicas destinadas a identificar la ficción y la realidad y conocer más cosas acerca del mundo, sus pueblos y su historia.

El Santo Grial es una de las misteriosas reliquias que han dado pie a numerosas teorías y leyendas.

La Atlántida

En sus diálogos *Timeo* y *Critias* el filósofo y estadista griego Platón (427-347 a.C.) relata una historia que, según parece, sucedió de verdad: una civilización desapareció bajo el mar con el continente en que habitaba. Aunque no se conoce ninguna otra fuente antigua y aunque ese relato fue pronto objeto de críticas, el de la Atlántida es hoy uno de los mitos más conocidos y polémicos del mundo.

LOS RELATOS DE PLATÓN

Según cuenta Platón, hace 12.000 años, al oeste de las Columnas de Hércules (el estrecho de Gibraltar), había un Estado insular rico y poderoso llamado Atlántida. Desde allí los habitantes de la isla habían conseguido dominar vastas zonas de Europa y África. Sin embargo, su avidez de poder desató la guerra con los atenienses, que Platón describe como extraordinariamente valerosos y ágiles. Mientras que el resto de los griegos se habían doblegado ante el poderoso contrincante por temor, los atenienses lograron vencer al enemigo y liberar a los esclavos del pueblo atlántico. Más tarde, hace alrededor de 9.000 años, la furia de Zeus ocasionó violentos terremotos e inundaciones. Todos los atenienses en edad de guerrear fueron tragados por la tierra y la Atlántida desapareció bajo las aguas del océano. Hasta ahí la narración de Platón, que aseguraba que estaba basada en lo narrado a su vez por el sabio y estadista ático Solón (639-559 a.C.), que había viajado por Egipto y los países vecinos entre 571 y 561 a.C. Un escriba del templo habría relatado la historia a Solón en Sais, la capital del Bajo Egipto. No se sabe cuáles eran las fuentes de los egipcios, cuya civilización surgió 5.000 años después del supuesto hundimiento de la Atlántida.

Platón narra la historia de la denodada lucha de los atenienses no sin imparcialidad, ya que, al fin y al cabo, está contenida en los dos diálogos donde se discute acerca del Estado ideal. Así se aprecia también en la estructura de las obras: el primer diálogo, *Timeo,* describe la protohistoria griega antes de abordar la contienda entre Atenas y la Atlántida. Los detalles acerca de la Atlántida están contenidos en el segundo diálogo. Al parecer, Platón tenía la intención de escribir otro más, pero nunca llegó a hacerlo.

LAS PRIMERAS DUDAS

A pesar de que dejaba en buen lugar a Atenas, la narración de Platón fue abiertamente criticada por algunos de sus contemporáneos, entre ellos su discípulo Aristóteles. Le reprochaban que hubiera empleado métodos populistas y se hubiera inventado cosas para atraer la atención y divulgar sus doctrinas del Estado ateniense ideal entre el pueblo llano. Es posible que el tercer diálogo sobre la Atlántida no llegara a cuajar por ese motivo. Ciertamente, en su segundo diálogo Platón se aleja mucho de su objetivo de explicar el Estado ateniense ideal. En cambio, se dedica a describir la flora y la fauna, así como las

Atlas, condenado a sostener eternamente el cielo sobre sus hombros, tenía una hija que, según la mitología, vivía en una isla occidental. De ella viene el nombre de la Atlántida.

peculiaridades arquitectónicas de la Atlántida, que estaba situada en el centro de tres canales circulares. La finalidad política de los diálogos queda en segundo plano, ya que la idealizada Atenas primitiva del primer diálogo sólo se menciona aquí de pasada. Es posible que esa circunstancia fuera la causa de que Platón interrumpiera su diálogo. Acaso también temiera que, si seguía ofreciendo descripciones tan detalladas, le empezaran a preguntar por sus fuentes. Platón es el único autor del que se conoce algún relato acerca de la Atlántida, pero no se sabe si alguna vez existieron más textos sobre ese continente.

A raíz del redescubrimiento de la Atlántida en el Renacimiento aparecieron mapas que trataban de situar geográficamente el continente desaparecido.

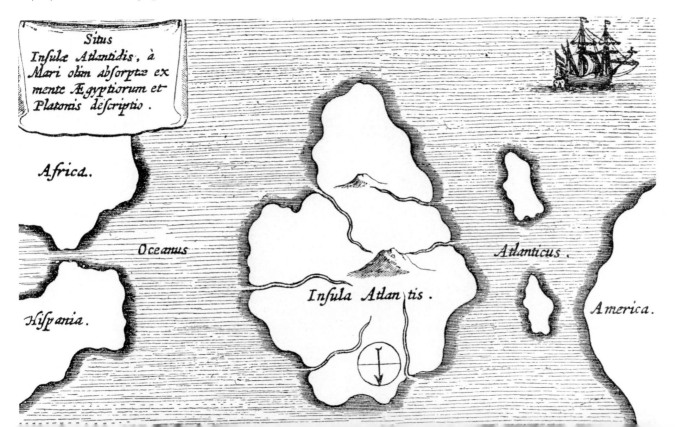

Situs Insulæ Atlantidis, à Mari olim absorptæ ex mente Ægyptiorum et Platonis descriptio.

Africa.

Oceanus

Hispania.

Insula Atlantis.

Atlanticus.

America.

EL HUNDIMIENTO DE LA ATLÁNTIDA

El filósofo griego Crantor (siglo III a.C.) se mostró crítico ante el relato de la Atlántida. En una de sus obras menciona el hallazgo de la historia de la Atlántida en unas estelas en la ciudad egipcia de Sais. Sin embargo, el hecho de que él se refiera a unas inscripciones en columnas y que la supuesta fuente de Platón fueran unos rollos de papiro suscita una contradicción que favorecería la posterior polémica acerca de aquella narración. Existen indicios de que la existencia o no de ese continente fue objeto de controversia entre filósofos y eruditos de prestigio hasta bien entrado el siglo VI d.C. A partir de entonces, la Atlántida fue considerada una invención de Platón y la historia cayó poco a poco en el olvido.

EL REDESCUBRIMIENTO DE LA ATLÁNTIDA

El mito de la Atlántida no fue resucitado y discutido en distintos textos hasta 900 años después, durante el Renacimiento. Como había ocurrido en la antigüedad clásica, hubo quienes defendieron a ultranza la existencia de la Atlántida y quienes tildaron las historias alrededor del supuesto continente de pura invención. Por aquel entonces, la leyenda de la Atlántida no llegó a la opinión pública a pesar del reavivado interés de los círculos doctos.

El público en general no supo de la existencia del continente perdido hasta finales del siglo XIX, cuando el científico y escritor Ignatius Donnelly (1831-1901) publicó el libro *La Atlántida, el mundo antediluviano*, donde hacía alusión sobre todo a mitos y leyendas de otros pueblos. El libro demostraba que el mito del continente sumergido era una historia muy divulgada. Sin embargo, las descripciones de la civilización perdida presentaban grandes diferencias, aunque rara vez eran negativas. Por todo ello, Donnelly llegó a la conclusión de que la Atlántida había sido un lugar casi paradisíaco y que era muy

Paradise Island, en las Bahamas, cuenta con un complejo submarino que recrea la Atlántida tal y como se cree que podría haber sido.

probable que tanto el Viejo como el Nuevo Mundo hubieran sido colonizados desde la Atlántida. La teoría de la «supercivilización» antigua recibió una entusiasta acogida en los florecientes círculos esotéricos y fue recuperada, discutida y en ocasiones incluso perfeccionada y ampliada en los años que siguieron. Se hizo muy habitual atribuir cualidades sobrehumanas ya no sólo al continente de la Atlántida sino también a sus habitantes.

NUEVAS TEORÍAS ACERCA DE LA ATLÁNTIDA

Aunque antes del de Donnelly ya habían sido publicados algunos libros sobre la Atlántida, su obra despertó el interés no sólo de los grupos esotéricos. Donnelly situaba la Atlántida en las islas Azores, en mitad del Atlántico, y poco después se iniciaron allí unas excavaciones arqueológicas que avivaron aún más el interés general por el continente sumergido. En 1909 el arqueólogo K. T. Frost expuso en un artículo publicado en el diario británico *The Times* la teoría de que la Atlántida había sido una civilización con base en la isla mediterránea de Creta. Ésa y la teoría de las Azores de Donnelly son hoy las más discutidas. A lo largo del siglo XX fueron surgiendo nuevas conjeturas acerca de la localización de la Atlántida, pero casi todas fueron rebatidas mediante referencias a las descripciones de Platón o mediante excavaciones arqueológicas.

Por supuesto, las voces críticas no se han acallado. Las publicaciones que cuestionan la existencia de un continente hundido no van a la zaga de las que la defienden con ahínco. Con todo, hasta el momento no ha sido posible desmentir ni demostrar de forma fehaciente la existencia de la Atlántida. Eso sí, tanto sus defensores como sus opositores coinciden en que sólo la arqueología puede aportar nuevos datos. Las 7.000 palabras de Platón y todos los textos basados en sus relatos no son prueba suficiente.

Hay quienes piensan que la isla griega de Creta podría haber albergado la Atlántida.

En 1967 se localizaron unas ruinas minoicas en la isla griega de Santorini (la antigua Thera) que se interpretan como vestigios de la Atlántida.

Los continentes Lemuria y Mu

Otros dos continentes legendarios que volvieron a estar de actualidad como consecuencia del renovado interés por la Atlántida son Lemuria y Mu.

LA RUTA DE LOS LÉMURES

Según el zoólogo británico Philip Sclater (1829-1913), Lemuria fue una franja de tierra que hace siglos conectaba la isla de Madagascar con la India. Sclater llegó a esa conclusión porque son las dos únicas regiones donde viven lémures: dado que esos mamíferos primates no habitan en los otros territorios que se extienden entre África oriental y la India, Sclater dedujo que tuvo que existir una conexión directa entre ambos continentes que favoreciera la inusual distribución de los lémures.

La teoría de Sclater fue refutada a principios del siglo XX, pocos años después de haber sido enunciada, después de que

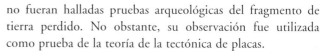

Diego de Landa

Diego de Landa (1524-1579) fue obispo de Yucatán durante cerca de 30 años. Llegó a Centroamérica como misionero con el propósito de convertir a los mayas al cristianismo. Su carácter implacable le ha granjeado la fama de ser el hombre que más contribuyó a la aniquilación de los mayas y su cultura. El «alfabeto de Landa» fue una invención suya que incluyó en sus últimos escritos exculpatorios como herramienta de ayuda para traducir la escritura maya. Sin embargo, con el tiempo resultó ser inservible. De todos modos, algunos de los detalles que proporcionó Landa permitieron profundizar en el conocimiento de la civilización maya.

no fueran halladas pruebas arqueológicas del fragmento de tierra perdido. No obstante, su observación fue utilizada como prueba de la teoría de la tectónica de placas.

La refutación de la teoría de Sclater no impidió que algunos grupos esotéricos atribuyeran a Lemuria las mismas cualidades que a la Atlántida en diversas publicaciones y convirtieran el legendario continente en un objeto de culto particular. Lemuria puede considerarse un lugar de leyenda, pese a que la teoría de la tectónica de placas no ha sido demostrada con absoluta certeza.

MU, LA FUENTE DE LA CIVILIZACIÓN EGIPCIA...

Mu fue un continente que, a diferencia de la Atlántida, se hundió bajo las aguas del Pacífico. O al menos eso es lo que sostuvo en 1926 el arqueólogo británico James Churchward, que describió un país con una cultura muy desarrollada que, sin embargo, fue aniquilada junto con su continente por una erupción volcánica hace 50.000 años. Churchward no era el primero que hacía mención de Mu, puesto que el abate francés Charles-Etienne Brasseur de Bourbourg ya había hecho pública su teoría acerca del continente sumergido en 1864. Como fuente mencionó el *Códice Troano* que él mismo había traducido, la primera parte del *Códice Tro-Cortesianus,* uno de los tres libros que se conservan de la otrora extensa literatura maya. Pocos años después de la publicación de Brasseur el

La insólita distribución de los lémures indujo a Philip Sclater a pensar que la India y Madagascar tuvieron que estar conectadas en el pasado.

fotógrafo y arqueólogo aficionado francés Auguste Le Plongeon viajó a las ruinas mayas de la península de Yucatán para llevar a cabo unas excavaciones. Él mismo realizó una traducción del *Códice Troano,* que estaba muy influenciada por Brasseur y por sus propias interpretaciones de las pinturas murales de las ruinas de Chichen-Itzá. Asimismo, escribió un completo informe acerca de la vida en Mu que culminaba con la teoría de que la princesa del continente había huido antes de su hundimiento y adoptado la identidad de la diosa Isis para fundar la civilización egipcia. Según Le Plongeon, ello explicaría las semejanzas entre las escrituras egipcia y maya. En un artículo publicado en 1896, Le Plongeon asegura haber encontrado durante sus excavaciones una urna de piedra con los restos de uno de los príncipes de Mu.

... ¿O SÓLO UN ERROR DE TRADUCCIÓN?

Para traducir el *Códice Troano* Brasseur se sirvió del denominado «alfabeto de Landa», llamado así por el obispo de Yucatán Diego de Landa. Lo que desconocemos es el origen de su versión del texto. Sin embargo, está comprobado que el alfabeto de Landa no es una herramienta útil para traducir y que Brasseur no fue demasiado meticuloso en su labor. Aunque la escritura maya todavía no ha podido ser descifrada del todo, se puede afirmar con seguridad que el *Códice Troano* trata de astrología, no del hundimiento de un continente.

Le Plongeon creyó haber encontrado una pista del misterioso continente Mu en las ruinas de Chichen-Itzá.

Las conclusiones extraídas por Le Plongeon fueron tildadas de disparates por el mundo científico. La afirmación de que los jeroglíficos egipcios provenían de la escritura maya resultó infundada porque no existe ninguna conexión entre ambas.

El propio James Churchward se encargó de echar por tierra sus tesis poco después de haber sido publicadas por la inconsistencia de sus conclusiones y la falta de fuentes fiables.

Pese a haberse comprobado su futilidad, la teoría del continente hundido sigue teniendo adeptos.

La forma y la extensión de los dos continentes sumergidos han sido objeto de interminables controversias. Sin embargo, todos coinciden en situarlos en los océanos Índico y Pacífico respectivamente.

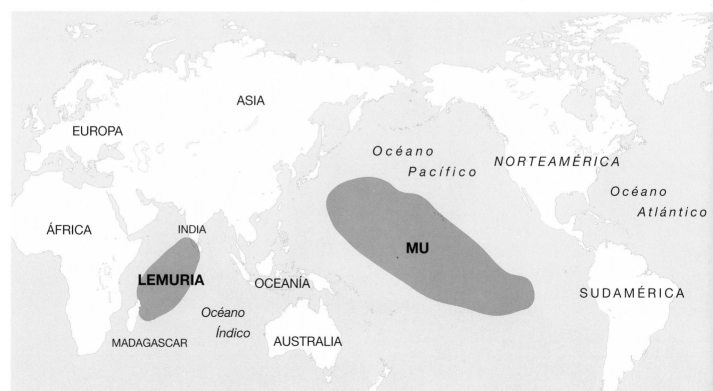

Ciudades de oro legendarias

La Atlántida y Mu han adquirido el rango de civilizaciones extinguidas. No ocurre lo mismo con aquellos lugares o ciudades a los que se atribuye una gran riqueza en oro. Se dice que en los continentes africano y americano existieron antaño ciudades e incluso países enteros donde abundaba el preciado metal. Durante siglos, numerosos aventureros y conquistadores han emprendido expediciones para descubrir El Dorado, Cibola, Quivira, Ofir, Piru, Punt y otros lugares, en la mayoría de los casos sin resultados concretos.

LOS ANTECEDENTES

A principios del siglo XVI la corona española estaba muy endeudada. La capitulación del reino nazarí de Granada en 1492 había puesto fin a la Reconquista en la Península Ibérica. El monarca español Fernando II expulsó o ejecutó a todos los no católicos, lo que supuso un enorme perjuicio para la economía. Pero el ejército y la armada españoles seguían existiendo y necesitaban grandes sumas de dinero para subsistir, por lo que había que buscar nuevas fuentes de ingresos. Al regreso de su primer viaje, Cristóbal Colón (1451-1506) alentó las esperanzas de los Reyes Católicos hablándoles de un país donde abundaba el oro. Pero aunque

Colón trajo consigo oro de sus siguientes viajes, y él mismo pudo quedarse con parte, no era en absoluto cantidad suficiente como para satisfacer al rey de España.

El conquistador Hernán Cortés (véase la página 104) tuvo más éxito en esa empresa y envió a su monarca grandes tesoros. Sin embargo, sus proezas adquirieron dimensiones legendarias entre la población, dando pie al mito de las «Siete ciudades doradas de Cibola». La llegada de más oro a España, en

Un grupo de buscadores de oro capitaneados por Coronado partió del actual México para internarse en Norteamérica y conquistó los territorios en nombre de la corona española.

esta ocasión no sólo de Cortés sino también de Francisco Pizarro (véase la página 105), favoreció la invención de otro «país de oro», Quivira, que supuestamente había sido descubierto durante varias expediciones hacia el este.

CIBOLA Y QUIVIRA

La búsqueda de la ciudad dorada de Cibola y el país de oro de Quivira está muy vinculada a la historia del conquistador español Francisco Vásquez de Coronado (1510-1554), quien acudió a Centroamérica en respuesta al llamamiento de su amigo Antonio de Mendoza, virrey de la colonia de Nueva España. En 1539 le fue encomendada la misión de localizar estos dos lugares legendarios y tomar posesión de ellos en nombre de Nueva España.

La expedición recorrió Norteamérica a lo largo de tres años y llevó a Coronado y a sus hombres, que habían partido de México, a lo que hoy día son los estados de Arizona, Nuevo México, Oklahoma y Texas. En 1541 todavía no habían podido encontrar las «Siete ciudades de oro», por lo que Coronado cambió de planes y emprendió el rumbo hacia el este. Él y sus hombres avanzaron hasta Kansas sin encontrar Quivira, y en 1542 acabaron por darse por vencidos y regresaron a México.

Los tesoros conquistados por Hernán Cortés fomentaron en Europa las leyendas de colosales riquezas y ciudades doradas.

A decir verdad, no volvieron con las manos vacías, porque por el camino habían derrotado a las tribus de indios pueblo tiwa, zuñi y hopi y, además, Coronado había conquistado un territorio muy extenso para la corona española. Pero aun así cayó en desgracia porque no había conseguido el éxito que anhelaba.

Hoy se considera probado que ninguna de las dos leyendas se originó en el Nuevo Mundo, sino que fueron producto de la fecunda imaginación de los españoles. Coronado y todos los que siguieron sus pasos perseguían una quimera gestada en el Viejo continente. Con todo, el reclamo del oro era tan seductor que estas leyendas perduraron durante varios siglos y fueron adornadas con nuevas invenciones. Poco después, los rumores en torno a Quivira suscitaron un mito en toda regla, el de El Dorado.

Francisco Vásquez de Coronado fue enviado a explorar los territorios del norte por el virrey de la colonia de Nueva España. Coronado solía mostrarse generoso con los indios con la esperanza de que le contaran algo de Cibola o Quivira.

La primera búsqueda de El Dorado

A diferencia de las leyendas de Cíbola y Quivira, el mito de El Dorado tiene su origen en lo que hoy es territorio de Colombia. Allí contaban de un pueblo sudamericano, el de los indios muiscas, que ofrecía un sacrificio ritual al dios del Sol cada vez que un nuevo gobernante asumía el mando. La ceremonia tenía lugar en el lago de Guatavita, en medio de las montañas: el cuerpo del nuevo soberano se cubría con polvo de oro. A continuación, el dirigente subía a una barca con cuatro de sus súbditos principales y se adentraba hasta el centro del lago, donde arrojaba al agua los objetos de oro y piedras preciosas que llevaba consigo. Entonces él mismo saltaba al lago y el oro en polvo se desprendía de su cuerpo. El nuevo gobernante volvía a nado a la orilla mientras el oro en polvo y el resto de los tesoros se depositaban en el fondo del lago.

El destino de los muiscas y de otros muchos pueblos sudamericanos estaba ya sellado cuando los cronistas españoles tomaron nota de esta tradición, a mediados del siglo XVI, y eso que habían sido descubiertos pocos años antes (1536). Los muiscas capturados despertaron la codicia de los españoles al

Hernán Cortés

Hernán Cortés (1485-1547) fue el descubridor español que conquistó México en pocos años con sólo unos centenares de soldados. Durante sus expediciones luchó con varias tribus indígenas para arrebatarles su oro. Fue el responsable de la desaparición del Imperio Azteca.

narrarles una costumbre que ya no se practicaba, y al conquistador español Francisco Orellana (1490-1546) no le costó lo más mínimo encontrar quien financiara una expedición que recorrería el Río Negro en pos de El Dorado.

Orellana exploró el sur de América entre 1541 y 1542 y llegó a adentrarse en el Amazonas. Aunque no tuvo éxito en su búsqueda, el explorador relató que había visto grandes ciudades y vastas superficies cultivadas que sugerían la existencia de grandes riquezas. Sin embargo, a mediados del siglo XVII los misioneros se internaron en Sudamérica siguiendo la ruta de Orellana y sólo se encontraron con sencillos cazadores que vivían en modestas chozas. Orellana pasó a la historia como un mentiroso y en las décadas siguientes la leyenda de El Dorado cayó en el olvido.

La balsa de oro se considera una prueba irrefutable de la existencia de El Dorado.

Nuevos datos

En el siglo XX los científicos hallaron indicios que arrojaban nueva luz sobre el mito de El Dorado. Por una parte, en 1969 fue descubierta la denominada «Balsa de oro de El Dorado» en una cueva de un antiguo poblado muisca. Es una barca de oro de 18 cm de largo con figuras que representan la ceremonia del lago Guatavita descrita por los indios muisca. Por otra parte, los científicos de la Universidad de Pensilvania examinaron el suelo de la selva a orillas del Río Negro y encontraron líneas y dibujos que cubren un vasto territorio y miles de promontorios aislados y ocultos por la vegetación. Un estudio más detallado de las pequeñas lomas reveló que, al parecer, existía un sistema de canalizaciones que permitía transportar agua a los campos. También fueron hallados restos de cerámica y otros vestigios que demuestran la presencia humana en esa región.

A decir verdad, la expedición no fue capaz de hallar El Dorado, pero sus integrantes repararon en la *terra preta,* la tierra oscura que tapiza varios millares de hectáreas de la región. Su análisis reveló que no se trata de tierra vegetal convencional sino de una mezcla de terreno arenoso, cal de conchas y carbón vegetal, inusual combinación que impedía que el agua arrastrara consigo los nutrientes de la tierra. Esa tierra oscura es muchísimo más fértil que cualquier abono conocido. Los científicos creen que ése es el auténtico tesoro de El Dorado y

Francisco Pizarro
El descubridor español Francisco Pizarro (1475-1541), uno de los rivales de Cortés, optó por desplazarse a Sudamérica. Pizarro es el responsable de la desaparición del Imperio Inca.

El lago colombiano de Guatavita fue, al parecer, el escenario de las ceremonias de los indios muisca. Sin embargo, las inmersiones realizadas hasta el momento no han servido para sacar a flote grandes cantidades de oro. Por eso se cree que El Dorado no se encontraba en este lugar.

que el oro de los indios muisca no provenía de minas de oro locales, sino que era producto del comercio con otros pueblos indígenas.

Lo que se desconoce es el motivo de la desaparición de esta cultura en el transcurso de los 100 años posteriores a la expedición de Orellana. Es posible que los conquistadores blancos llevaran consigo una epidemia que hiciera estragos entre los indígenas. Sin embargo, las pruebas que corroboran esa teoría son tan escasas como las de la veracidad de las leyendas que rodean el lago dorado de Guatavita.

Orellana se topó a orillas del Río Negro con una floreciente civilización indígena que, por desgracia, al cabo de sólo 100 años había desaparecido.

Avalón

Si la búsqueda de la Atlántida, Lemuria y Mu ha movilizado a científicos de todas las épocas, en el caso de Avalón la situación es algo distinta, porque la simple descripción del lugar ya revela que se trata de un paraje legendario.

AVALÓN Y EL OTRO MUNDO

Avalón (o también *Avalun* o *Ynis Avalach,* que, traducido, sería «isla de las manzanas») es un lugar situado en el Otro Mundo según la saga artúrica. Resulta imposible precisar la descripción de este lugar porque las versiones varían mucho de un autor a otro. Sin embargo, todas coinciden en que el Otro Mundo es un lugar místico e irreal, equiparable a un sueño en el que se puede actuar conscientemente, y en que las decisiones que se tomen pueden tener repercusiones en la realidad. Los lugares del Otro Mundo acostumbran a estar vinculados a localizaciones reales, como es el caso de Avalón, que se localizaría en el condado de Somerset, allí donde hoy descansan las ruinas de la abadía de Glastonbury (véanse las páginas 48-51). Cuenta la leyenda que ese edificio fue fundado por José de Arimatea o alguno de sus allegados con los que había llevado el Santo Grial a Inglaterra o Gales desde Israel.

EL CAMINO A AVALÓN

Según la leyenda, sólo un reducido círculo de personas tenían acceso a Avalón. Aparte de la superiora Morgana Le Fay y sus ocho hermanas, cabría mencionar a las moradoras de la Casa de las Vírgenes, las criadas de Merlín, que a veces se equipara al bardo Taliesin de Britania. Fuera de ellos eran muy pocos los elegidos que podían entrar en aquel lugar.

La leyenda describe dos caminos de acceso a Avalón. Uno de ellos era por agua, pero había que saber cómo llamar a la barca y a su tripulación. El otro era por tierra y sólo lo conocían los habitantes de Avalón, aunque las descripciones al respecto no son muy precisas. Hubo quien logró llegar después de tomar ese camino secreto por equivocación. Uno de los

requisitos indispensables para acceder a Avalón era la niebla. Si estaba despejado no se llegaba allí sino a la abadía de Glastonbury. En ocasiones se dice que la isla permanecía oculta bajo el agua y que la niebla era el umbral entre el mundo superior seco y el mundo sumergido húmedo.

Avalón tenía fama de ser una isla apacible con poderes curativos donde nunca llovía, granizaba o nevaba. Se decía que Morgana Le Fay y sus hermanas dominaban el arte de la medicina, y por eso en ciertos relatos se habla de heridos que habían sido rescatados por ellas con la ayuda del barquero

Sólo quien se aproximara a la península de Glastonbury por agua surcando la niebla podía llegar a Avalón.

José de Arimatea
Cuenta la leyenda que José de Arimatea recogió la sangre de Cristo en la cruz en una copa, el Santo Grial. Después de la resurrección de Jesús, José fue acusado de robar el cadáver y condenado a 40 años de prisión. Jesús se le apareció en la celda y lo nombró custodio del Grial. Cuando le fue concedida la libertad, José de Arimatea abandonó Israel.

Barinthus y llevados a Avalón provisionalmente para su convalecencia. Así fue como llegó Arturo a la isla.

El mito artúrico relata cómo el rey herido de muerte (según otras fuentes, muerto) fue conducido a la isla por tres sacerdotisas del Otro Mundo después de su última batalla, la de Calman, y acostado en un lecho de oro. No se sabe qué fue de él. Durante mucho tiempo persistió la creencia de que el rey regresaría de allí algún día (restablecido o resucitado de entre los muertos). Algunos creyeron que el emperador Federico I Barbarroja (hacia 1122-1190) era el rey Arturo sanado.

La poca precisión al describir la forma de llegar y las cualidades atribuidas a Avalón por algunos narradores hacen suponer que se trata de un lugar totalmente imaginario.

El moribundo Arturo fue conducido a Avalón en una barca después de su última batalla.

La Glastonbury Tor (en celta, *twr*, que significa «montaña» o «tierra»), no muy lejos de la abadía de Glastonbury, era una de las puertas de entrada a Avalón.

El rey Arturo

Avalón bien podría ser una invención, y por eso los científicos no le han prestado demasiada atención. Pero la cuestión del rey Arturo es harina de otro costal. Según parece, Arturo luchó contra los anglosajones antes de reunir a los caballeros de la Mesa Redonda en torno a sí.

El rey Arturo se solía representar como el caballero y monarca ideal.

EL MITO ARTÚRICO

Como ya hemos dicho, existen distintas versiones del mito del rey Arturo, versiones que muchas veces difieren en los detalles. Sin embargo, también se dan coincidencias.

Según la leyenda, Arturo era hijo de Uther Pendragón y *lady* Igraine. Ascendió al trono de Inglaterra y Gales siendo bastante joven, a los 15 años según casi todas las fuentes. Defendió su reino de los anglosajones y emprendió guerras para conquistar Irlanda, Islandia, Noruega y Galia que se coronaron con el éxito. Más tarde, Arturo venció a los romanos en la batalla de Saussy. Durante su marcha triunfal por tierras romanas le llegó la noticia de que, en su ausencia, su sobrino Mordred le había usurpado la corona. Arturo regresó a su patria para luchar contra su sobrino. Logró derrotarlo, pero, según unas fuentes, a costa de su vida, y según otras, de graves heridas.

La saga del rey Arturo consta de minuciosos relatos siempre aderezados con elementos fantásticos, como la historia de la derrota del gigante del monte Saint Michel o el traslado del héroe a Avalón después de su última batalla.

LA EVOLUCIÓN DEL MITO ARTÚRICO

Cabe pensar que el pueblo británico veía en Arturo al rey que siempre había deseado: sabio, justo, ávido de gloria, afortunado y temeroso de Dios. Un soberano que no deja a su pueblo en la estacada y es fiel a su palabra. Las figuras que rodean al monarca, como el poderoso mago Merlín o la hermanastra de Arturo Morgana Le Fay, señora de Avalón, embellecen aún más el mito. Lo mismo ocurre con los nobles caballeros de la Mesa Redonda y las pruebas que deben superar, como la búsqueda del Santo Grial.

Si comparamos las fuentes más antiguas, en este caso la *Historia Brittonum* (siglo IX) y el poema *Y Gododdin* del autor galés Aneirin (hacia 535-600), con las leyendas francesas del mito artúrico de los siglos XI y XII, se aprecian ya notables diferencias que evidencian cómo aumentó la repercusión de esta saga desde que sucedieron los hechos, en el siglo VI. La leyenda de las gestas del rey Arturo fue engrosada por ciertos poetas con tantos cuentos de origen celta y galés, sobre todo a partir del siglo XII, que la propia figura de Arturo devino un personaje de cuento.

¿VIVIÓ REALMENTE EL REY ARTURO?

Partiendo de la base de que el mito artúrico también contiene acontecimientos históricos comprobables, muchos científicos empezaron a buscar un personaje que coincidiera con la descripción del legendario rey Arturo o cuyas hazañas se asemejaran a las que se le atribuyen. De hecho, surgieron varios candidatos, pero no está claro si entre los caballeros, generales y jefes del ejército hallados hasta ahora y que vivieron entre los siglos II y VI hubo alguno que tuviera derecho al trono. No obstante, cabe suponer que el título real también es una invención del pueblo, como la Mesa Redonda, cuya réplica histórica es objeto de una búsqueda hasta ahora infructuosa.

El mito artúrico ha sido objeto de innumerables representaciones y puestas en escena, aunque el protagonismo no siempre recae sobre el rey Arturo. Muchas pinturas, textos, piezas musicales o películas centran toda su atención en personajes secundarios.

Excalibur

La espada del rey Arturo se llamaba Excalibur o Caliburn. Existen varias versiones de la historia de cómo llegó a manos del monarca. En una de ellas se cuenta que Arturo arrancó la espada de una piedra en la que estaba clavada, proeza que según una profecía sólo podría realizar el futuro rey de Britania. En otras se dice que Arturo recibió la espada Excalibur de la Dama del Lago después de que la primera (la de la piedra) se le rompiera en una batalla. Excalibur fue arrojada al lago tras la victoria de Arturo sobre su sobrino y devuelta así a la Dama del Lago.

El Santo Grial

La historia del Santo Grial está muy ligada al mito artúrico, ya que diversas versiones la mencionan como una de las misiones principales que debían cumplir el rey Arturo y sus caballeros. Sin embargo, a pesar de la abundancia de fuentes todavía no se conocen el origen, el aspecto, la función ni el paradero del Grial.

El Arca de la Alianza

La denominada «Arca de la Alianza» contenía las dos tablas de piedra con los Diez Mandamientos que Moisés llevaba consigo al descender del Monte Sinaí. Según la Biblia, se trataría de una caja de madera de acacia forrada de oro y provista de dos angarillas y una tapa adornada con dos querubines, o ángeles, de oro. El Arca permaneció en el interior del primer templo de Jerusalén aproximadamente hasta el año 587 a.C., cuando fue saqueado por Nabucodonosor II. Desde entonces está desaparecida.

LA HISTORIA DEL GRIAL

Las fuentes más antiguas del mito artúrico discrepan en muchos puntos. Ciertos acontecimientos se relatan con detalle en unas versiones, mientras que en otras ni siquiera se mencionan o se exponen de forma completamente distinta. Las descripciones de la búsqueda del Grial (cuando las hay) son tan dispares que apenas se dan coincidencias. En unos textos un único héroe intenta apoderarse del Grial, mientras que en otros se atribuye el carácter de misión divina a la búsqueda de la reliquia que el rey Arturo encomienda a varios de sus caballeros. A veces Merlín, mago de la corte, les ayuda en su cometido, mientras que otras fuentes consideran que es el destino el que guía la búsqueda. No obstante, casi todas las versiones coinciden en que el Grial es finalmente encontrado por uno o más héroes en algún lugar del Otro Mundo y que con su ayuda se puede sanar al custodio del tesoro, que estaba herido, o enfermo, o agonizando. El héroe, o uno de ellos, asume el papel de custodio del Grial.

DE OBJETO DE CULTO CELTA A SANTO GRIAL

El origen celta de la leyenda del Grial es hoy un hecho generalmente aceptado. Según sus propias declaraciones, Chrétien de Troyes (hacia 1140-hacia 1190), el autor de la saga artúrica más antigua que se conoce, basó su relato fundamentalmente en un libro propiedad del conde de Flandes que relataba los hechos. Se cree que modificó las narraciones en torno a

Hubo miembros de la Orden del Temple que afirmaron poseer el Santo Grial. La reliquia que ellos tomaban por tal aún se conserva.

José de Arimatea fue quien recogió la sangre de Cristo crucificado en el Grial.

Arturo, atribuyéndoles una relevancia diferente o incorporando en sus escritos leyendas orales. El hecho de que muchos de los mitos incluidos por Chrétien llegaran al continente de boca de fugitivos y aventureros irlandeses induce a pensar que la historia del Grial también se basa en una leyenda semejante. Chrétien no menciona el origen del Grial. Robert de Boron,

Según algunas variantes del mito artúrico, *sir* Percival es quien recibe el Santo Grial como recompensa por su valor y caballerosidad.

quien escribió otra versión del mito artúrico poco después de Chrétien y de forma totalmente independiente, fue el primero en atribuir al Grial unos antecedentes cristianos y relacionarlo con los textos apócrifos (véase el recuadro).

LA FUNCIÓN Y LA FORMA DEL GRIAL

Hace muchos siglos que los buscadores y estudiosos del Grial tratan de saber más acerca de ese objeto, sobre todo por las singulares propiedades que se le atribuyen, que abarcan desde la alimentación de su poseedor hasta el otorgamiento de poder sobre un vasto imperio y de la vida eterna, pasando por la curación de enfermedades. Las descripciones de la forma del Grial no son unánimes. Chrétien lo describe como una especie de frutero, mientras que para Robert de Boron sería más bien como una copa. En cambio, el poeta Wolfram von Eschenbach lo retrata como una piedra o, al menos, un recipiente de piedra. En cualquier caso, la creencia de que el Grial es equiparable al Arca de la Alianza (véase el recuadro de la página anterior) está muy extendida.

Cabe suponer que el rastro del Grial, si es que alguna vez existió, se ha perdido para siempre, puesto que las descripciones son muy poco claras y son muchos los mitos y leyendas contradictorios aparecidos sobre todo en los siglos XII y XIII. El hallazgo del Santo Grial depende hoy del azar.

MILAGROS Y ENIGMAS RELIGIOSOS

Los relatos acerca de milagros y misterios de origen religioso son muy numerosos, principalmente porque los monjes dejaron constancia de ellos en manuscritos antiguos y, más tarde, fueron narrados a los feligreses por sacerdotes y predicadores. Es imposible determinar hasta qué punto la Iglesia otorgó credibilidad histórica a las primeras leyendas porque muchas de ellas se interpretaron como metáforas que servían para hacer llegar un mensaje concreto.

A partir de la Edad Media, los enigmas y milagros de nueva aparición empezaron a ser documentados con escrupulosidad tanto por la Iglesia como por los seglares debido al creciente distanciamiento entre el clero y la corona. Ambas partes pretendían reivindicar su poder, y los fenómenos sin explicación aparente se convirtieron en un medio eficaz para afianzar una posición supuestamente ostentada por voluntad divina. En el Renacimiento, cuando la mayoría de los símbolos y emblemas religiosos habían perdido ya su poder político de convicción, se originó el interés científico por los milagros y misterios, que se empezaron a estudiar con más rigor.

A continuación se exponen enigmas y milagros religiosos de distintas épocas, desde los orígenes del Antiguo Testamento hasta fenómenos de los que no se tuvo noticia antes de los siglos XIX o XX. Como en el capítulo anterior, una de las cuestiones principales es la postura de la ciencia en relación ante estos misterios.

La Sábana Santa de Turín, el sudario con el que supuestamente fue enterrado Jesús, sigue siendo objeto de polémica y controversia.

Según la Biblia, el Diluvio inundó todo el planeta y exterminó a la humanidad y todos los seres vivos, exceptuando a Noé y su familia y los animales que viajaban a bordo del arca.

El Diluvio universal

El séptimo capítulo del Génesis describe cómo Dios hizo que lloviera durante 40 días y 40 noches para inundar la Tierra y acabar con los hombres que vivían en pecado. Sólo Noé escuchó la advertencia de Dios y se salvó del Diluvio gracias al arca que había construido.

LAS NARRACIONES DEL DILUVIO

Según investigaciones recientes, el relato bíblico del Diluvio universal fue escrito en los siglos VII o VI a.C., probablemente tomando como base historias procedentes de Babilonia y Asiria. Pero también en otros lugares del mundo existen narraciones acerca de una gran inundación. Hasta el momento los científicos han recopilado más de 250 relatos en todo el mundo.

Sin embargo, cabe subrayar que entre esos relatos los hay que se diferencian claramente de los demás y sólo concuerdan con el Diluvio bíblico con ciertas reservas. Asimismo, el cotejamiento de la Biblia con la historia siempre revela ciertas discrepancias. Los cálculos realizados por el teólogo irlandés James Usher (1581-1656) en el siglo XVII arrojan como resultado que el Diluvio tuvo lugar en el año 2501 a.C. Ahora bien, los hallazgos de los restos de la biblioteca real de Nínive

Hasta ahora no se ha podido determinar si existió un arca tal y como se describe en la Biblia.

demuestran sin lugar a dudas que esos resultados son erróneos. La biblioteca guardaba la llamada *Epopeya de Gilgameš* (véase el recuadro), donde también se habla del Diluvio, pero se da la circunstancia de que la biblioteca data de hacia el año 2600 a.C.

LOS VESTIGIOS DEL DILUVIO

Los científicos están de acuerdo en que es imposible que se produjera un diluvio universal. Muchos rechazan tanto la idea de extensas inundaciones como las descripciones bíblicas. La duración de las lluvias se cuestiona tanto como el lugar donde quedó varada el arca, que la Biblia designa como «monte Ararat». La opinión más extendida ha sido y sigue siendo que Ararat haría más bien referencia a una montaña de Armenia, sin tener en cuenta que la montaña en cuestión no recibía el mismo nombre en tiempos bíblicos. Al comparar los textos babilónicos, más rigurosos, los científicos repararon en una pequeña meseta en la desembocadura del Éufrates y el Tigris que también se llama Ararat. Ambos lugares han atraído a los aventureros desde hace siglos, y en ambos se han encontrado supuestos fragmentos del arca, por ejemplo, partes del casco en la región de Ararat, o al menos indicios, como las piedras de amarre que un grupo ruso aseguró haber hallado en octubre de 2003 en el monte Ararat. De todos modos, hasta ahora ninguna de las supuestas pruebas ha superado un examen más minucioso.

Como ya hemos dicho, la inviabilidad del Diluvio universal ha inducido a varios científicos a pensar que el Diluvio bíblico fue en realidad una inundación que sumergió bajo las aguas vastos territorios durante bastante tiempo. En la década de 1920 el arqueólogo británico Charles Leonard Woolley (1880-1960) halló indicios de una catástrofe de tales características en Mesopotamia. Pero hasta 1993 y 2000 no se encontraron pruebas de que esas catástrofes naturales hubieran tenido lugar realmente. Tras los primeros resultados obtenidos en 1993 con el barco de exploración ruso *Aquanaut,* que encontró restos de plantas de agua dulce a gran profundidad en el mar Negro, en 2000 Robert Ballard, que había encabezado el descubrimiento del *Titanic,* estudió el fondo del mar Negro. Así localizó las ruinas de un asentamiento humano que, según revelaron las investigaciones subsiguientes, había sufrido una catástrofe natural unos 5.600 años antes de nuestra era. De todos modos, no se ha podido esclarecer si fue el Diluvio bíblico.

Según la Biblia, el Arca de Noé quedó varada en la cima del monte Ararat. En las inmediaciones se han hallado indicios del arca aunque la montaña no se conocía por ese nombre en tiempos bíblicos.

Qumrán, los manuscritos del mar Muerto

En 1947 se descubrieron en once cuevas de Cisjordania, cerca de las ruinas de Qumrán (Khirbat Qumrán), unas vasijas que contenían rollos de cuero escritos. Los primeros análisis atribuyeron los textos a los esenios (véase el recuadro de la página siguiente). Sin embargo, la posterior revisión de los resultados de las investigaciones planteó cada vez más interrogantes, y la mayoría todavía no se han podido despejar.

LA BIBLIOTECA SAQUEADA

Entre el hallazgo de una vasija por parte de un joven beduino y el primer análisis minucioso de los rollos que contenía transcurrió más de medio año. Al principio, el joven intentó vender los rollos de cuero. A continuación, la guerra egipcio-israelí (1947-1949) dificultó el análisis de los documentos por parte de los especialistas de la Universidad de Jerusalén. Después de que, en enero de 1948, uno de los manuscritos fuera identificado como el libro del profeta Isaías del Antiguo Testamento, se intensificó la búsqueda de la cueva. Sin embargo, cuando por fin fue localizada se comprobó que había sido saqueada. Los restos encontrados permiten suponer que la cueva había llegado a albergar entre 200 y 250 rollos escritos. Finalmente fueron descubiertos otros manuscritos y fragmentos en diez cuevas adyacentes. El contenido bíblico de los primeros rollos examinados y las ruinas del monasterio de Qumrán, situado en las proximidades y calificado por el erudito romano Plinio el Viejo (24-79 d.C.) de «sede de una comunidad de esenios», motivaron el establecimiento de un vínculo entre los textos y los esenios.

El rollo que contiene el libro del profeta Isaías data de los siglos II o I a.C.

Datos desconcertantes

Hoy sabemos que los cerca de 800 textos son obra de unos 500 escribas diferentes. Los rollos fueron escritos en hebreo, arameo, griego o nabateo y datan de entre el siglo III a.C. y el siglo I d.C. Estos resultados fueron la causa que motivó un estudio más exhaustivo de las ruinas de Qumrán y, asimismo, el detonante de una polémica que persiste. Ya sólo el número asombrosamente alto de escribas que participaron en la confección de los textos y la antigüedad de algunos rollos planteaban interrogantes acerca de la importancia del monasterio. Durante unas excavaciones llevadas a cabo cerca de las ruinas fueron encontradas unas monedas romanas que permitieron datar la demolición del monasterio en la época de la rebelión judía (66-67 d.C.). En el recinto del monasterio fueron localizados una sala de reuniones repleta de centenares de cuencos y vasijas de arcilla, un molino de cereales, una alfarería y varias cisternas que podían haber estado destinadas a las abluciones rituales de los esenios. Entre las ruinas del monasterio también había un refectorio y una escribanía, la estancia donde se redactaban o copiaban los textos. No obstante, no se encontró ni rastro de comedores ni otras dependencias privadas, de lo que se deduce que sus moradores se retiraban a las cuevas cercanas para dormir.

Muchos de los hallazgos no cuadran con el concepto de una comunidad de fieles de vida ascética y retirada. De hecho, hay quienes afirman que Qumrán podría haber sido un taller de cerámica o, incluso, un pueblo. La insólita diversidad lingüística y la gran cantidad de textos indujo a otros científicos a pensar que Qumrán estaba dedicado a la copia de rollos escritos por encargo. Otra teoría sostiene que las cuevas no guardan ninguna relación con las ruinas del monasterio.

En esta cueva de Cisjordania fue donde se hallaron los manuscritos del mar Muerto.

En un museo de Jerusalén creado con esta finalidad se exponen fragmentos de los manuscritos hallados.

Los esenios

Los esenios (de la palabra aramea que significa «piadoso») fueron un grupo religioso judío que existió aproximadamente entre 150 a.C. y 100 d.C. y podrían considerarse los precursores de las órdenes monásticas. Vivían aislados del resto de los miembros de la comunidad judía, postulaban la austeridad y la renuncia a las posesiones individuales en beneficio del grupo y se distinguían por tener unas reglas muy estrictas en cuanto a la jerarquía y el transcurso del día. Se cree que los esenios no formaban una comunidad homogénea, sino que estaban divididos en varios subgrupos con distintas interpretaciones de la fe.

Los tres Reyes Magos
y la estrella de Belén

Los tres Reyes Magos, Gaspar, Melchor y Baltasar, llegaron a Belén guiados por una estrella para dar la bienvenida al nuevo rey. De regalo le llevaron oro, incienso y mirra.

LOS TRES REYES MAGOS

La historia de los tres Reyes Magos aparece relatada en la Biblia únicamente en el Evangelio según san Mateo. Si comparamos la tradición popular con el pasaje bíblico correspondiente nos damos cuenta de que éste no menciona los nombres, el rango ni el número de los visitantes. Mateo se refiere a ellos como «sabios», «magos» o «astrólogos» y enumera los presentes que le ofrecen a Jesús. La Biblia no dice nada más. Tampoco existe ningún indicio de que los sabios fueran santificados por la Iglesia católica siguiendo un procedimiento regular.

Es muy probable que el número de regalos fuera determinante para establecer el número de sabios. Sus nombres no

¿Qué es un cometa?

Los cometas son concreciones de partículas de polvo, gases y hielo que orbitan alrededor del Sol como si fueran planetas. Los componentes helados se evaporan más deprisa cuanto más cerca del Sol se encuentra el cometa, y así se forma la típica cola.

aparecen hasta el año 500 d.C., en una historia de la infancia de Jesús escrita en armenio donde los forasteros se presentan como los reyes Gaspar, de la India, Baltasar, de Arabia, y Melchor, de Persia.

Teniendo en cuenta que Mateo fue el evangelista que más valor atribuía a los símbolos, es lógico pensar que los sabios deben interpretarse como figuras literarias destinadas a recalcar la notoriedad de Jesús.

A pesar de todas las afirmaciones que se han hecho al respecto, es más que probable que los huesos que llegaron a Colonia en 1164 en circunstancias poco claras después de viajar a través de Palestina, Bizancio y Milán y que ahora constituyen las famosas «reliquias de los tres magos» no pertenezcan a los «astrólogos». Se cree que los huesos sirvieron en un tiempo de inestabilidad política para consolidar la posición del emperador Federico I Barbarroja con el argumento de que los primeros que adoraron al Niño Jesús fueron reyes y por eso los soberanos laicos debían estar por encima de los prelados.

LA ESTRELLA DE BELÉN

La estrella de Belén es un fenómeno que no hace falta buscar en otros evangelios ya que, como los sabios, sólo se menciona en el de san Mateo. Se supone que también es un símbolo de una señal del cielo a la Tierra.

Sin embargo, hay estudios que reducen la estrella de Belén a un mero fenómeno astronómico.

Los sabios llevaron a Jesús como regalo oro, incienso y mirra. Con el tiempo, esos tres regalos hicieron pensar que debían de ser tres personas.

Una de las teorías más antiguas la enunció Orígenes en el siglo III y sostiene que la estrella era un cometa (véase el recuadro de la página anterior). Parece plausible, sobre todo porque en la época en que nació Jesús surcaban el firmamento cometas bien visibles, pero también se ha comprobado que pocos años antes hubo otros mucho más luminosos.

Otras teorías suponen que la responsable de la súbita aparición de la estrella de Belén fue una supernova, es decir, una explosión estelar. Sin embargo, es probable que esa suposición sea errónea porque no se han encontrado restos de una explosión de tales dimensiones en el espacio.

La tercera posibilidad sería una conjunción (véase el recuadro de la derecha). El hecho de que en tiempos del nacimiento de Jesús se dieran frecuentes conjunciones avala esta teoría. Ahora bien, como en el caso de la de los cometas, se ignora por qué justamente ésa habría sido tan insólita. Además, los cálculos han permitido demostrar que la conjunción no fue perfecta. Esforzándose un poco habría sido posible vislumbrar cada uno de los planetas, lo que suprimiría el efecto de una nueva estrella.

Así pues, sólo quedan dos opciones: apelar a un milagro o interpretar la estrella como un símbolo.

Es imposible comprobar si realmente tres reyes llegaron a Belén siguiendo el rastro de una estrella.

La conjunción de dos planetas
Por «conjunción» se entiende la coincidencia aparente de dos planetas, es decir, desde la Tierra parece que dos planetas están situados muy juntos o uno detrás de otro en el firmamento. Tales conjunciones resultan más brillantes y llamativas que cada planeta por separado porque la superficie sobre la que se reflejan los rayos solares es mayor.

Durante un tiempo se pensó que el cometa Hale-Bopp podría haber sido la estrella de Belén.

La Sábana Santa de Turín

Según se dice, la Sábana Santa de Turín es el sudario con el que fue enterrado el cadáver de Cristo y que apareció en la tumba vacía al tercer día después de la crucifixión. Desde que se descubrió el sudario se intenta hallar pruebas de la autenticidad de la reliquia o que revelen si se trata de una falsificación.

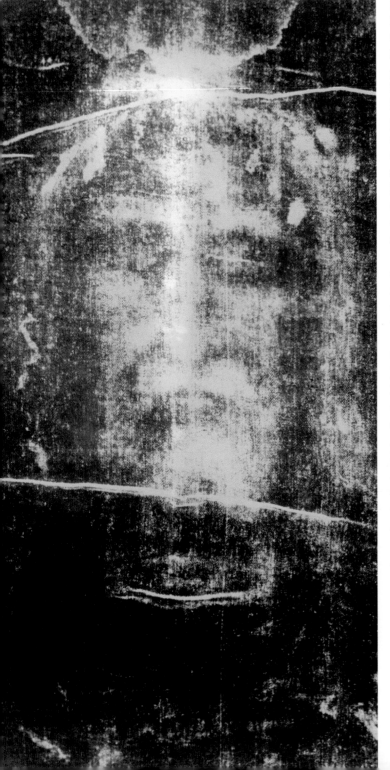

LA PRIMERA EXPOSICIÓN

El 19 de septiembre de 1356 el caballero francés Geoffroy de Charny perdió la vida en una de las batallas más notables de la Guerra de los Cien Años entre Francia e Inglaterra en Maupertius, cerca de Poitiers. Su viuda, Jeanne de Vergy, tuvo que hacerse cargo en Lirey, cerca de Troyes, del mantenimiento de la iglesia conventual que su esposo había edificado poco antes por encargo del rey. Por ese motivo, en 1357 organizó una exposición pública en dicha iglesia en la que fue presentado un trozo de lienzo de 4,36 m de largo por unos 1,10 m de ancho en el que se podía distinguir la vaga silueta de un hombre desnudo. Los restos de sangre delataban heridas en la cabeza, las manos, los pies y el pecho. Jeanne de Vergy afirmó que se trataba del sudario con el que se había dado sepultura a Jesucristo.

El obispo de Troyes mandó retirar el sudario poco después de inaugurarse la exposición porque empezaban a correr rumores de que era una falsificación, y Jeanne de Vergy no fue capaz de aportar datos precisos de cómo había llegado la mortaja a manos de su esposo.

DE CAMINO A TURÍN

El paño no se volvió a exhibir hasta al cabo de 32 años, aquella vez con motivo de una exposición organizada por el hijo de Geoffroy y subvencionada por el antipapa Clemente VII. El sudario desempeñó un papel político-eclesiástico cada vez más importante en los años siguientes, durante el cisma de la Iglesia católica romana, marcado por los conflictos permanentes entre Roma y Aviñón. Clemente VII utilizó la reliquia como medida de presión y llegó a declararla una prueba de que él era el único que tenía derecho a llamarse «Papa». Por fin, en 1417, tras el Concilio de Constanza, que supuso la reconciliación de los grupos católicos romanos, el sudario perdió su significado político.

Los primeros estudios modernos del sudario se basaron en las copias en negativo de las fotografías de Secondo Pia.

En un primer momento permaneció en la iglesia conventual de Lirey, pero más tarde la Sábana Santa se exhibió en otras ciudades europeas. Por último, fue a parar al duque Luis de Saboya, quien la depositó en la capilla ducal del castillo de Chambéry. Allí, en diciembre de 1532, el sudario resultó dañado por un incendio: la plata de la caja donde se guardaba la reliquia se fundió e hizo varios agujeros y quemaduras en la tela.

En 1578 el heredero de Luis, el duque Emmanuel Philibert, trasladó el sudario a Turín, donde se ha conservado hasta la actualidad a pesar de que en este tiempo ha cambiado de propietario. La sábana fue donada en herencia a la Santa Sede en 1983. Actualmente no se expone al público.

CIENCIA Y FE

Durante siglos la autenticidad de la Sábana Santa de Turín se discutía exclusivamente en círculos teológicos, pero en 1898 el lienzo acaparó la atención de la ciencia. El responsable del repentino interés fue Secondo Pia, alcalde de Asti y fotógrafo aficionado que inmortalizó el sudario con su cámara con ocasión de una exposición de varios días que se hizo de él. Al revelar las fotografías reparó en que el cuerpo del hombre se percibía con mayor nitidez en los negativos que en los positivos. En las décadas que siguieron se llevaron a cabo numerosos estudios basados en aquellos negativos.

Todos tenían como objetivo obtener información sobre el sudario y su historia, pero empleando métodos muy diversos. El botánico suizo Max Frei analizó los tipos de polen que se había acumulado en la tela y descubrió que algunos de ellos sólo podían provenir de la región de Jerusalén.

Gracias a la forma de amortajar el cadáver antes de darle sepultura, en el sudario se pueden distinguir la parte anterior y la posterior del cuerpo.

El antipapa Clemente VII (1378-1394) defendía que el sudario era una prueba de su derecho a ser llamado «Papa».

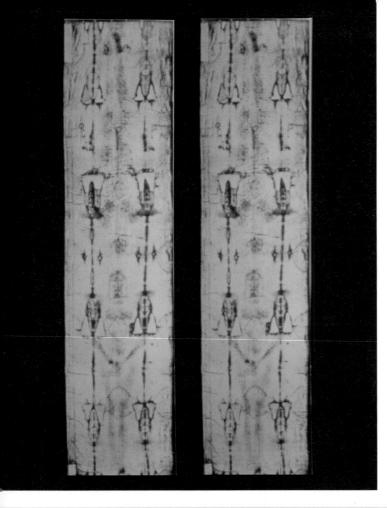

La degradación de lignina

La lignina es una sustancia sólida e incolora que se deposita en las paredes celulares de los vegetales y provoca la lignificación de la célula. El análisis de la degradación de la lignina en vanillina se basa en que la lignina contenida en el lino entretejido se descompone con el paso del tiempo debido a procesos químicos. La vanillina es el producto que resulta del proceso de degradación. Cuanto mayor es la proporción de vanillina en relación a la lignina, más antiguo es el tejido. Un gran inconveniente de este método es que la degradación de la lignina depende de la temperatura ambiental a la que ha estado expuesto el tejido, lo que puede dar lugar a dataciones muy amplias.

ESTUDIOS CIENTÍFICOS

Los estudios forenses realizados en la década de 1930 revelaron que el sudario corresponde a una persona que murió crucificada y a la que antes de su muerte le fueron infligidas profun-

El sudario se ha deteriorado a lo largo del tiempo por una mala conservación y por culpa del fuego. Los remiendos o huellas de los desperfectos son hoy más visibles que la impronta difusa del cadáver.

En la sábana se pueden apreciar con claridad heridas que bien podrían haber sido infligidas con clavos o una lanza durante una crucifixión.

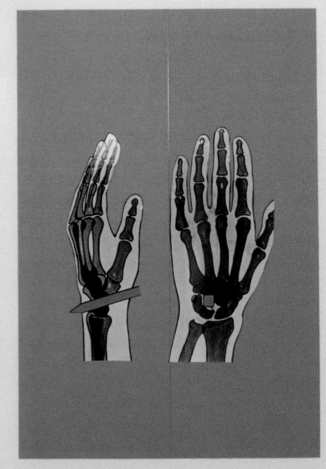

das heridas con un instrumento de tortura semejante a un látigo. Había llevado una corona de espinas y le fue asestado un golpe de lanza en el costado para comprobar que estaba muerta. Estos datos se obtuvieron a partir de los restos de sangre presentes en el paño.

La datación por radiocarbono efectuada en 1988 (véase el recuadro de esta página) suscitó un gran interés entre los medios de comunicación. Diversas partes del sudario fueron analizadas en laboratorios de Oxford, Zúrich y Arizona. Dichos análisis situaron la fecha de origen de la reliquia en el período comprendido entre 1260 y 1390, lo que supuso la prueba científica de que era una falsificación. No obstante, poco después los defensores de su autenticidad criticaron los procedimientos científicos empleados por los investigadores y algunos llegaron incluso a insinuar que los resultados eran un fraude porque los fragmentos del paño habían sido remplazados en secreto por otros.

Un análisis más reciente recurrió a la degradación de la lignina en vanillina (véase el recuadro de la página anterior) como método de datación. Los resultados obtenidos indicaron que la tela tiene una antigüedad de entre 1.300 y 3.000 años, lo cual demostró el probable error de la datación por radiocarbono pero no arrojó ningún resultado concreto.

POSIBLES EXPLICACIONES

La pregunta de cómo pudo originarse la impronta sobre el sudario sigue sin tener respuesta. A decir verdad existen varias teorías científicas, pero ninguna se ha podido comprobar.

Las afirmaciones de la época medieval que sostenían que la imagen del sudario había sido pintada se han podido des-

El sudario escapó de un incendio que tuvo lugar el 12 de abril de 1997 en la catedral de Turín gracias a que un bombero lo rescató en el último momento.

mentir, porque no se ha encontrado ni una sola partícula de pintura en el tejido. Por otro lado, las sospechas de que la impronta pudiera ser consecuencia de una reacción química causada por los vapores de áloe con los que fue embalsamado el cuerpo antes de darle sepultura también han resultado infundadas. En efecto, en los experimentos que se llevaron a cabo los vapores dejaron una imagen, pero el contraste no fue tan acusado como en la sábana de Turín porque se dispersaron demasiado.

Aparte del posible origen de la imagen también se especula sobre cómo el sudario pudo permanecer oculto durante más de 1.300 años y cómo viajó desde Palestina hasta Francia, por no hablar de la cuestión de si el hombre cuya supuesta mortaja tiene al mundo en vilo desde hace 650 años fue realmente Jesucristo.

La datación por radiocarbono
La datación por radiocarbono (método C14) brinda información sobre el número de isótopos de carbono. Los seres vivos extraen isótopos radiactivos de C14 de su entorno. Al morir, esos isótopos disminuyen siguiendo un patrón regular. El método C14 permite la datación de materias orgánicas de hasta 40.000 años de antigüedad.

La Virgen de Guadalupe

Cuentan que el 9 de diciembre de 1531, en Guadalupe, la Virgen se apareció al campesino Juan Diego y le encomendó la tarea de edificar una iglesia en su honor. Al negarse el arzobispo a acceder a su petición, la imagen de la Virgen María apareció estampada en la tilma de Diego. La reliquia se exhibe hoy en el lugar de la aparición.

La imagen de la Virgen sigue atrayendo cada año a unos 20 millones de peregrinos de todo el mundo.

LA APARICIÓN

La leyenda cuenta que Juan Diego se encaminaba a una feria en Tlatilolco cuando oyó un cántico procedente del cielo. La voz de la Virgen María le habló desde una nube y le encomendó dirigirse al obispo de México para pedirle que levantara una iglesia en el lugar donde había tenido lugar el encuentro. Sin embargo, el arzobispo no creyó a Juan Diego y lo mandó de vuelta a casa.

A la mañana siguiente, Juan Diego regresó al mismo lugar y la voz de la Virgen insistió en que llevara a cabo la misión que le había encomendado: que volviera a presentarse ante el obispo de México en su nombre para que le construyera una iglesia. Pero el obispo echó al campesino una vez más. Al volver al lugar donde había escuchado la voz ya en dos ocasiones, Juan Diego le explicó a la Virgen que el obispo nunca le creería si no le llevaba alguna prueba.

Al llegar a casa, Diego encontró a su tío gravemente enfermo. El médico del pueblo no podía hacer nada por él, y el moribundo le pidió a Diego que fuera a México a buscar a un cura. De camino a la ciudad se encontró con una mujer que tenía la misma voz que la Virgen y le aseguró que su tío ya estaba curado, enviándolo a coger flores en el lugar donde ya le había hablado otras veces. Diego obedeció y se guardó las flores en la tilma. La Virgen le dijo que volviera así a México, sin soltar la tilma con las flores hasta que estuviera ante el obispo.

Cuando hubo llegado, resultó que en la tilma de Diego, debajo de las flores, había aparecido una imagen de la Virgen. El obispo se mostró enseguida dispuesto a construir una capilla y, después, una iglesia en el lugar que Diego le indicara. Desde entonces, la imagen de la Virgen se guarda en ese lugar: primero estuvo en la capilla, a partir de 1709, en el santuario, y desde 1976, en una nueva basílica que se edificó junto al antiguo santuario al surgir problemas de estabilidad en el edificio viejo.

MISTERIOS Y EXÁMENES

La imagen sigue siendo visible en la actualidad a pesar del paso del tiempo y de que el tejido es de fibras de agave, que en circunstancias normales se desintegran al cabo de unas cuantas décadas. Las condiciones de conservación de la reliquia durante los últimos siglos fueron nefastas. Estuvo expuesta en una capilla sin ventanas, justo detrás de velas prendidas, impregnada de incienso, manoseada por los fieles y, a veces, incluso abrazada, besada o puesta en contacto con heridas. Algunas fibras fueron arrancadas de la tilma, y en 1791 la imagen fue rociada accidentalmente con ácido nítrico. En 1921 enemigos de la Iglesia intentaron hacer volar por los aires la imagen y el cristal que entonces la protegía, pero los daños no fueron importantes.

La imagen se empezó a examinar a fondo en el siglo XX. Se descubrió que no se podía haber dibujado con pincel, ya que sólo las partes que se habían retocado posteriormente, como las manos, presentaban pinceladas visibles. Además, esos retoques parecen estar más deteriorados por el paso del tiempo que la imagen original. El examen de los ojos de la Virgen reveló que en ellos se reflejan varias personas. Ese detalle plantea nuevos interrogantes a los investigadores, porque el tamaño de las figuras es casi microscópico y, además, están representadas respetando las reglas de la óptica, que no se introdujeron en la pintura hasta mucho más tarde.

Los enigmas que rodean a la Virgen de Guadalupe siguen sin resolver. Hasta el momento no existe ninguna teoría concluyente sobre el origen de la imagen. La Virgen de Guadalupe sigue atrayendo cada año a millones de peregrinos que creen a pie juntillas en el milagro.

Nadie se explica cómo llegó la imagen de la Virgen a la tilma de Juan Diego.

El papa Juan Pablo II visitó el lugar donde la Virgen se apareció a Diego en cuatro ocasiones y manifestó reiteradamente su fe en esta aparición mariana.

El sarcófago sagrado de Arles-sur-Tech

La iglesia de la pequeña localidad de Arles-sur-Tech esconde un sarcófago de piedra cerrado que, supuestamente, ha guardado los restos mortales de dos santos a lo largo de su historia. Al parecer, inexplicablemente cada día se llena de entre uno y dos litros de agua de origen sagrado a la que se atribuyen poderes curativos.

EL AGUA DEL SARCÓFAGO SAGRADO

La *Sainte Tombe d'Arles-sur-Tech,* es decir, la tumba santa de Arles-sur-Tech, en el departamento francés de Languedoc-Roussillon, está documentada desde finales del siglo XVI. Se cree que data del siglo IV o V, y a partir del X contuvo las reliquias de los santos Abdón y Cenen (véase el recuadro de la página 128), al menos durante un tiempo. Ellos fueron quienes confirieron al agua que mana inexplicablemente del sarcófago un insólito poder curativo, al que, según se dice, deben la vida varias personas que, estando muy gravemente enfermas, habían sido desahuciadas.

El sarcófago está fuera de la iglesia, detrás de una reja metálica, en un patio oscuro, junto a un muro en el que está encastrada una cruz blanca. El aire del patio es caliente y húmedo a causa de los vientos que soplan sobre el muro sur, a pesar de estar orientado al norte y no recibir la luz directa del Sol.

El «sarcófago sagrado» fue tallado en un bloque de mármol y se alza sobre dos pedestales macizos de unos 20 cm de

El sarcófago de mármol descansa sobre dos pedestales macizos de unos 20 cm de alto. Mide 1,90 m de largo, 65 cm de alto y 50 cm de ancho. La tapa prismática tiene una altura de 30 cm y sus paredes, 10 cm de grosor, como las del sarcófago.

alto. Mide 1,90 m de largo, 65 cm de alto y 50 cm de ancho, y la tapa prismática tiene una altura de 30 cm y unas paredes de 10 cm de grosor, al igual que el sarcófago. La tapa no encaja perfectamente, sino que en algunas partes deja unos huecos de un dedo de ancho. En una de las paredes laterales hay otro agujero, que permite introducir una bomba de aspiración. Así es como el párroco de la iglesia saca el agua para dársela a los visitantes de la tumba sagrada.

EL PRIMER ESTUDIO

Las noticias acerca de lugares sagrados abundan, y los científicos no se cansan de investigar las causas de tales fenómenos. El «sarcófago sagrado» fue objeto de dos estudios científicos que esclarecieron el misterio de la multiplicación del agua.

El primero se realizó en 1961. Tres científicos estuvieron llevando a cabo experimentos in situ por espacio de dos meses y medio, ya que las condiciones meteorológicas de la región eran un factor importante para la investigación. Y tuvieron la suerte de que estuvo dos meses sin llover: sellaron el sarcófago con cemento y una cubierta de nailon de forma provisional, y

Encima del sarcófago hay una cruz blanca que está muy deteriorada por el clima local.

Los peregrinos siguen bebiendo el agua del sarcófago sagrado con la esperanza de que alivie sus dolencias.

así descubrieron que no era cierto que cada día se formaran de uno a dos litros de agua en el interior. El nivel de agua permaneció invariable, sin contar las mermas derivadas de las extracciones del párroco.

El nivel de agua no volvió a subir mientras no volvió a llover, y lo hizo muy despacio. Al parecer, hacían falta varios días para que el agua se infiltrara en el sarcófago.

Un examen más minucioso de la superficie de la tapa del sarcófago reveló que presentaba unos huecos de entre 1 y 2 mm de diámetro, huecos que se llenan de agua cuando llueve y tardan en vaciarse 45 segundos. Otras observaciones realizadas en la parte inferior de la tapa permitieron concluir que el agua se filtra hasta dentro del sarcófago a través de la piedra.

El mármol con el que está fabricado el sarcófago es menos permeable que el de la tapa, y por eso el agua se acumula en su interior. Además, los científicos pudieron comprobar que la lluvia también arrastraba partículas de polvo que atravesaban la tapa porosa y se depositaban en el interior del sarcófago, taponando posibles grietas o agujeros. Por eso el agua puede penetrar en el sarcófago pero no salir.

El rocío también contribuye al fenómeno de la multiplicación del agua. A decir verdad, las gotas de rocío que penetran en el sarcófago a través de la tapa apenas influyen en la cantidad de agua, pero se les atribuye una acción depurativa porque reducen la probabilidad de que los huecos de la tapa se obturen.

Abdón y Cenen

Abdón y Cenen son los nombres de dos mártires originarios de Persia que en el siglo III o IV, bajo el gobierno de los emperadores Decio o Valeriano, fueron condenados a morir a manos de los gladiadores. En 826 sus despojos fueron trasladados a la iglesia de San Marcos, en Roma, donde siguen siendo venerados. Estos dos mártires son los patrones de la localidad de Arles-sur-Tech, aunque no está claro que sus restos mortales hayan reposado alguna vez en el sarcófago sagrado.

estaba resguardado de la lluvia por un alero, lo que es absolutamente falso. Además, ridiculizaban los métodos de estudio de los científicos, sobre todo la sencilla regla escolar empleada en 1961 para medir el nivel de agua. Los científicos replicaron que los resultados de las investigaciones de 1961 eran totalmente fiables y que con una regla escolar también se podían obtener resultados científicos exactos.

No obstante, en vista de que la discusión proseguía, un nuevo grupo de investigadores llevó a cabo más experimentos entre 1998 y 2001, esta vez con modernas probetas graduadas. Los científicos pudieron corroborar los resultados de 1961, e incluso afinar un poco más algunas cuestiones. La única diferencia considerable afectaba a la proporción de agua de rocío respecto a la de condensación: era un 10 % mayor que en el primer estudio.

La publicación de los nuevos resultados puso fin a la polémica entre parapsicólogos y científicos en torno al sarcófago sagrado. En cambio, no quedaron reflejados en el rótulo que hay frente al sarcófago ni en las guías turísticas, que siguen calificando el fenómeno de «misterioso».

Según el informe científico, otro factor determinante son las fisuras entre el sarcófago y la tapa, puesto que la diferencia de temperatura entre el interior y el exterior del sarcófago provoca la formación de agua de condensación. Dichas fisuras son la causa del «desbordamiento» ocasional que también se pudo observar durante los experimentos. Sin embargo, se trataba sólo de unas cuantas gotas que caían por el exterior del sarcófago. Dado que éste presenta irregularidades en su superficie exterior, se dedujo que el agua que «rebosaba» tenía que ser agua de condensación que en vez de caer dentro se deslizaba hacia fuera.

Así pues, el fenómeno de la multiplicación del agua cuenta con una explicación científica desde 1961.

Parapsicólogos contra científicos: el segundo estudio

Un reportaje sobre el sarcófago sagrado de Arles-sur-Tech emitido por la televisión francesa en 1992 suscitó una nueva discusión sobre el fenómeno. Varios parapsicólogos habían publicado artículos en los que afirmaban que el sarcófago

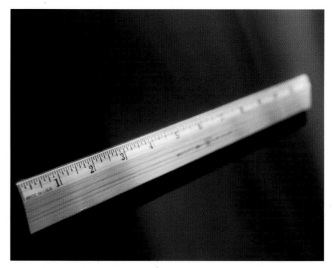

En el primer estudio, las mediciones del nivel de agua se hicieron con una sencilla regla escolar.

A pesar de múltiples afirmaciones contradictorias, el sarcófago no está resguardado bajo un alero sino al aire libre en el patio interior de la iglesia.

Personajes que irradian luz

Muchas imágenes de santos se caracterizan por representar el carácter singular de una persona determinada mediante una aureola o nimbo, es decir, un círculo luminoso alrededor de la cabeza, o una aura o mandorla, o sea, una luz que rodea todo el cuerpo del santo. El término «iluminación» pasó asimismo a formar parte del lenguaje corriente. Sin embargo, desde hace unas décadas se estudian los casos de algunas personas de las que realmente emana una luz.

EL CASO DE ANNA MONARO

La asmática Anna Monaro devino una auténtica celebridad en los círculos médicos en 1934. La mujer había sido examinada por diversos especialistas, pero ninguno había sido capaz de averiguar por qué, cuando sufría un ataque de asma nocturno, de su pecho emanaba una luz, a veces con un resplandor azul y otras, rojo o verde. A decir verdad, al principio la mujer y los médicos fueron acusados de engaño, pero otros informes posteriores, e incluso filmaciones, demostraron que no se trataba en absoluto de alucinaciones ni manipulación.

De hecho, hubo intentos de explicar el fenómeno, pero la revisión de las diversas teorías no arrojó ningún resultado satisfactorio. Hubo un psicólogo que defendía la presencia de organismos eléctricos y magnéticos indefinidos en el cuerpo de la mujer, mientras que un médico general se mostró partidario de una alta concentración de sulfuros en la sangre condicionada por el estado de debilidad de la mujer. Esos sulfuros habrían empezado a brillar debido a la radiación ultravioleta. Esta teoría fue largamente discutida, hasta que un médico acabó por rebatirla argumentando que el brillo emanaba sólo del pecho de la mujer y que los sulfuros tenían que estar repartidos por todo el cuerpo.

EL RESPLANDOR DE ENFERMOS Y SANTOS

A partir de la década de 1940 se empezó a recopilar toda la información disponible acerca de la luminosidad humana. De ella se desprendió que el fenómeno afecta principalmente a dos grupos de personas: los enfermos y los muy devotos.

Se hallaron relatos sobre heridas o difuntos luminosos de los que emanaba un tenue resplandor. La ciencia médica es testigo de la existencia de fluidos corporales humanos luminosos, como el sudor o la orina. No se conoce apenas ningún caso de luminiscencia que haya afectado a individuos sanos, salvo una excepción, que se expone a continuación.

Al igual que muchos dioses de otras religiones, el dios azteca Quetzalcoatl solía representarse envuelto en llamas.

Hay personas de las que se dice que poseen un aura peculiar a veces visible: los muy devotos y los santos. Aparte de los cuadros y las leyendas de santos, existen relatos de testigos oculares que sostienen que algunas personas que más tarde serían declaradas beatas o santas desprendían a través de sus vestiduras unos rayos de luz que podían llegar a iluminar una habitación entera.

A veces la luminosidad parece ir acompañada de otros poderes insólitos. En su libro *The physical phenomena of mysticum* (1952), el padre Herbert Thurston hacía alusión al beato Bernardino Realino (1530-1616) y al teólogo Francisco Suárez (1548-1619). Ambos vivieron en el siglo XVII, y cuentan de cada uno de ellos que, además de emitir luz, tenían la facultad de levitar (véanse las páginas 200-201).

¿Tienen las aureolas que aparecen en muchos cuadros su origen en individuos que realmente irradiaban luz?

El papa Benedicto XIV (1675-1758) escribió un tratado sobre beatificaciones y santificaciones donde también se refiere al «fuego» humano.

BAJO CORRIENTE

Otro fenómeno llamó la atención de los científicos más o menos al mismo tiempo en que se estaba estudiando la luminosidad humana. Hablamos de la electricidad y el magnetismo humanos.

La causante de tanto revuelo fue la señora Antoine Timmer, quien en 1938 viajó a Nueva York para participar en un concurso. Se trataba de presentar fenómenos parapsicológicos sin trampa ni cartón. La señora Timmer hizo gala de sus poderes ante el jurado, entre cuyos miembros figuraba, por ejemplo, el prestigioso mago Joseph Dunninger. Cuando la mujer apenas rozaba una cuchara u otros pequeños objetos, le quedaban adheridos a las manos. Al final, la señora Timmer no recibió ningún premio porque Dunninger afirmó que podía lograr el mismo efecto con la ayuda de un hilo, pero despertó el interés por el fenómeno en cuestión.

Con el tiempo, conforme los aparatos eléctricos fueron haciéndose más y más habituales en todos los hogares, proliferaron las noticias acerca de personas capaces de provocar descargas eléctricas o cortocircuitos por contacto o con su simple presencia. A partir de los años cincuenta empezaron a aparecer artículos en los periódicos y filmaciones de personas como Brian Williams de Cardiff, que en 1952 copó los titulares porque era capaz de encender una bombilla con la mano. O como Brian Clemens, apodado «Flash Gordon», del que el *Daily Mirror* publicó en 1967 que estaba cargado de electricidad y tenía que descargarse en un objeto de metal antes de tocar a otra persona.

Las personas «eléctricas» generan tanta tensión en su cuerpo que hasta pueden encender una bombilla con la mano.

En el pasado también se había oído hablar de algún caso similar, pero no se remontaban demasiado atrás en el tiempo, por lo que cabe suponer que la electricidad humana no se descubrió antes por falta de aparatos eléctricos.

ELECTRICIDAD Y LUMINOSIDAD

Puede que en el pasado no existieran aparatos eléctricos, pero las personas cargadas de electricidad bien tenían que descargarse de una forma u otra. Ahí es donde coinciden ambos fenómenos, la electricidad y la luminosidad humanas. Los relatos que han llegado hasta nosotros acerca de personas que echaban chispas admiten ambas explicaciones: podría tratarse tanto de la aparición súbita de luminosidad como de descargas eléctricas.

Además, las coincidencias entre ambos fenómenos no terminan aquí. Esta facultad puede estar provocada o incluso verse acentuada por una enfermedad.

El doctor Julius Ransom, médico jefe de una prisión estatal de Nueva York, informó sobre 34 reclusos que había tratado a causa de una intoxicación alimentaria. Mientras estaba convaleciente, uno de los presos arrugó una hoja de papel para tirarla a la papelera pero se le quedó pegada a la palma de la mano. Las investigaciones revelaron que tanto él como otros reos estaban tan cargados de electricidad estática que incluso podían desviar la aguja de una brújula o hacer vibrar listones de chapa colgados. El fenómeno desapareció cuando los hombres se restablecieron del todo.

Aún no se ha podido dar una explicación científica razonable a los fenómenos de la luminiscencia, la electricidad y el magnetismo humanos. Algunos científicos han establecido paralelismos con la naturaleza (gimnotos o luciérnagas), pero se cree que esos fenómenos no se deben a las mismas causas en el ser humano, porque nuestro organismo carece de los requisitos necesarios para que se den ese tipo de procesos. Para colmo, esta facultad es muy rara, y en algunos casos se ha podido constatar que el magnetismo o la electricidad sólo duran un tiempo determinado. En una ocasión también se pudo comprobar que, al parecer, el estado de ánimo desempeña un papel determinante en el uso de estas facultades. La cuestión sigue suscitando un gran interés entre los científicos.

El físico François Arago participó en el estudio de Angelique Cottin, que estaba cargada de electricidad. Aunque no pudo aportar pruebas, estaba convencido de que se trataba de un engaño.

El mago americano Joseph Dunninger fue coimpulsor de un concurso en el que un hombre eléctrico auténtico hizo gala de sus habilidades.

Los estigmas

A Jesús lo clavaron en la cruz por los pies y las manos. Además, le pusieron una corona de espinas y, una vez muerto, le clavaron una lanza en el costado. En siglos posteriores se han repetido las noticias de personas vivas con heridas espontáneas que coinciden con una o varias de las llagas de Cristo.

LOS ESTIGMAS SAGRADOS

Los estigmas (del griego *stigma,* picadura, punto, señal) pueden adoptar diversas formas. Algunos de ellos no pasan de ser hematomas o manchas en la piel, pero en otros casos pueden

llegar a causar dolor. Lo más habitual es que sean heridas abiertas que al cabo de un tiempo terminan sanando, pero en algunos casos son permanentes, aunque no supuran ni se infectan. El fenómeno de la estigmatización parece estar limi-

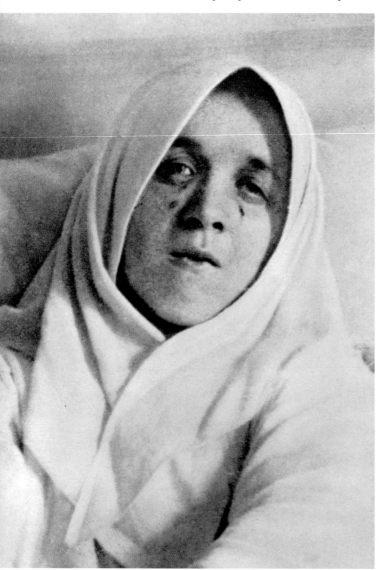

Los estigmas de Therese Neumann (1898-1962) le aparecieron por primera vez en 1926, provocando una avalancha de curiosos.

La Iglesia católica ha reconocido que san Francisco de Asís fue portador de los estigmas.

tado casi exclusivamente a los católicos romanos, y afecta en particular a mujeres.

LOS PORTADORES DE LAS HERIDAS

Hasta el momento han sido santificadas 80 de las personas estigmatizadas. Los estigmas por sí solos no son motivo de santificación para la Iglesia, que se rige según otros criterios. La autenticidad de los estigmas es cuestionada una y otra vez, sobre todo debido a la poca fiabilidad de las fuentes históricas. En algunos casos se da por sentado que la descripción de los estigmas de una persona es una prueba del vínculo de dicha persona con Jesús. Uno de los primeros que habló de las «señales de Cristo» fue el apóstol Pablo en su epístola a los Gálatas. No obstante, aunque algunas fuentes posteriores lo afirman, no está del todo claro que se refiriera a los estigmas. En cambio, san Francisco de Asís (hacia 1181-1226) es un caso comprobado de estigmatización.

LAS HIPÓTESIS

Existe una teoría que sostiene que el hombre es capaz de influir sobre su cuerpo a través de su mente. Se tiene noticia de personas que han sido capaces de realizar actos sobrehumanos en situaciones extremas, como levantar objetos pesadísimos. Dado que los estigmas aparecen principalmente entre los católicos, sería lógico pensar que esas personas son tan devotas que su cuerpo se provoca de alguna forma esas heridas. Sin embargo, también se han dado unos cuantos casos de estigmas en no cristianos.

Otra posibilidad es que los afectados padezcan una forma peculiar de histeria, es decir, una sobreexcitación que puede provocar distintos síntomas, como hemorragias subcutáneas. Se ha intentado respaldar esta teoría con sesiones de hipnosis y, en efecto, a las personas objeto de estudio les salieron manchas oscuras en los lugares de las llagas de Cristo.

¿HERIDAS AUTÉNTICAS?

Alrededor de los estigmas también ha habido impostores. Hay quien se contenta con explicar que una vez llevó los estigmas sagrados, pero otros llegan a infligírselos ellos mismos para poder mostrar las cicatrices como prueba. Los casos más extremos están protagonizados por personas que mantuvieron abiertas durante mucho tiempo las heridas que ellos mismos se habían causado, en perjuicio de su salud.

A pesar de no ser un fenómeno demasiado frecuente, en fechas recientes se han conocido algunos ejemplos de estigmatización, que, además, han sido documentados por la ciencia. No obstante, todavía no se ha podido ofrecer una explicación del todo convincente.

Los estigmas aparecen en las manos y los pies, y en ocasiones también en la frente (corona de espinas) o el costado (lanzada tras la muerte).

Las apariciones marianas acostumbran a suceder en presencia de testigos católicos. Sin embargo, el fenómeno también ha sido descrito por cristianos ortodoxos y personas no creyentes.

Las apariciones marianas

En los últimos 200 años han proliferado por todo el mundo las apariciones de la Virgen María en las que se dirige a los hombres en calidad de salvadora y profeta. Las apariciones marianas son un milagro para los creyentes y simple charlatanería para los escépticos.

¿QUÉ ES UNA APARICIÓN MARIANA?

En las apariciones marianas, la Virgen María se pone en contacto con una persona, que recibe el nombre genérico de «vidente», y le transmite sus profecías, consuelo, advertencias o, incluso, vaticinios apocalípticos. No obstante, a menudo le advierte de que no haga público el contenido de los mensajes.

Le confía plegarias y noticias secretas que él no puede comunicar hasta poco antes de su muerte o debe, incluso, llevarse a la tumba.

Por lo general los videntes son personas sencillas y devotas, con frecuencia niños, que suelen ver a la Virgen además de oírla. A menudo cuentan que la aparición se acompañó de fra-

En 1917 la Virgen María se apareció varias veces en Fátima a tres pastorcillos y los exhortó a que rezaran y se sacrificaran para redimir a los pecadores. El lugar se ha convertido en centro de peregrinación.

gancia de rosas, música y una luz resplandeciente. Cuando otros fieles presencian una aparición mariana perciben menos sensaciones que el vidente, por ejemplo, sólo la luz o la silueta.

Las apariciones que han tenido mayor repercusión son aquellas en las que la Virgen se ha presentado varias veces en el mismo lugar después de haberlo anunciado previamente. Esos lugares suelen convertirse en centros de peregrinación con grandes templos construidos por la Iglesia.

LAS DUDAS

Las noticias de apariciones marianas en las que la Virgen no sólo trata cuestiones de fe han proliferado desde 1830: la madona advierte cada vez más de políticas equivocadas y promete ayudar a los creyentes. Llama la atención que el número de apariciones marianas se multiplicara precisamente en Francia, donde la fe se vio debilitada por la Ilustración, y en particular por la revolución de 1789. En general, se ha observado que las apariciones de la Virgen crecen conforme los tiempos son más agitados y «descreídos».

Por eso algunos escépticos califican las apariciones marianas de pura charlatanería, posiblemente promovida por la propia Iglesia, y se preguntan por qué la Virgen no se dirige directamente a las personas a las que tiene algo que decir sino a gentes sencillas o niños que utiliza como intermediarios. En definitiva, a personas que son más fáciles de impresionar y, probablemente, también de embaucar.

Existen tan pocas pruebas que justifiquen las dudas de los escépticos como hipótesis científicas que prueben que las apariciones marianas sean visiones o alucinaciones. Casi todos los creyentes califican de «milagro» las apariciones de la Virgen, aunque la Iglesia les da libertad para creer en ellas o cuestionarlas como los científicos.

Desde el 24 de junio de 1981 la Virgen se aparece a diario en Medjugorje, Croacia. El mensaje es claro: las consecuencias de la merma de la fe y el materialismo ya no son sólo guerra y violencia sino también la decadencia moral y espiritual del mundo.

El manantial sagrado de Lourdes

El centro de peregrinación francés de Lourdes es famoso sobre todo por su manantial sagrado, al que se atribuyen poderes curativos. La Iglesia ha reconocido como milagrosos 66 de los más de 7.000 casos de curaciones registrados en el centro médico de Lourdes desde su creación.

LA GRUTA DE MASSABIELLE

La historia del manantial sagrado de Lourdes comenzó el 11 de febrero de 1858, cuando la muchacha de 14 años Bernardita Soubirous recibió varias veces la visita de la Virgen María en una gruta próxima al río Gave de Pau. Se dice que el manantial brotó en el transcurso de uno de esos encuentros. Al principio los representantes de la Iglesia se mostraron escépticos ante el suceso. Sin embargo, las dudas se esfumaron cuando Bernardita, después de que la Virgen de la gruta se lo diera a conocer, utilizó el término «Inmaculada Concepción», que muy pocos años antes había sido proclamado como dogma por el papa Pío IX. En las inmediaciones del lugar se edificó un «recinto sagrado», integrado por diversos edificios religiosos y una plaza procesional.

Creyentes de todo el mundo peregrinaron hasta la gruta al hacerse público lo que allí había sucedido. En las décadas que siguieron, en el interior o en el patio de iglesias católicas romanas de otros países proliferó la construcción de «grutas de Lourdes» inspiradas en el original francés.

Al poco tiempo se tuvo noticia de las primeras curaciones milagrosas y se creó el centro médico de Lourdes a fin de llevar un registro individualizado de todos los casos.

La Virgen se apareció a santa Bernardita de Lourdes en 1858.

Los visitantes se suelen llevar agua del manantial sagrado para dársela a algún enfermo al volver a casa.

El papa Juan Pablo II rezó frente al manantial de Lourdes en agosto de 2004. También en agosto pero de 1983, había sido el primer papa que visitaba este lugar.

CURACIONES MILAGROSAS

Gracias a la labor del equipo médico se pueden citar estadísticas que indican que los enfermos de tuberculosis son los que más alivio han notado después de visitar el manantial. También han sanado algunas enfermedades de las vísceras o las articulaciones. En cambio, el manantial es ineficaz contra las enfermedades de origen genético.

El agua del manantial ha sido objeto de numerosos estudios científicos, pero hasta ahora no se ha podido detectar nada que la diferencie sustancialmente de otras fuentes naturales. Por lo tanto, no existe ninguna justificación médica ni científica de las curaciones.

El manantial y su fama han sido muy criticados entre los círculos científicos. Se sabe de casos en los que la Iglesia ha reconocido la naturaleza milagrosa de una curación cuando los afectados acabaron muriendo poco después de esa misma enfermedad. La Iglesia se ha abstenido de hacer comentarios, pero parece que ha tenido en cuenta esa crítica porque el número de reconocimientos ha disminuido notablemente y los criterios que regulan el reconocimiento de una curación milagrosa se han endurecido.

BERNARDITA SOUBIROUS

Bernardita Soubirous (1844-1879) murió un miércoles de Pascua a los 35 años, aquejada de asma y tuberculosis. La capilla ardiente fue instalada a unos 800 km de Lourdes, en Nevers, a orillas del Loira. El papa Pío XI la beatificó y, posteriormente, santificó. Su cuerpo, que sigue estando expuesto, no presenta ningún signo de descomposición a pesar de haber transcurrido más de 125 años. Muchos lo interpretan como una señal relacionada estrechamente con el manantial de Lourdes.

LAS HIPÓTESIS

Se desconoce de dónde proviene el supuesto poder curativo del manantial de Lourdes. Como ocurre con los estigmas, se cree que la fuerza de la fe y de la mente es tan poderosa que el cuerpo genera nuevas energías que permiten superar la enfermedad. Sin embargo, esta teoría sigue siendo muy controvertida, máxime cuando en algunos casos se han dado curaciones espontáneas que no hubieran sido posibles sin un tratamiento médico.

El Evangelio según san Juan narra la curación de un hombre que estaba paralítico desde hacía 38 años.

Curaciones milagrosas

Ya en la Biblia se relatan muchas historias de enfermos que sanaron de formas muy diversas. Aun así, las personas que han conseguido aliviar sus dolencias mediante rituales, así como los lugares, objetos o edificios con propiedades curativas son objeto de controversia desde hace siglos incluso en los círculos eclesiásticos.

LAS CURACIONES MILAGROSAS EN LA BIBLIA

Los relatos y leyendas de curaciones milagrosas acostumbran a formar parte del ámbito religioso. La fe en la curación gracias al poder divino y no a la medicina desempeña un papel relevante sobre todo en el cristianismo. Ya en el Antiguo Testamento las curaciones milagrosas se consideran una prueba de la actuación divina. A profetas y otros fieles les sirven para probar el poder de su Dios ante los escépticos. Pero esas curaciones casi siempre proceden directamente de Dios, como en el caso de Ezequías, rey de Judá, que supo por boca de Isaías que estaba a punto de morir. Ezequías rezó a Dios, quien le concedió quince días más, enviando nuevamente a Isaías como mensajero.

En cambio, en el Nuevo Testamento sólo Jesús y los Apóstoles obran curas milagrosas. En los cuatro evangelios se des-

Lázaro resucitó gracias a una palabra de Jesús cuando ya lo habían enterrado.

justificada por los intentos reiterados que han hecho algunas personas de ganar poder o riquezas con supuestas curaciones milagrosas. Por este motivo se elaboró un catálogo de criterios que el Vaticano sigue utilizando para definir lo que realmente es una cura milagrosa.

Sin embargo, se ha comprobado que ese catálogo tiene serias limitaciones, en particular cuando se trata de valorar curaciones que tuvieron lugar varios siglos atrás. Esta circunstancia se ve agravada por el hecho de que los procesos patológicos estuvieron largo tiempo muy mal documentados, porque la gente devota dejaba su salud en manos de Dios y achacaba el fracaso de un tratamiento a un «poder supremo», mientras que los éxitos terapéuticos eran atribuidos a la «voluntad divina». Ésta es la causa por la que no existe ninguna mención de «curas milagrosas» hasta principios de la Edad Media. El desarrollo de la medicina y los nuevos descubrimientos en el campo de la anatomía permitieron mejorar el diagnóstico de los síntomas y enfermedades, sentando así las bases del reconocimiento de las curaciones milagrosas.

Ahora bien, sobre todo al principio, la Iglesia solía relacionar las «curas milagrosas» con Dios o con el diablo según la confesión religiosa y posición social del enfermo, el método de curación empleado o el rango eclesiástico del sanador.

cribe cómo personas enfermas o tullidas sanan después del mero roce de unas manos o de oír unas palabras. A veces la curación incluso se produce sin que el enfermo esté presente, como en la historia del capitán que pide por la salud de su criado. El relato de la resucitación de Lázaro muestra el poder que se atribuía a las palabras de Cristo. Sólo en unos cuantos casos se recurre a algún medio auxiliar, como la papilla de polvo y saliva que permite a un ciego recobrar la vista en el Evangelio según san Marcos.

Los Hechos de los Apóstoles atribuyen los mismos poderes a Pedro y relatan la curación de un tullido y la resucitación de Tabita. También Pablo hace que el padre del influyente Publio se cure de la fiebre y la disentería que padecía por imposición de manos en Malta.

LAS CURACIONES MILAGROSAS Y LA IGLESIA

Las curaciones milagrosas son observadas con ojo muy crítico por parte de la propia Iglesia católica. Esa actitud está en parte

Jesús curó a un ciego con una papilla hecha con saliva y arena con la que le untó los ojos.

SANADORES MILAGROSOS MODERNOS

Muy pocos sanadores milagrosos han sido reconocidos en vida como tales por el catálogo de la Iglesia. En la mayoría de los casos el Vaticano ha adoptado una postura muy crítica frente a las curaciones milagrosas, e incluso ha llegado a calificar a sus artífices de «curanderos» o «charlatanes», aunque procedieran de sus propias filas. A veces, como en el caso del papa Juan Pablo II (1920-2005), las curaciones milagrosas supuestamente realizadas por una persona no se han hecho públicas hasta después de su muerte.

Un sanador milagroso moderno que tuvo que vérselas con los prejuicios de la Iglesia fue el monje capuchino italiano padre Pío (1887-1968), santificado en 2002. No obstante, la Iglesia católica sólo reconoció una ínfima parte de las incontables curas milagrosas que se le atribuyen. El padre Pío también fue portador de los estigmas de Cristo, aunque el Vaticano sigue poniéndolo en duda.

El caso de la monja irlandesa Briege McKenna, de la que se dice que posee un «carisma» especial para la curación, ha sido acogido con similar escepticismo. Ella misma había padecido durante muchos años de artritis reumática, hasta que se curó de forma milagrosa. Desde entonces procura hacer llegar la virtud curativa de Cristo a otras personas mediante la oración.

Asimismo, hace años que el pastor nigeriano Charles Ndifon viaja por todo el mundo predicando la fe en Dios. También piensa que tiene la misión de ayudar a las personas y aportar una nueva esperanza a aquellos que se han dado por vencidos o han renunciado al mundo a través de la palabra de Dios. Se dice que durante sus apariciones en público se han producido incontables curaciones que la medicina ha podido constatar.

Las curaciones milagrosas no siempre son obra de un sanador. Según parece, el poder de la oración también proporciona alivio.

El padre Pío, de origen italiano, no sólo llevaba los estigmas de Cristo, sino que también era famoso por sus curaciones y profecías. Se dice que predijo el nombramiento papal de Karol Wojtyla y el atentado del que fue objeto en 1981.

¿CURACIONES MILAGROSAS SIN LA PRESENCIA DE UN SANADOR?

Como lo muestra el siguiente ejemplo, las curaciones milagrosas no siempre implican a un sanador: en 1975 la médica británica Jennifer Fendick se infectó con meningococos. Al ingresarla una mañana en el hospital se le diagnosticó el «síndrome de Waterhouse-Friderichsen», que causa la muerte en el transcurso de pocas horas si no se somete a tratamiento de inmediato. Las lesiones orgánicas son tan graves ya en el curso de las primeras fases de la enfermedad que la curación posterior es imposible.

Cuatro grupos de sanadores de una comunidad religiosa se pusieron a rezar por la doctora Fendick hacia las 8:30 horas, después de que un pariente de la médica les contara lo sucedido. Cada uno de esos grupos se encontraba a kilómetros de donde estaba la mujer, y ella no podía estar al corriente de su actividad porque en ese momento estaba en coma. Sin embargo, la curación se produjo casi al instante: la neumonía que le había sido diagnosticada poco antes desapareció en 48 horas. Un oftalmólogo había detectado hemorragias en el ojo izquierdo de la doctora, pero ella no se quejó de ninguna molestia cuando despertó del coma, al cabo de cuatro días. También los riñones, que habían quedado destrozados ya en la primera fase, se le regeneraron por completo, de modo que cuando cuando le dieron el alta hospitalaria la doctora Fendick no presentaba secuelas de la enfermedad.

Los médicos no pudieron hallar una explicación científica al caso, y las investigaciones posteriores tampoco arrojaron resultado alguno.

Las curaciones se pueden explicar por el efecto de placebo o se pueden considerar un auténtico milagro, pero lo que está claro es que las curas milagrosas siempre van acompañadas de una fe muy profunda.

Cuentan que una monja aquejada de párkinson se curó de la noche a la mañana después de una visita de Juan Pablo II.

Iconos y estatuas que lloran

Se dice que hay estatuas e iconos que lloran, ya sea agua, sangre, resina, aceite, miel, mirra u otras sustancias, por causas aparentemente inexplicables. Los relatos de este tipo de fenómenos han proliferado sobre todo desde la década de 1980. Algunas personas están convencidas de que se trata de señales divinas.

EL LLANTO DE LAS ESTATUAS

Es casi imposible llevar a cabo un recuento exhaustivo de todas las imágenes sagradas que lloran en el mundo entero. Sólo en Italia se tiene noticia de unos 200 casos en los que las imágenes sagradas empezaron a exudar líquido de manera repentina, casi siempre en forma de lágrimas pero también, aunque con menor frecuencia, a modo de extremidades «sangrantes» o «sudorosas». A veces, el líquido manaba de una fuente invisible y fluía por debajo de la estatua o icono. No todas las imágenes que lloran están hechas del mismo material, sino que se sabe de estatuas de piedra, porcelana o metal e iconos de madera o lienzo.

La cantidad de líquido exudado varía considerablemente: mientras que en algunas estatuas e imágenes fluye sin interrupción desde que se iniciara el fenómeno, en la mayoría de los casos las lágrimas sólo se vertieron durante un espacio de tiempo concreto o a intervalos irregulares. Las figuras que lloran y están expuestas al público atraen año tras año a millares de peregrinos porque se suelen atribuir poderes curativos a los líquidos que emanan de ellas.

La estatua de la Macarena de Sevilla representa a la Virgen con lágrimas y sonriendo, pero nunca ha vertido lágrimas de verdad.

La reina Níobe pretendía competir con los dioses en número de hijos, por lo que ellos dieron muerte a su prole. Níobe sintió tal dolor que se quedó inmóvil y terminó convirtiéndose en piedra, como se lo había suplicado a Zeus. Ahora se dice de ella que es la «petrificación de la pena».

LA HISTORIA DE LAS ESTATUAS QUE LLORAN

Las estatuas que lloran son algo habitual en las leyendas y cuentos. Sin embargo, más que propiamente de estatuas, en esos casos se suele tratar de personas que han sido transformadas en piedra. Una de las historias más antiguas de una estatua llorosa la narra Ovidio (hacia 43 a.C.-17 d.C.) en su *Metamorfosis*. El autor cuenta cómo Níobe, esposa del rey de Tebas, despertó con sus calumnias la ira de los dioses. Como castigo, ellos mataron a sus 14 hijos y a ella la convirtieron en una estatua de piedra que lloraba su pena.

No se sabe si Ovidio recurrió a alguna fuente para escribir este poema, pero muchos otros de los de sus *Metamorfosis* retoman mitos griegos o romanos. Por eso se supone que el fenómeno ya se había observado en la antigüedad y que se había intentado encontrarle una respuesta.

¿ENGAÑO O MILAGRO?

Ahora sabemos que no todas las estatuas y los iconos que lloran son misterios irresolubles. La popularidad y la rápida proliferación del fenómeno en la década de 1980 hacen pensar que no todo es lo que parece. En efecto, se ha demostrado que algunas de las denominadas «reliquias sangrantes» son un engaño. Algunos de los propietarios consiguieron hacer llorar a sus estatuas o iconos mediante tubos o piedras porosas. El mismo efecto se consigue con ciertos productos químicos aplicados directamente sobre las imágenes.

Por otro lado, también ha habido algún caso en el que, a pesar de las sospechas, no se ha podido comprobar el fraude. Rara vez se autoriza a los científicos a analizar las estatuas o las sustancias exudadas, lo que dificulta la aclaración de los hechos. Con todo, algunas estatuas e imágenes sagradas han sido estudiadas a fondo con los métodos más modernos sin que se pudiera constatar ninguna manipulación. Muchos científicos siguen siendo escépticos en cuanto al «milagro» de las figuras que lloran. No obstante, mientras no existan pruebas de intervención humana, cada cual podrá decidir si cree que se trata realmente de una señal divina.

La Virgen llorosa de Civitavecchia es una de las controvertidas estatuas cuya falsedad no se ha podido demostrar. La estatua se exhibe ante los fieles en determinadas festividades durante la misa, mientras que el resto del año se puede ver en un museo.

Los ángeles

Los ángeles (del griego *ángelos*, «mensajeros») son seres enviados por Dios para cumplir una misión determinada, por ejemplo, transmitir mensajes a los hombres o protegerlos. Existen numerosos relatos de ángeles que han cambiado el curso de ciertos acontecimientos para proteger a las personas de la muerte.

LA BIBLIA ACERCA DE LOS ÁNGELES

La Biblia no narra la creación de los ángeles. Cabe suponer que, como Dios, ya existían antes de la creación del mundo, porque en el Génesis ejercen de guardianes del Paraíso. Los ángeles no intervienen de forma activa en la creación, lo que evidencia que no son equiparables a Dios. En general, la Biblia no es demasiado explícita en sus descripciones de los ángeles, a pesar de que éstos influyen sobre los hombres de palabra y de hecho. De todos modos, sólo cumplen la función de recaderos.

La distribución de tareas está muy bien definida en la jerarquía de los ángeles. Los que están más próximos a Dios tienen la función de glorificarlo y aclamarlo, mientras que otros se encargan de proteger el Jardín del Edén. Sólo los rangos inferiores, como los ángeles de la guarda u otros grupos, entran en contacto con los hombres.

Los encuentros con ángeles pueden ser de diversa índole. Mientras que casi todos los profetas relatan visiones de ángeles, estos seres también pueden adoptar forma tangible, como lo muestra la lucha de Jacob con uno de ellos (Génesis 32). Pero esa forma no siempre corresponde a la figura humana, puesto que Isaías describe a un serafín como un ser con seis alas, de las cuales dos le cubrían el rostro, otras dos, los pies, mientras que las dos restantes le servían para volar. Isaías define al ángel como un ser mitad hombre y mitad serpiente.

La Biblia menciona varios tipos de ángeles. En el siglo VI d.C. se daba por sentado que las distintas denominaciones equivalían a rangos, y en consecuencia se estableció un orden jerárquico y se distribuyeron las distintas tareas de los ángeles dentro de la jerarquía de una forma que no figura en la Biblia. Esa clasificación se fue modificando con el paso del tiempo y hoy presenta ciertas diferencias según la religión, por ejemplo, en el número de rangos o coros. En el judaísmo y el cristianismo existen nueve rangos. Al menos en el cristianismo, quizá estén basados en el principio de la Trinidad: el Padre, el Hijo y el Espíritu Santo cuentan con tres coros de ángeles cada uno. Los rangos superiores son iguales en todas las religiones corrientes: los serafines están por encima de los querubines, a los que siguen los tronos. Los arcángeles y los ángeles de la guarda o custodios ocupan el nivel inferior de la jerarquía. Según la creencia general, eso se debe a que así pueden estar más cerca de los hombres, sin significar que los ángeles estén por encima de los seres humanos. A decir verdad, la Biblia dice (1ª a los Corintios 6:3) que, al final, los hombres juzgarán a los ángeles.

De una declaración de Jesús se desprende que los ángeles acompañan el alma de los moribundos. Jesús cuenta que, después de su muerte, el pobre Lázaro será conducido por un ángel al seno de Abraham, mientras el alma del rico termina en la tumba.

Una opinión muy extendida es que Satanás es un ángel caído que fue expulsado del Reino de los Cielos porque se había pronunciado en contra de Dios. Sin embargo, como ocurre con la jerarquía de los ángeles, eso tampoco figura en la Biblia.

LOS ÁNGELES EN EL ARTE

En el antiguo Egipto aparecen representados seres semejantes a ángeles que coinciden ampliamente con las descripciones bíblicas: son criaturas híbridas, normalmente con cabeza de animal y cuerpo humano. En la mitología griega, el mensajero de los dioses Hermes desempeña el papel de ángel. También está dotado de alas, pero las lleva en el sombrero o en los zapatos, según la versión. En la Edad Media el cristianismo renunció en gran medida a la representación corpórea de los ángeles porque se pensaba que estaban hechos de luz. Este concepto

Un ángel consoló a Jesús en el monte de los Olivos.

cambió nuevamente en el Renacimiento, y al principio surgieron imágenes de mozalbetes desnudos y alados que más tarde derivarían en los angelotes, niños gordinflones provistos de alas. A partir del Romanticismo del siglo XVIII no existe una forma de representación unitaria de los ángeles.

En la Biblia no aparece ningún ángel que concuerde con la linda imagen de los angelotes, que es relativamente reciente.

ENCUENTROS CON LOS ÁNGELES

Por todo el mundo se encuentran relatos de vivencias en las que intervienen ángeles o mensajeros de los dioses, sea cual sea el origen o la creencia religiosa de sus protagonistas.

El motivo de tales encuentros parece ser, invariablemente, una situación muy peligrosa para la persona, ya sea por enfermedad o por la inminencia de la muerte. Por lo general, la aparición del ángel comporta la conjura del peligro.

Por ejemplo, se sabe de automovilistas que variaron el itinerario o interrumpieron el trayecto a raíz de un suceso fortuito y extraordinario, evitando así un accidente en el que hubieran perdido la vida. En unos casos esa incidencia fue un mensaje difundido por la radio que impulsó al conductor a aminorar la marcha o detenerse, mientras que en otros se aparecía una figura en la cuneta que les hacía señas pero desaparecía una y otra vez. Se sabe al menos de un caso en el que el ángel se apareció en el asiento del copiloto. La mayoría de los implicados explicaron que no sintieron miedo a pesar de lo extraordinario de la situación.

Los enfermos graves y sus familiares son otro de los colectivos más predispuestos a recibir la visita de ángeles. Existen testimonios de enfermos que hablan de ángeles aparecidos de repente en la habitación como en un sueño. En cambio, ante los allegados, acostumbran a manifestarse bajo la apariencia de médicos, supuestos amigos del enfermo o personas solícitas que casi siempre desaparecen en cuanto revelan su naturaleza angelical.

El psicólogo suizo Carl Gustav Jung (1875-1961) describió las manifestaciones de ángeles como complejos energéticos subconscientes que pueden ejercer un efecto estabilizador del alma.

Uno de los problemas fundamentales de los científicos reside en que los encuentros con ángeles no se pueden equiparar a alucinaciones como se intentó hacer en el pasado. Esos encuentros siempre se producen en el contexto de una situación grave o de seria amenaza para la vida, característica que los distingue de las alucinaciones.

Es poco probable que la ciencia pueda llegar a probar la existencia de los ángeles, porque no están ligados a un cuerpo y no existen pruebas de los fenómenos sobrenaturales. Por eso para mucha gente su existencia es una cuestión de fe.

Lucía era una de aquellos tres niños a los que se apareció la Virgen en Fátima. Muy poca gente sabe que las apariciones marianas estuvieron precedidas por seis manifestaciones de ángeles.

En ocasiones, parece como si los ángeles hicieran su aparición para evitar una desgracia a través de un tercero o brindar consuelo. Hay personas que aseguran haber visto un ángel delante de su cama al despertar de una pesadilla. En esos casos, las pesadillas casi siempre fueron un signo premonitorio de algo que terminó ocurriendo en realidad, como el accidente de un avión en el que debía viajar algún conocido o el intento de suicidio de un familiar. El ángel ofrece la posibilidad de intervenir en el asunto. En una ocasión, un niño contó que había soñado que en su habitación había dos ángeles que recogían algo del suelo y desaparecían a través del techo. Esa misma noche murió uno de sus hermanos.

LA CIENCIA Y LOS ÁNGELES

Estudiar el fenómeno de los ángeles según criterios científicos es casi imposible. Las figuras o individuos que se describieron al narrar los encuentros con ángeles desaparecieron sin dejar rastro y no se halló prácticamente ningún indicio de su presencia. De hecho, existen algunas fotografías en las que supuestamente aparecen ángeles o espíritus benignos, pero su autenticidad está muy cuestionada, sobre todo porque no permiten extraer ninguna conclusión clara. Las fotos están desenfocadas, o allí donde debería estar el ángel no aparece nadie, o los ángeles se parecen demasiado a las representaciones habituales en el arte.

Según la Biblia, el cometido principal de los arcángeles consiste en proclamar la voluntad de Dios. Aun así, en el arte, casi siempre se representan con armas.

ALQUIMIA, MAGIA Y MALDICIONES

Cuando se hace una comparación abstracta entre religiones y ocultismo destacan, además de diferencias esenciales, aspectos en común, tales como la creencia en fuerzas sobrenaturales, la práctica de ejercicios rituales para lograr determinados objetivos o la esperanza de mejorar una situación. También en lo referente a su evolución existen paralelismos, máxime teniendo en cuenta que muchas religiones se consideraron primero como prácticas ocultas, en el sentido original de la palabra (del latín, *occultus*, «oculto», «secreto»), es decir, que encerraban aspectos a los que no todo el mundo tenía acceso.

La diferencia fundamental entre religión y ocultismo reside en el *modus operandi* de la fuerza sobrenatural. Mientras que las religiones siempre se consagran a una o más divinidades que deben provocar cambios, en el caso del ocultismo esa fuerza se origina casi siempre en la voluntad del hombre o con la ejecución del ritual en sí mismo. Si bien es cierto que aquí concurren también fuerzas sobrenaturales, el mago puede hacerles frente por medio de su mente, siempre y cuando actúe siguiendo unas pautas concretas durante el ritual.

A lo largo de la historia se han difuminado las fronteras entre lo oculto y lo religioso. Interpretaciones erróneas durante la modernidad han provocado que determinados hechos y tradiciones que originariamente tenían un carácter religioso se perciban hoy como prácticas ocultistas. En las páginas siguientes se citan ejemplos concretos. Además, aparecen descripciones de fenómenos que, dado su efecto amenazador, fueron calificados por el hombre como «obra del diablo», y de obras modernas a las que se atribuye una relación con el ocultismo.

El conde Drácula, famoso vampiro representado aquí por Christopher Lee, cae derrotado a la vista de la cruz cristiana.

Los laboratorios de los alquimistas no se consideraban «cocinitas de brujas»: los alquimistas intentaban con su trabajo llegar a entender mejor la creación de Dios. Por eso la Inquisición los toleró hasta cierto punto durante mucho tiempo.

La alquimia y la piedra filosofal

Según se creía, la «piedra filosofal» era la sustancia alquímica que permitiría convertir cualquier metal en oro. Hace varios siglos se trabajó mucho en busca de la materia que pudiera lograrlo. Pero hasta ahora, por desgracia, no se ha logrado una transformación de tal índole por ningún medio.

HISTORIA DE LA ALQUIMIA

El término «alquimia» abarcaba originariamente los ámbitos de la química, la magia, la astrología y la teología. En China se desarrolló una forma independiente que, entre otras cosas, también dedicaba especial atención al conocimiento de las plantas. Hoy en día es imposible determinar si la alquimia de Extremo Oriente y la de Occidente se remontan a las mismas fuentes.

Probablemente la alquimia europea fue un fruto de los mitos y prácticas religiosas y rituales de la antigüedad. Según una leyenda, la cuna de la alquimia está en Egipto, donde la divinidad Thot, Hermes Trismegistos («Hermes, el tres veces grande») para los griegos, fundó el arte y la ciencia. Históricamente la alquimia europea se remonta a la Grecia del siglo v a.C. Ya entonces los alquimistas emitieron teorías que más de un milenio después ganaron significación, como los

ALTERIVS NON SIT, QVI SVVS ESSE POTEST.

LAVS DEO, PAX VIVIS, REQVIES ÆTERNA SEPVLTIS.

OMNE DONVM PERFECTVM A DEO, IMPERF. A DIABO.

AVREOLVS PHILIPPVS THEOPHRASTVS

Muchos de los logros médicos de Paracelso (1493-1541) se debieron a sus revolucionarios métodos de tratamiento y análisis.

NICOLAS FLAMEL

Uno de los primeros alquimistas que pudo hacerse un nombre en Europa fue el francés Nicolas Flamel (hacia 1330-1413). De él se dice que, por medio de un ángel, recibió un libro que contenía el secreto de la piedra filosofal. Y gracias a eso Flamel logró convertir la plata en oro. El alquimista donaba los beneficios de manera generosa a iglesias y hospitales, siempre con la única exigencia de que grabaran su nombre en los muros exteriores de los edificios. Poco después de la muerte de Flamel y la de su mujer se exhumaron los cuerpos, y se comprobó que en las tumbas, en lugar de los restos mortales, yacían troncos de árbol. Posiblemente sea este hallazgo la causa de que desde entonces se asocie la piedra filosofal a la vida eterna. Varias personas dijeron haber visto esporádicamente con vida a Flamel en los siguientes 600 años, hecho que ha dado pie a que su mito siga hoy vigente.

primeros conocimientos básicos de medicina y los elementos aislados de Empédocles o la teoría atómica de Demócrito. En el siglo III d.C. destaca otro alquimista notable, Zósimo de Panópolis, que en sus 28 libros de alquimia describe el modo de convertir la plata en oro con la ayuda de una tintura de mercurio.

En el siglo VIII d.C. Jabir ibn Hayyan dejó constancia en uno de sus escritos de que al llevar a cabo cualquier experimento se tenía que seguir un método. Fue él quien desarrolló los métodos básicos de la química y quien proporcionó las primeras descripciones de mecanismos de reacción; por eso se le considera el padre de la química. También fue él quien informó de una aleación química que podía producir oro: se componía de una pequeña cantidad de azufre y de mercurio en estado puro.

A partir del siglo XII la alquimia pudo echar raíces en Europa. Si bien es cierto que en la mayoría de los casos los alquimistas de la Edad Media sólo podían trabajar en la clandestinidad, también es verdad que muchos de ellos gozaban de buena reputación y se les encargaban investigaciones, como la elaboración de horóscopos o trabajos médicos. Casi siempre lo hacían ricos o influyentes protectores.

Nicolas Flamel está considerado el único alquimista que consiguió dar con la piedra filosofal.

Los alquimistas no eran investigadores que hicieran experimentos recluidos en sus laboratorios, sino que desarrollaban oficios como los de profesor, astrólogo o médico, con los que se ganaban la vida.

DESCUBRIMIENTOS FORTUITOS

Con sus donativos y acciones, Flamel había sentado las bases para que en los siglos venideros se buscara intensivamente la piedra filosofal. Pero él no había sido el primero en buscarla. Gente como el franciscano Roger Bacon (hacia 1219-1294), Arnau de Vilanova (hacia 1235-1313) o el monje franciscano y teólogo Ramon Llull (hacia 1235-1316) ya habían descrito antes que Flamel el funcionamiento de la piedra filosofal. Sin embargo, fue él quien, por lo visto, consiguió producir oro y no sólo escribir sobre ello.

Y de ese modo se siguió experimentando con diferentes materiales. Aunque los alquimistas no consiguieron producir oro puro, sino a lo sumo metales no tan nobles de color dorado, mediante los experimentos que fueron llevando a cabo llegaron a dar con productos que se podían utilizar con distintos fines.

Así es como, según se dice, el monje franciscano Berthold Schwarz, en sus experimentos del año 1353 o 1359, descubrió la pólvora. Pero desde un punto de vista histórico este hecho

Isaac Newton (1643-1727) tuvo el mérito de saber aunar las ciencias modernas con la alquimia.

es extremadamente controvertido, porque mucho antes que Schwarz chinos y árabes ya conocían la pólvora, y el ya mencionado Roger Bacon había descrito su fabricación en 1267. Pero es muy posible que, en uno u otro lugar, el descubrimiento de esta materia se deba a la alquimia. En su búsqueda de la piedra filosofal, el alquimista hamburgués Hennig Brand (1630-1692) descubrió en 1669 el fósforo, y con ello el primer elemento de la historia de la química de la Edad Moderna. Otro alquimista, Johann Friedrich Böttger (1682-1719), en colaboración con el matemático Ehrenfried Walter von Thiernhaus (1651-1708), consiguió elaborar la porcelana de Meissen.

Además, los conocimientos que compiló la alquimia como ciencia fueron de gran valor para otras ciencias, tanto para las ya existentes entonces como para las que siguieron. Ejemplo de ello serían las deliberaciones del alquimista Paracelso (1493-1541), que procuraron a la medicina un nuevo encauzamiento, o las investigaciones de Isaac Newton (1643-1727), que descolló en los campos de la física, la filosofía, las matemáticas y la astronomía.

EL FINAL DE LA ALQUIMIA

Se puede demostrar la existencia de sociedades alquimistas hasta bien entrado el siglo XIX. Aunque en el siglo XX todavía quedaban algunos grupos que utilizaban la alquimia con diferentes finalidades, los principales conocimientos pasaron a formar parte de otras ramas de la ciencia, como la física, las matemáticas, la química, la biología, la medicina, la teología

El hombre en la Luna, descrito y dibujado con símbolos por un alquimista veneciano.

o la filosofía. Los descubrimientos básicos en los mencionados ámbitos, por ejemplo, la enunciación del sistema periódico de los elementos por parte de Dimitri Mendeléiev (1834-1907) y Lothar Meyer (1830-1895) en 1869, provocaron que muchos principios de la alquimia quedaran caducos. Teniendo en cuenta el estado actual de la ciencia y la técnica, muchos esfuerzos o conclusiones de los alquimistas resultan cuando menos cuestionables. Todo eso ha conducido a que posteriormente se presentara a la mayoría de los alquimistas rodeados de una aureola más bien turbia.

En la actualidad el concepto de «alquimia» se identifica con las tenebrosas ideas de la sombría Edad Media. Probablemente las descripciones de los oscuros experimentos, así como también los puntos de conexión con la religión, la magia y la astrología, provocaron que la gente, después de la época de la Ilustración, se distanciara cada vez más de aquella preciencia. Sin embargo, no se puede pasar por alto que, aun cuando la búsqueda de la piedra filosofal ha sido hasta ahora infructuosa, muchos conocimientos de otras ciencias de la naturaleza deben algo a la alquimia.

Ovejas negras

Hubo alquimistas que, por su charlatanería, mentiras e incapacidad, causaron graves perjuicios a la reputación de su gremio. Ése sería el caso, por ejemplo, de Alessandro Cagliostro (1743-1795), que sacaba dinero a sus clientes con sus pócimas amorosas, elixires de juventud o ungüentos de belleza. También se decía que algunos alquimistas habían hecho un pacto con el diablo, como el Fausto histórico (Johann Georg Faust, hacia 1480-1540). Un tercer grupo desarrollaba experimentos siniestros en detrimento de su buen nombre, como es el caso de Johann Honrad Dippel (1673-1734), que al parecer trabajaba con cadáveres en su castillo de la Bergstrasse, llamado Frankenstein, hasta que un día, trabajando en un experimento con nitroglicerina, saltó por los aires una de las torres del castillo, lo que casi le costó la vida.

El manuscrito Voynich

Descripciones del llamado «manuscrito Voynich» se encuentran tanto en libros especializados en alquimia como en ciertas obras de ciencias naturales. Se supone que sus cerca de 200 páginas encierran secretos. Tal vez el autor lo redactara con una escritura secreta porque temiera la revelación de su contenido y las posibles consecuencias.

DESCUBRIMIENTO Y PRIMERAS INVESTIGACIONES

El especialista en libros antiguos Wilfrid Michael Voynich (1865-1913) adquirió en 1912 un libro que contenía numerosos dibujos y un texto que estaba redactado con una escritura como de otra época. Los meros dibujos ya despertaron el interés del bibliófilo: eran formas espirales insólitas, plantas, dibujos de estrellas, figuras femeninas, tubos y demás. También el texto estaba estructurado de manera inverosímil; en unos casos el propio texto era parte de los dibujos, en otros se extendía mediante formas geométricas a doble página. Además, estaba escrito con un lenguaje en clave y, aunque evidentemente se repetían muchos dibujos y también palabras y estructuras, para Voynich fue imposible descifrarlo. El anticuario llegó a la conclusión de que el texto debía de contener información muy

Athanasius Kircher fue uno de los que en el siglo XVII intentaron descifrar el manuscrito Voynich.

Roger Bacon, monje franciscano, filósofo y científico, está considerado uno de los autores del manuscrito Voynich.

comprometida, por ejemplo, descubrimientos en el ámbito de las ciencias naturales o resultados en el terreno de la alquimia, que en la época de su desarrollo podía haber significado para el autor la muerte en la hoguera. En pesquisas posteriores Voynich llegó a la conclusión de que ya en el siglo XVII se habían llevado a cabo algunas investigaciones para descifrar aquella escritura secreta, pero sin resultado alguno.

INTERPRETACIÓN Y DESCODIFICACIÓN

Voynich envió a especialistas copias de algunas páginas con un informe, pero ni los servicios secretos ni expertos en codificación fueron capaces de traducir la escritura. Tampoco contribuyeron los dibujos a descifrar el texto, ya que era imposible identificar las plantas dibujadas o los bocetos astronómicos.

Los especialistas mostraron por tanto un gran interés cuando William R. Newbold (1865-1926), profesor de filosofía en la Universidad de Pensilvania, publicó los resultados de sus investigaciones. Al examinar el texto con el microscopio, Newbold topó con unos pequeños signos que parecían ser los de una taquigrafía. Al reorganizar esas letras se obtenía un texto en latín que hablaba de células y de la vida orgánica. Se pensó que debía de tratarse de resultados en el campo de las ciencias naturales aribuibles al monje franciscano Roger Bacon (hacia 1214-1294).

Sólo diez años más tarde, poco después de la muerte de Newbold, John Manly, su antiguo colaborador, llegó a un resultado totalmente diferente cuando examinó los informes de las investigaciones. Según él, la supuesta taquigrafía eran restos o grietas en el pergamino. Además, a su modo de ver, para la reordenación de las letras Newbold se había valido de un sistema bastante confuso, con lo que sus resultados venían a ser más bien fruto del azar.

En las siguientes décadas se repitieron más intentos para descifrarlo, pero hasta ahora, incluso con los actuales sistemas informáticos, ha resultado del todo imposible desvelar el código del manuscrito de Voynich. Sin embargo, entre tanto, se han podido desterrar algunas dudas. Hoy en día se sabe que en la redacción del texto participaron dos personas, que en el manuscrito no hay correcciones de ningún tipo, de lo que se puede deducir que primero se elaboró un borrador, y que la escritura deja ver estructuras lingüísticas con sentido, es decir, que no se trata de una arbitraria concatenación de símbolos, sino de una lengua con determinadas estructuras. Todo apunta pues a una codificación, es decir, a una lengua inventada, o bien a una lengua plasmada incorrectamente, lo que vendría a poner trabas a una posible traducción definitiva.

Hasta hoy nadie ha podido interpretar los signos y dibujos del manuscrito Voynich.

El *Necronomicón*

El *Necronomicón* es un libro descrito por el escritor estadounidense Howard Phillips Lovecraft. Según dice, lo escribió el poeta árabe loco Abdul Alhazred en 730. A lo largo de sus cerca de 800 páginas, entre otras cosas, se explica el origen de los «Grandes Antiguos» y se dan instrucciones precisas para la invocación de seres sobrenaturales.

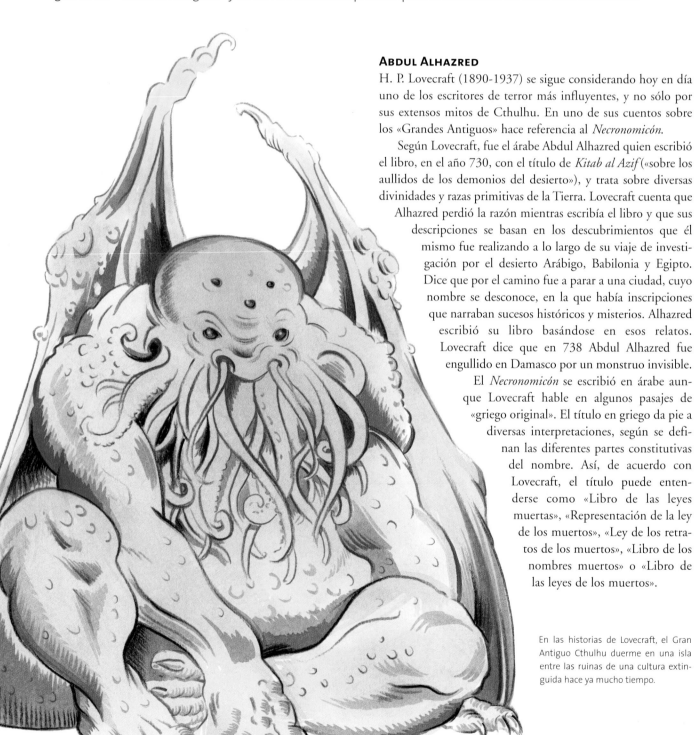

ABDUL ALHAZRED

H. P. Lovecraft (1890-1937) se sigue considerando hoy en día uno de los escritores de terror más influyentes, y no sólo por sus extensos mitos de Cthulhu. En uno de sus cuentos sobre los «Grandes Antiguos» hace referencia al *Necronomicón*.

Según Lovecraft, fue el árabe Abdul Alhazred quien escribió el libro, en el año 730, con el título de *Kitab al Azif* («sobre los aullidos de los demonios del desierto»), y trata sobre diversas divinidades y razas primitivas de la Tierra. Lovecraft cuenta que Alhazred perdió la razón mientras escribía el libro y que sus descripciones se basan en los descubrimientos que él mismo fue realizando a lo largo de su viaje de investigación por el desierto Arábigo, Babilonia y Egipto. Dice que por el camino fue a parar a una ciudad, cuyo nombre se desconoce, en la que había inscripciones que narraban sucesos históricos y misterios. Alhazred escribió su libro basándose en esos relatos. Lovecraft dice que en 738 Abdul Alhazred fue engullido en Damasco por un monstruo invisible.

El *Necronomicón* se escribió en árabe aunque Lovecraft hable en algunos pasajes de «griego original». El título en griego da pie a diversas interpretaciones, según se definan las diferentes partes constitutivas del nombre. Así, de acuerdo con Lovecraft, el título puede entenderse como «Libro de las leyes muertas», «Representación de la ley de los muertos», «Ley de los retratos de los muertos», «Libro de los nombres muertos» o «Libro de las leyes de los muertos».

En las historias de Lovecraft, el Gran Antiguo Cthulhu duerme en una isla entre las ruinas de una cultura extinguida hace ya mucho tiempo.

Hasta aquí, un vistazo general sobre el origen ficticio del *Necronomicón*.

De hecho, tras el nombre de Abdul Alhazred se esconde el mismo H. P. Lovecraft. Según ciertas informaciones, era un nombre ficticio que el autor gustaba de usar cuando, en sus «sueños diurnos», se hacía pasar por árabe. El origen del nombre se encuentra en la palabra inglesa *hazard* (peligro).

CTHULHU

De la pluma de Lovecraft surge el mito de Cthulhu, una serie de relatos en los que (la mayoría de las veces gracias a la curiosidad de ciertos individuos) se desvelan relaciones que tratan de los «Grandes Antiguos», una raza galáctica, no humana y de gran poder cuyo origen no se especifica. Uno de esos seres es Cthulhu, que llegó a la Tierra hace millones de años y erigió una ciudad, que, sin embargo, volvió a desaparecer a causa de de un desplazamiento de las placas tectónicas. Desde entonces, Cthulhu se encuentra bajo la superficie de la Tierra inmerso en un sueño profundo.

Mientras que algunos «Grandes Antiguos» contemplan a la humanidad con cierta neutralidad, Cthulhu parece formar parte de los que quieren esclavizarla.

Lovecraft describió a los «Grandes Antiguos» como seres con alas, de aspecto horrible para el ser humano y dotados de fuerzas sobrenaturales.

El mito de Cthulhu fue ampliado varias veces por otros autores, aún en vida de Lovecraft.

EL CONTENIDO DEL *NECRONOMICÓN*

Lovecraft ha proporcionado descripciones del *Necronomicón* y su contenido en muchas de sus historias, en especial en las que están dedicadas al mito de Cthulhu. Según él, el *Necronomicón* contiene sobre todo indicaciones detalladas para la invocación de los «Grandes Antiguos». Lovecraft hace muchas veces hincapié en que tales invocaciones no tienen como objetivo el dominarlos, sino que lo que se persigue es abrirles vías a través de las cuales puedan conseguir llegar a la Tierra. Ya que esa raza parece ser inmortal y estar subyugada a leyes de la naturaleza que el hombre no alcanza a comprender, una invocación con otros objetivos podría significar la esclavitud o incluso el fin del mundo.

El *Necronomicón* contiene además información sobre la evolución de los «Grandes Antiguos», su civilización y sus singulares cultos y ritos, olvidados hace ya mucho tiempo.

El escritor H. P. Lovecraft no fue famoso en vida. Sólo después de su muerte sus amigos recopilaron, ordenaron y publicaron su obra, que estaba dispersa en diferentes revistas.

Los Grandes Antiguos, después de caer en un profundo sueño, fueron invocados y venerados de manera reiterada por culturas posteriores.

¿EL VERDADERO *NECRONOMICÓN*?

A partir de las publicaciones de Lovecraft hay en los mercados de libros, de modo no demasiado encubierto, ediciones variopintas del llamado «*Necronomicón*». Hubo un caso en el que el libro, con gran aparato publicitario, se distribuyó en ocho volúmenes, para que el lector no enloqueciera.

Se pone en entredicho si los necronomicones que existen en el mercado, aparte del nombre y algunas alusiones al libro de H. P. Lovecraft, tienen algo que ver con el original en el que, según se dice, se basa el mito de los Grandes Antiguos. Más bien se parte de la idea de que esos libros vieron la luz cuando a través de la obra de H. P. Lovecraft el nombre de «*Necronomicón*» había ya cobrado una amplia difusión.

Como ya hemos dicho antes, existen rumores que dicen que el mismo Lovecraft escribió un *Necronomicón*. Aunque no

es del todo imposible, muchos conocedores de Lovecraft lo descartan, por un lado porque la mayoría de los necronomicones que existen en el mercado no encajan con el estilo de la obra del autor, y por otro porque Lovecraft escribió tanto y mantuvo una correspondencia tan intensa con sus amistades, que le habría faltado tiempo. Además, en ninguna de sus cartas hace mención alguna a dicho libro.

Hoy en día sigue vigente el rumor de que dos o más estudiantes, por ganar un dinero, escribieron en los años setenta un *Necronomicón* siguiendo las descripciones de Lovecraft. Si bien es verdad que no se ha refutado esta tesis, también es

Lord Edward Dunsany se dedicó al patrocinio de jóvenes talentos como Lovecraft, y él mismo fue otro de los pioneros de la literatura fantástica.

cierto que hay ediciones de los años sesenta, e incluso de una época anterior.

Otro rumor en relación al *Necronomicón* nos remite al Museo Británico de Londres: en el sótano se conserva escondida una edición, que, por cierto y según dicen, se puede examinar si se solicita previamente. Contradice este rumor otro según el cual el *Necronomicón* se encuentra bajo llave en el Vaticano desde que en la Santa Sede se considerara que demasiada gente había ya intentado invocar a demonios y espíritus siguiendo los presuntos rituales.

Independientemente de si hoy en día existe o no un *Necronomicón*, la cuestión es si Lovecraft, en vida, pudo de algún modo tener acceso a un libro de esas características. Según una interpretación general, parece no haber sido el caso; sin embargo, no le faltaron al autor fuentes de documentación adecuadas. Se ha comprobado que, en gran medida, Lovecraft (que frecuentó la escuela poco tiempo) adquirió sus vastos conocimientos gracias a la biblioteca de su abuelo, en la que había algunos libros de ocultismo. Después de sus primeras publicaciones de literatura fantástica, llegaron los libros y escritos que se ocupaban de los antiguos cultos. También el patrocinador de Lovecraft, *lord* Edward Dunsany,

estaba interesado en los asuntos misteriosos, pudiéndose dar así una posibilidad de intercambio.

La idea de insertar en relatos breves un libro tan inquietante como el *Necronomicón* a modo de elemento recurrente procede, según indicaciones del propio Lovecraft, de una obra de Robert W. Chambers, *El rey en amarillo*, que vuelve loco a todo aquel que la lee. Si se toma como base esta declaración, no existió en vida de Lovecraft un libro que llevara por título «Necronomicón». Lo cual no excluye sin embargo que hubiera colecciones de obras de ocultismo y grimorios (véase la página 162) de contenido similar.

Según ciertos rumores, el *Necronomicón* original se conserva en una cámara subterránea del Vaticano.

Magia ritual

Como ya hemos dicho, el *Necronomicón* mostraba los caminos de la magia ritual. Narraciones del mismo tipo se encuentran en casi todas las culturas, aun cuando no siempre se las designe como magia, sobre todo porque en muchos casos la frontera entre actos rituales y práctica religiosa es muy sutil. En lo esencial, el concepto de «magia ritual» se ciñe a la acción de originar sucesos mediante unos procedimientos determinados.

GRIMORIOS

El libro varias veces mencionado en la obra de H. P. Lovecraft, el *Necronomicón,* muestra todas las características de un grimorio, sin pertenecer en realidad a ese género, porque sólo encaja de forma limitada en el marco temporal. Se denomina «grimorio» (del francés antiguo: *grimoire,* «manual») aquel libro que contiene instrucciones para llevar a cabo rituales mágicos, así como también descripciones de seres sobrenaturales, por ejemplo, demonios, ángeles o monstruos. Los *grimorios* datan principalmente de entre 1250 y 1750. A pesar de que en cualquier época de ese lapso estaban a la orden del día los procesos contra brujas, y de que el hecho de estar en posesión de un libro de tales características estaba ligado casi siempre a la sentencia de muerte inmediata, se conservaron la

mayoría de las obras de referencia. Y los grimorios quedaron como prueba material de los delitos en las sin duda seguras bibliotecas de los monasterios.

EL DESARROLLO DE UN RITUAL MÁGICO

La mayoría de los grimorios se apoyan en estructuras claras en su forma de proceder. El mago debe prepararse antes del ritual tanto física como espiritualmente. La preparación consiste, según el ritual, en ayunos, baños y rezos, entre otras acciones.

Al parecer, Fausto consiguió invocar al diablo. En un contrato entre ambos quedó estipulado que el diablo debía servirle durante 24 años, y transcurrido ese período se adueñaría del alma del mago.

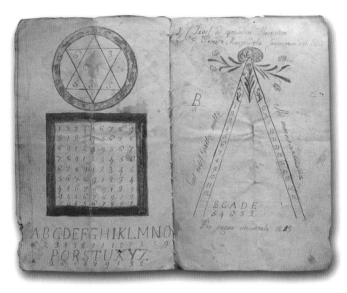

Los libros de magia no sólo contenían fórmulas de brebajes y ungüentos, sino que, sobre todo, incluían instrucciones precisas para invocar demonios y espíritus.

Según la la mayoría de los grimorios, esa purificación sirve para mejorar el curso de la magia.

En un segundo paso el mago debe proveerse de los instrumentos prescritos, por ejemplo, tiza, un bastón, un cuchillo, vestimenta específica, etc. Casi siempre el correspondiente instrumental requiere también cierta preparación, como un grabado en el cuchillo, un bastón tallado de forma especial o una inspección minuciosa de la vestimenta, a lo que hay que añadir que el instrumental siempre tiene que ser «virgen», es decir, que los utensilios que se vayan a utilizar no pueden haber sido utilizados por otro mago.

En el tercer paso aparece el «círculo mágico». Según sea necesario, puede ser un círculo pintado o delimitado de otra forma, y provisto de los supuestos símbolos y signos mágicos. Ese círculo, en general, no sirve para la invocación en sí, sino que más bien constituye una protección para el mago.

La diferencia entre magia negra y magia blanca

Por lo que respecta al tipo de ritual, no existe una gran diferencia entre las llamadas magia «negra» y «blanca». Se trata más bien del uso que se hace de la magia. Si un mago usa la magia en beneficio de una persona, con su consentimiento o no, se habla de «magia blanca». En cambio, los rituales que se llevan a cabo con la intención de perjudicar a alguien se clasifican como «magia negra». Así pues, la frontera entre los dos tipos de magia es muy difícil de determinar, como lo ponen de manifiesto las posibles aplicaciones de los hechizos de amor o de ensueño.

Una estrella de cinco puntas («pentagrama») se considera uno de los símbolos mágicos y se suele incluir en los círculos mágicos.

Los siguientes pasos varían según el tipo de magia, pero es ante todo imprescindible el grimorio, o al menos la lista de los seres a invocar o bien la receta correspondiente. A la hora de practicar las invocaciones, se remite la mayoría de las veces a un libro adicional, en el que la criatura invocada debe ponerse de manifiesto, confirmando de ese modo su obediencia.

Llama la atención que los pasos a seguir deben ejecutarse de manera escrupulosa. Si la preparación no es la adecuada, la invocación no saldrá bien, o incluso podrá poner en peligro al mago. En las narraciones se habla de las consecuencias, que van desde la locura hasta la pérdida de partes del cuerpo.

EL EFECTO DE UN RITUAL

Invocar a espíritus, ángeles, demonios y monstruos suele servir para aumentar el poder personal. Al someterse a uno de esos entes, el invocador puede emplear sus facultades para dañar a un ser humano o bien para sacar provecho de él. La jerarquía de las criaturas tiene un papel determinante, lo que se puede comprobar en el grimorio. La invocación de un demonio inferior puede provocar, por ejemplo, que otra persona tenga pesadillas. Un demonio superior tendría la capacidad de provocar enfermedades o, por el contrario, curar. Sin embargo, invocar a criaturas superiores supone un mayor esfuerzo y exige una preparación más intensa, que puede culminar con ceremonias de sacrificio o con la automutilación del mago.

RITUALES CON MUÑECOS

También se han divulgado rituales de naturaleza más sencilla que no suponen peligro alguno para el mago. Un tipo de magia ritual que hoy día se relaciona en gran medida con el vudú se practicaba con muñecos de tela, cera o de barro. Esos rituales con figuras ponían la mira en alguien concreto y su objetivo era, o bien dañar a la persona o, por lo menos, ejercer poder sobre ella. Para alcanzar el efecto mágico se necesitaban casi siempre pelo y secreciones corporales de la víctima, así como objetos suyos. Todo eso se ponía en contacto con el muñeco; el modo de proceder se regía por diferentes parámetros. En algunos casos se debían quemar las pertenencias de la víctima dispuestas en una figura de barro; otros libros prescribían que esos objetos se mezclaran con el barro con el que se haría la figura; otros rituales exigían que todo ello se cosiera a una muñeca de tela, etc. A partir de ese momento, lo que se hacía con la muñeca determinaba el destino de la víctima. Atar dos muñecas juntas era un hechizo de amor entre las dos personas. Si se dañaban partes de la figura, aquello repercutía en las correspondientes partes del cuerpo de la víctima. Si se destruía la muñeca, se condenaba a muerte a la persona.

RITUALES MÁGICOS Y CONSECUENCIAS

Se ha hablado de muchos casos que, presuntamente, tuvieron su origen en rituales mágicos. Había gente que enfermaba por motivos inexplicables; se sucedían accidentes o fallecimientos, y matrimonios desafortunados se atribuían a hechizos amorosos malogrados. Hasta qué punto esos reveses de la fortuna se pueden atribuir a los rituales es un tema que hasta el día de hoy no ha encontrado explicación alguna, sobre todo porque en la Edad Media magos rituales, hechiceros y brujas sabían que tenían la muerte asegurada si se probaba su culpabilidad.

Sin embargo, hay casos documentados que describen las consecuencias de rituales y que plantean nuevos interrogantes. El pastor Arthur Bedford informó en 1690 sobre los rituales mágicos de Thomas Parkes

En la Edad Media los rituales se consideraban un sacrilegio. Por eso se quemaba en la hoguera a las personas a las que se sorprendía practicándolos y a las que se creía que participaban en ellos.

de Bristol, que, por curiosidad, hizo una invocación, y de repente se vio rodeado de espíritus. Al repetir el experimento, Parkes perdió el control y se vio confrontado a demonios más poderosos que el círculo protector que había trazado a su alrededor. Al parecer, el pastor Bedford daba credibilidad a lo que explicaba Parkes.

En relación con la magia con muñecos, existen varias descripciones de casos en que la víctima realmente sufrió o se vio perjudicada conforme a los daños que se le infligían a la figura. Según informa un periodista americano, eso fue lo que le ocurrió a un concertista de piano francés que, tras una disputa, había abandonado una secta esotérica: los brazos del muñeco que lo representaba estaban sujetos con tornillos que se iban manipulando, y las habilidades del pianista empezaron a fallar en los días siguientes, de modo que incluso tuvo que interrumpir un concierto. El periodista cuenta que otros miembros de la secta acudían a las actuaciones, se acomodaban siempre cerca del escenario y criticaban sin cesar su interpretación.

En este caso, la opinión de los psicólogos es que la víctima estaba tan familiarizada con los métodos de la secta y creía tan firmemente en los efectos de la magia con muñecos, que su propio inconsciente provocaba la paralización de sus manos. Si el pianista no hubiera sabido nada de la venganza de la secta, se hubiese ahorrado sus consecuencias.

Si un ritual no produjera los efectos esperados, podría suceder que la salud o la vida del mismo conjurador corrieran peligro, dado que el ritual recaería sobre él.

La magia con muñecos es una práctica que no sólo se ejerce en el ámbito del vudú. En el marco del ocultismo europeo medieval la fe en estos rituales estaba muy extendida.

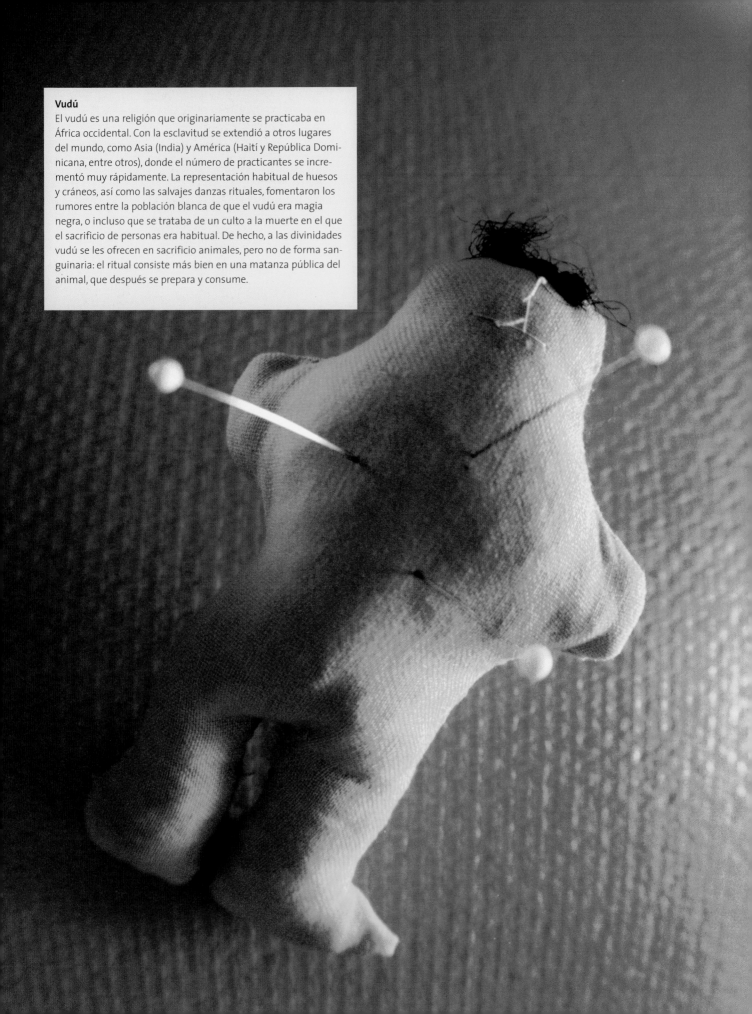

Vudú

El vudú es una religión que originariamente se practicaba en África occidental. Con la esclavitud se extendió a otros lugares del mundo, como Asia (India) y América (Haití y República Dominicana, entre otros), donde el número de practicantes se incrementó muy rápidamente. La representación habitual de huesos y cráneos, así como las salvajes danzas rituales, fomentaron los rumores entre la población blanca de que el vudú era magia negra, o incluso que se trataba de un culto a la muerte en el que el sacrificio de personas era habitual. De hecho, a las divinidades vudú se les ofrecen en sacrificio animales, pero no de forma sanguinaria: el ritual consiste más bien en una matanza pública del animal, que después se prepara y consume.

Cuando en 1980 se trasladó uno de los «murmullos del diablo» australianos, el más anciano de la tribu, Mick Taylor, vaticinó enfermedad y muerte. Y en el período siguiente muchos niños de la colonia enfermaron; incluso él mismo murió, a la edad de 50 años.

Maldiciones

Una de las formas más frecuentes de magia ritual es la maldición, que vendría a ser lo contrario a la bendición. Por regla general, consiste en desearle a alguien la desgracia. Durante miles de años se ha considerado que las maldiciones son la causa del mal. Las revelaciones de la maldición son muy diferentes, y también la duración de su efecto.

¿QUÉ ES UNA MALDICIÓN?

La idea de maldición, entendida como el hecho de desear la desgracia a alguien, está muy extendida. Muchas maldiciones han encontrado cabida en el uso general de la lengua o pasan incluso por ser un medio estilístico irrenunciable. Lo que hoy en día se despacha como lapidario tenía un significado absolutamente distinto siglos atrás.

Según las ideas medievales, las maldiciones, sin importar si se pronunciaban consciente o inconscientemente, tenían un efecto que debía tomarse muy en serio, y en ocasiones podían comportar graves consecuencias. La utilización de maldiciones conoció un gran desarrollo porque, si durante una época más temprana se creía que sólo a los magos y brujas se les reservaba el derecho de poder infligir una maldición a una persona, en la Edad Media, en cambio, se empezó a creer que la sentencia dicha por cualquier persona sería suficiente para activar al diablo o a los demonios, puesto que estaban siempre aguardando con impaciencia nuevas almas. Una maldición podía traducirse en enfermedad, mutilación, desgracia o la misma muerte.

Las maldiciones y sus consecuencias tienen también cabida en tradiciones como, por ejemplo, los cuentos. En ellos las maldiciones u objetos que han sido maldecidos transforman a las personas o les hacen sufrir un destino distinto; además, quebrantar una maldición puede durar años. Los cuentos eran símbolos que servían para hacer comprensible la trascendencia de las maldiciones.

USO Y EFECTO DE UNA MALDICIÓN

En el ocultismo, el concepto de «maldición» no consiste en el hecho de pronunciar una palabra a la ligera, sino en todo un ritual mágico, que se compone de un dicho o una fórmula y de una determinada acción, por ejemplo, de un gesto concreto o la transmisión de un determinado objeto acompañada de unas palabras estipuladas. Por lo general, sin embargo, los gestos que deben acompañar una maldición se describen de forma muy genérica: eso evitaría que se notara cuándo alguien está pronunciando una maldición. Por otro lado, también puede ocurrir que surtan efecto maldiciones pronunciadas en un momento de descontrol.

Los preparativos para echar una maldición dependen en gran medida de la intención del que la inflige. Las peores maldiciones, las que pueden tener consecuencias graves, necesitan preparativos más complejos o ingredientes inusuales; otras, en cambio, son efectivas nada más pronunciarlas.

También los efectos secundarios de una maldición dependen de la intención que con ella se persigue. En ciertos casos, el que inflige la maldición debe informar a la persona a la que va dirigida sobre lo que ha hecho para que surta efecto.

Por regla general, las maldiciones persiguen dañar a la persona a la que van dirigidas y provocan, según dicen, enfermedades, un revés del destino o incluso una transformación. También pueden cambiar la memoria de una persona, sus características e intenciones y, en casos extremos, incluso causar la muerte.

Agamenón, rey de Micenas, fue víctima de una maldición de Hermes.

La actriz americana Jayne Mansfield murió el 29 de junio de 1967 en un accidente de coche. Mucha gente está convencida de que su muerte fue consecuencia de una maldición infligida por su antiguo novio Anton La Vey, que era el líder de la Iglesia de Satán.

EL MAL DE OJO

Una forma bastante extendida de maldición es el llamado «mal de ojo». En este caso no es necesario un ritual especial: la persona que lo echa, sólo tiene que dirigirlo a alguien y la víctima queda maldecida inmediatamente. No está muy claro qué es exactamente lo que faculta a alguien para echar mal de ojo pero, al parecer, se nace con esa habilidad. Por consiguiente, muchas de las maldiciones son involuntarias. En algunas narraciones se explica que no toda mirada de la persona en cuestión será nociva. Sólo en situaciones especiales, por ejemplo, con ocasión de una alabanza o cuando hace mella la envidia, el mal de ojo es efectivo. Por lo visto, cuando alcanza a alguien, ya no hay remedio. Al Papa Pío XII se atribuye el haber tenido poder para echar mal de ojo, porque parecía que a toda persona o lugar que poco tiempo atrás había bendecido le ocurrían cosas poco comunes. Existen diferentes trucos para protegerse del mal de ojo, como frotarse con una tintura determinada o llevar una máscara; ése, de hecho, es el motivo por el cual los verdugos llevaban capuchón. Sin embargo, la eficacia de esas tretas es más bien dudosa. Se supone que la creencia en el mal de ojo tiene su origen en el continente africano, aunque no está del todo claro.

ANTIGUAS MALDICIONES

Como la maldición, aunque de origen humano, se lleva a la práctica de manera mágica, es decir, sobrehumana, la forma en que afecta no es siempre igual. En unos casos puede durar sólo unos días, en otros, miles de años. Un ejemplo de estas características es la maldición de Tutankamón. Cuando en 1922 el británico Howard Carter (1874-1939) descubrió la tumba del faraón en el valle egipcio de los Reyes, el impacto

En algunas culturas se intenta mitigar el efecto del «mal de ojo» pintando a las personas afectadas.

en el mundo de la arqueología fue enorme: la cantidad de tesoros que se halló en las cámaras funerarias no tenía parangón con nada de lo encontrado hasta el momento. Incluso el sarcófago y la momia estaban intactos.

Pocas semanas después de abrirse la cámara funeraria murió el amigo de Carter *lord* Carnavon, a consecuencia de una picadura de mosquito. Pero la alarma no se disparó hasta unos años después, cuando habían muerto ya doce personas de las que habían profanado la tumba o habían tenido algo que ver con el hallazgo. Hubo periodistas que escribieron

Según creen los autóctonos del lugar, sobre el volcán Mauna Loa, en Hawai, reside la diosa Pele, a la que podría irritar que se roben piedras. Muchos turistas ha relatado accidentes fortuitos que dejaron de ocurrir una vez devolvieron a Hawai la última piedra que se habían llevado.

Víctimas de la maldición del faraón

Al parecer, hasta la fecha 16 personas han sido víctimas de la maldición del faraón, entre ellas no sólo miembros de la expedición, como el promotor de Howard Carter, *lord* Carnavon, sino también gente que ha visitado la tumba, como el literato Gardian La Fleur, el millonario George Jay Gould o el conservador del Metropolitan Museum de Nueva York Arthur C. Mace. Tampoco eran invulnerables a la maldición los familiares o empleados de los miembros de la expedición. Richard Bethel, el secretario de Howard Carter, fue encontrado muerto en su casa, y las circunstancias de la muerte del padre de Bethel tampoco se han podido aclarar aún. La «maldición» parece seguir efectiva, ya que en 1992 un equipo de la BBC que trabajaba en un documental sobre «la maldición del faraón» vio entorpecido su trabajo debido a pequeños accidentes.

¿MALDICIONES EFICACES?

La «maldición del faraón» parece haber sido una invención de la prensa. Sin embargo, existen muchas descripciones de lugares y objetos que parecen realmente haber sido maldecidos. Los relatos acerca de maldiciones se reelaboran en historias de terror. Hasta qué punto están fundamentados en hechos es una cuestión a la que no se puede responder de forma global, como tampoco se puede dar respuesta a cuál es la duración o el campo de acción de una maldición.

La maldición de Tutankamón parece ser la responsable de la muerte de varias personas que habían participado en la profanación de su tumba.

sobre la «maldición del faraón» y las influencias misteriosas a las que se vieron expuestos los participantes de aquella primera expedición. Se especuló con la posibilidad de que los antiguos egipcios hubieran diseminado en la tumba algún hongo peculiar o alguna bacteria, cuya misión habría sido evitar cualquier tipo de pillaje. También se habló de venenos y de fuerzas sobrenaturales.

Howard Carter y sus arqueólogos condenaron enérgicamente ese periodismo sensacionalista y tacharon los informes de «verborrea majadera». Para cada una de las muertes acontecidas había una explicación razonable, por lo que no existía fundamento alguno para que se hablara de la «maldición del faraón».

Más tarde, en el *Berliner Illustrierte* se pronunció al respecto el escritor británico de novelas policíacas Edgar Wallace, diciendo que la desgracia iba unida a las momias de aquellos faraones que habían ofendido a los dioses. Wallace intentó por todos los medios que cada una de las muertes de los miembros de la expedición pareciera ser fruto de algo misterioso, y denunció la presunta imprudencia en el quehacer de los arqueólogos. Sin embargo, Howard Carter no reaccionó de forma alguna.

A pesar de que la «maldición del faraón» es un tema que sigue apareciendo de manera esporádica en la prensa sensacionalista, las numerosas investigaciones llevadas a cabo determinan que en la cámara funeraria, al cabo de miles de años, las condiciones de supervivencia de virus, bacterias u hongos eran prácticamente nulas. Probablemente los fenómenos inexplicables eran el resultado de causas naturales. De hecho, la «maldición del faraón» parece ser más bien mero fruto de la imaginación de periodistas fantasiosos.

Lluvia de peces

«Llueven gatos y perros», dice un dicho inglés que viene a significar que llueve con fuerza. Pero existen narraciones que recogen fenómenos de este tipo desde la antigüedad, lo que hace pensar que tras esas palabras se esconde algo más que un simple proverbio. Se han descrito tipos de lluvia inusual que de repente cae del cielo: en la mayoría de los casos documentados se trataba de una lluvia de peces o anfibios.

PECES QUE CAEN DEL CIELO

Durante mucho tiempo se ha considerado una leyenda la lluvia de peces o ranas. Diferentes grupos culturales han hablado de esos fenómenos, la mayoría de las veces relacionándolos con una maldición de Dios o un mal augurio. Sin embargo, hay casos científicamente documentados. Se ha probado, por ejemplo, que el 9 de febrero de 1859 cayó una lluvia de gas-

Según una de las teorías, los aviones son los responsables de las lluvias de animales. Pero eso no puede ser porque ya se producían lluvias de este tipo antes de que se inventaran los aviones.

terópodos en el monte Ash. Fue éste el suceso que provocó que se llevaran a cabo investigaciones más precisas sobre la lluvia de animales.

A lo largo de los últimos decenios se han registrado numerosos casos históricos, que se remontan hasta el siglo II a.C., pero también se han producido lluvias de animales en fechas más recientes. Se pone de relieve que este fenómeno no se limita a peces o ranas, sino que también existen informes que hablan de lluvia de insectos, caracoles, pájaros, carne, sangre o piedras, aunque estos tipos de lluvia son sin duda mucho menos frecuentes.

PRUEBAS ESCLARECEDORAS

Una de las primeras teorías explica que la lluvia de peces procede de descargas de aviones en vuelo sobre la zona afectada. Aunque esta idea se acepta en algunos círculos, se puede refutar porque hay informes que remiten a épocas en que no existían los aviones.

La teoría más aceptada dice que los peces y ranas llegan a la atmósfera levantados por tornados o trombas de agua y caen después en otro lugar, cuando el tornado ha perdido la fuerza necesaria para transportarlos. Esta teoría es a primera vista apropiada para explicar alguno de estos fenómenos; sin embargo, hay factores que contradicen esta hipótesis. Es el caso, por ejemplo, de muchas narraciones que explican que del cielo caen exclusivamente animales de una especie determinada, como las sardinas que cayeron sobre el norte de Grecia en 2002 o los gasterópodos del monte Ash. Las sardinas viven en bancos pero los gasterópodos no, de ahí que el tornado en cuestión hubiera tenido que arrasar un territorio más amplio, y también habría levantado otras especies de peces o anfibios, así como piedras, plantas o tierra. Además, muchas de las lluvias de animales caen sobre un territorio muy pequeño. En el monte Ash, los gasterópodos cayeron en una zona de 73 x 11 metros, además, hay testimonios que hablan de dos lluvias de peces con un intervalo entre ellas de diez minutos. Eso significaría que el tornado habría permanecido en el mismo sitio un cuarto de hora para dejar caer los peces en dos tandas, lo que no es del todo imposible pero implicaría una gran casualidad. Un tercer argumento en contra de la teoría del tornado apunta al estado de los animales. En dos casos documentados en la India, uno en Futtepoor, en 1833 y el otro en Allahabad en 1836, los peces no sólo estaban muertos, sino además, secos. Un informe de la ciudad de Essen informa de que en 1896 cayó del cielo una carpa en un bloque de hielo, mientras que en el caso del monte Ash llovieron peces vivos, a los que aparentemente la caída no provocó daño alguno.

A pesar de que haya teorías atractivas, hoy en día sigue sin aclararse por completo el fenómeno de la lluvia de animales.

Otra de las teorías más corrientes dice que los tornados lanzan los peces a gran distancia después de haberlos levantado y transportado por el aire.

Las representaciones artísticas y las menciones que se hacen en la literatura nos ayudan a corroborar que el fenómeno de las lluvias de animales ya ocurría hace siglos.

Las rocas de Death Valley

En el californiano Death Valley existe un lago seco llamado «Racetrack Playa». Durante mucho tiempo corrieron rumores que ese lugar estaba maldecido, porque una y otra vez se encontraban indicios que daban a entender que las pesadas rocas de la zona desértica se desplazaban.

RACETRACK PLAYA

Racetrack Playa es en realidad un antiguo lago de agua salada que se secó. Mide 4,5 km de largo y 2,2 km de ancho, y sólo se llena de agua de lluvia, como mucho, una o dos veces al año, a causa de la escasa pluviosidad en Death Valley. En la superficie plana y desértica del lago hay más de 160 rocas muy grandes, de hasta 320 kg de peso. Pero lo curioso es que también hay señales de deslizamiento que hacen pensar que esas piedras se mueven a gran velocidad (hay cálculos que hablan de un metro por segundo), aparentemente sin influencias externas de ninguna clase. Hasta el momento no se ha podido observar ningún desplazamiento.

En los años noventa se cartografiaron las piedras, y su trayecto se documentó a intervalos durante varios meses. Así se pudo comprobar que piedras que se hallaban muy juntas seguían un recorrido muy similar, y se llegó a la conclusión de que la causa del movimiento de las piedras era idéntica.

PRUEBAS ESCLARECEDORAS

Ya en el pasado se intentó explicar este fenómeno basándose en diferentes planteamientos.

Una posibilidad que explicaría el movimiento de las piedras es que, dado que Racetrack Playa no es una llanura plana, sino en pendiente, las piedras resbalaran hacia abajo. Otra teoría conjeturaba que las piedras reaccionaban a algún tipo de magnetismo. Ambos planteamientos se podían refutar con el mismo argumento: los rastros que dejan las piedras indican que algunas de ellas cambian de forma brusca de dirección, incluso a veces en un ángulo de 90º. Eso sería posible sólo si el ángulo de atracción de la llanura, o sea, el punto magnético, cambiara de repente, para lo que no se podría encontrar ninguna explicación física.

La teoría que mayor aceptación tuvo para los especialistas en el tema parte de la idea de que, si bien en Death Valley la pluviosidad es muy escasa a causa de las fuertes oscilaciones de la temperatura, esas mismas oscilaciones originan la formación de rocío, incluso de hielo, que se adhiere a la superficie de las piedras y que, en contacto con la fina arena del desierto, conforma una capa resbaladiza. Cuando en esas condiciones sopla el viento con fuerza, podría ocurrir que las piedras del suelo se arrastraran. Al secarse el suelo acto seguido, las piedras se pararían, mientras que gran parte de la arena acumulada delante de la roca durante el desplazamiento sería dispersada por el viento.

Aunque hasta hoy no se han llevado a cabo más mediciones del fenómeno que las que el geólogo Bob Sharp llevó a

La tierra de Racetrack Playa es barro seco. Como la superficie se va contrayendo de distinta manera con el intenso calor, el suelo forma una especie de mosaico.

cabo entre 1968 y 1974 como parte de sus investigaciones, y aunque tampoco se ha corroborado su teoría con nuevas observaciones, sí se ha demostrado que en Death Valley pueden formarse rocío y hielo, y también se han constatado fuertes ráfagas de viento en algunos informes de expediciones. Sin embargo, esas observaciones se han hecho en unas regiones que están situadas muy lejos de Racetrack Playa.

Sería necesario investigar en Death Valley durante un largo período. Y, dadas las arduas condiciones de la zona y el esfuerzo que supondría pasar una larga temporada en Death Valley, actualmente es muy poco probable que haya un grupo que se interese por este fenómeno.

Death Valley es uno de los lugares más secos del mundo. En la llamada «Badwater» se han llegado a registrar temperaturas de hasta 56,7 °C.

El Death Valley National Park se encuentra en el desierto de Mojave, entre los estados federados de California y Nevada.

Vampiros

Como ya hemos visto, antaño se recurría a las maldiciones para explicar todo aquello que ocurría al margen de la normalidad. Si se repetían sucesos inexplicables, aquello era todo un caldo de cultivo para mitos y leyendas. El vampiro, el hombre lobo y el zombi vienen a ser ejemplos de este fenómeno.

VAMPIROS DEL MUNDO

Por todo el mundo hay historias sobre vampiros o seres vampirescos. Aunque tengan diferentes nombres, como *moroi* en tierras eslavas, *danag* en Filipinas, *sundal bolong* en Java, *strix* en la antigua Roma o *luang shi* en China, y aunque también se le atribuyan diferentes características, se trata siempre de criaturas humanas, o al menos parecidas al ser humano, que se alimentan exclusiva o preferentemente de sangre humana. La creencia en los vampiros está tan extendida y es tan diversa que en realidad se puede admitir la posibilidad de que no exista un origen común a todas las culturas. Más bien se parte de la idea de que las diferentes historias se han ido desarro-

Los murciélagos vampiro no agujerean las venas para chupar la sangre, sino que muerden a su víctima superficialmente y lamen sus heridas.

llando independientemente unas de otras, pero basándose en observaciones que bien se pudieron haber realizado por todo el mundo.

ATRIBUTOS DE UN VAMPIRO

Hacer una relación de todas las descripciones de vampiros que existen superaría los límites de cualquier libro genérico sobre misterios. Sin embargo, se dan hechos en común que se pueden sintetizar. Así, por ejemplo, es propio de todos los vampiros tradicionales poder transformar a su víctima en vampiro mordiéndola o bebiendo de su sangre. Se describe a la mayoría de los vampiros como atractivos y jóvenes, a lo que habría que añadir que algunos consiguen esas cualidades mediante magia; ese poder, sin embargo, no les es concedido a todos. La posibilidad de transformarse en un animal (preferiblemente un murciélago o un lobo) es recurrente asimismo en muchas historias. Muchas veces se atribuye también a los vampiros una gran agresividad, ligada a una fuerza corporal sobrehumana. Además, en la mayoría de los casos, los vampiros son seres que actúan de noche.

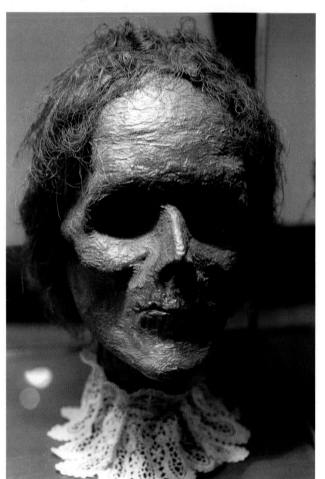

Escultura de la «condesa sangrienta» húngara Elisabeth Báthory (1560-1614), en cuyos crueles rituales murieron más de 600 mujeres, lo que provocó que la gente creyera que era una vampiresa.

La pregunta de si un vampiro es un ser humano vivo poseído ocasionalmente, un muerto andante o un demonio no tiene una respuesta unánime, y tampoco hay acuerdo sobre cómo se puede matar a un vampiro. En unos casos matarlo es del todo imposible, en otros los vampiros se desintegran con la luz del Sol, fuego o con símbolos cristianos. También es un método efectivo atravesarles el corazón con una estaca. Asimismo, se dice que el agua y plantas con un intenso aroma, como el ajo, tienen un efecto disuasorio sobre ellos.

ORIGEN DE LA CREENCIA EN LOS VAMPIROS

La creencia en que los muertos salen de sus tumbas y se alimentan de sangre tiene su fundamento, probablemente, en las observaciones de varios fenómenos que, en principio, no tienen nada que ver unos con otros. Las descripciones de vampiros muestran paralelismos con el cuadro clínico de la rabia (véase el recuadro). Con él correspondería el hecho de que el vampiro, por medio de la mordedura, pueda transformar a su víctima. También es posible que la creencia en que los vampiros se pueden transformar se base en esas observaciones, dado que la rabia puede pasar a los hombres a través de la mordedura de animales infectados.

Además, cuando se daba circunstancia de que los cadáveres de los muertos habían sufrido algún cambio, aparentemente sin explicación alguna, la gente supersticiosa tendía a creer que los muertos habían bebido sangre. Hoy en día esos acontecimientos encuentran explicación en los procesos de descomposición.

¿SÓLO UN MITO?

En muchas culturas la sangre se considera una «esencia vital». Prácticamente en todo el mundo ha habido o hay rituales, y no sólo de tipo religioso, en los que la sangre ocupa un lugar destacado. También hoy se considera símbolo de vida, fuerza y, a veces, juventud, motivo por el cual se utilizaba muchas veces como ofrenda. Además, existen relatos que explican que la gente bebía la sangre de animales o de otras personas para apoderarse de sus atributos.

El príncipe Vlad III (Tepes el «Empalador»), señor de Valaquia en el siglo XV, proporcionó a Bram Stoker el modelo para su personaje del conde Drácula.

Hombres lobo

El concepto de «hombre lobo» agrupa aquellos seres que pueden adoptar, bien la forma de un hombre, bien la de un lobo. En la mayoría de los casos se les atribuyen características similares a las de los vampiros.

¿QUÉ ES UN HOMBRE LOBO?

Tomando como base la topografía de la creencia en los vampiros, se puede constatar que el vampiro y el hombre lobo son parientes mitológicos. Las historias de ambos seres muestran grandes paralelismos en cuanto a difusión y origen.

De hecho, se dan también similitudes en su descripción física y en algunas características de su comportamiento. Sin embargo, y ésta es otra de las cosas que tienen en común, distintas culturas tienen conceptos diferentes de lo que vendría a ser un hombre lobo. Empezando por su aspecto externo, ya encontramos narraciones que describen al hombre lobo de manera diferente: de vez en cuando parece tratarse de un ser medio hombre medio lobo, que se desplaza sobre dos piernas, mientras que en muchos otros casos se trata más bien de un lobo corriente. Existe una tercera versión en la que se describen como seres humanos que se comportan como lobos.

LICANTROPÍA

Cómo se llega a ser hombre lobo, es decir, qué hace falta para desencadenar la transformación, es algo a lo que no se puede responder de manera inequívoca. En un mismo círculo cultural se encuentran descripciones diferentes e incluso contradictorias.

Una variante popular cuenta que un hombre, debido a una enfermedad o una maldición, se transformó en lobo. Esa enfermedad se llama «licantropía», palabra que deriva de «Licaón», rey de los arcadios, que irritó tanto a Zeus, padre de los dioses, que éste lo transformó en un lobo.

Pero existen otras vías para llegar a convertirse en hombre lobo: maldiciones, la estancia en lugares embrujados, algún tipo de agua o el uso de determinados objetos. En este último grupo

Existe un sinfín de descripciones de la transformación de un hombre en lobo.

entraría, por ejemplo y en primer lugar, un cinturón hecho de la piel de un ahorcado o pieles de animal.

La mayoría de las veces son influencias externas las que desencadenan la transformación en hombre lobo. Al parecer, por ejemplo, estar bajo el influjo de la luna llena transformaría a los afectados en lobos. En otros casos bastaría con la puesta del Sol o la estimulación de la persona en cuestión.

La transformación no siempre sucede de forma involuntaria. Según parece, existen objetos por medio de los cuales uno puede convertirse una y otra vez en lobo. Algunas historias hablan de seres que, sin ninguna ayuda, sólo por decisión propia, se convierten en animales. En tales casos los hombres lobo se presentan como seres bondadosos y sabios que actúan como mediadores entre hombres y animales y se esmeran en dar apoyo a ambos.

En las numerosas películas que se han rodado sobre hombres lobo, casi siempre se los representa como personajes trágicos que no pueden oponer resistencia a la transformación.

¿EXISTEN HOMBRES LOBO?

Como en el caso de los vampiros, el comportamiento de los supuestos «hombres lobo» podría interpretarse como la manifestación de una enfermedad psíquica, provocada también en este caso por la rabia.

Además, el mito del hombre lobo tiene la particularidad de contar con descripciones e incluso imágenes de personas que dan la impresión de que los hombres lobo hayan realmente existido. Este fenómeno tiene su origen en ciertas enfermedades hereditarias, como la hipertricosis, que provoca un crecimiento desmesurado del pelo. Otra enfermedad porfiria impide la producción de glóbulos blancos y provoca, además de un fuerte crecimiento del pelo por todo el cuerpo, una sensibilidad especial a la luz que afecta también a la piel. El retraimiento de las encías produce la impresión de que se alargan los dientes, en particular los caninos, que parecen colmillos de cánido.

La fascinación que hasta hoy día sienten muchas personas por el mito del hombre lobo consigue incluso que lleguen a identificarse con esos seres. Existen casos conocidos en que personas que habían cometido delitos bastante violentos alegaron como circunstancia atenuante ser hombres lobo.

Desde la antigüedad se atribuyen a la luna llena fuerzas especiales; en el caso del hombre lobo, favorecería la transformación o incluso la desencadenaría.

Zombis

Actualmente el concepto de «zombi» agrupa a los seres que, bien son muertos vivientes, o bien son vivos a los que se ha expoliado la voluntad. El nombre de «zombis» les viene de un espíritu de la muerte africano *(zumbi)*. Según la creencia general, los zombis tienen su origen en la práctica del vudú africano, o bien americano.

VUDÚ Y ZOMBIS

Es básicamente un error limitar el origen de la creencia en los zombis al continente africano o a Centroamérica. De hecho, si relacionamos los zombis con entes como el nórdico *draugr* o «retornado», nos encontramos con historias que, desde hace siglos, también en nuestro continente tratan de muertos desalmados que van deambulando por el mundo. Sobre todo en el terreno de la magia ritual, hay indicios de que algunas personas han ambicionado apoderarse de la voluntad de otras, o que han resucitado a muertos, o bien han dado vida a cosas

Golem

Un golem (término que parece derivar de la palabra hebrea *gelem*, que significa «materia en bruto») es una criatura artificial, en la mayoría de los casos parecida al ser humano, creada por el hombre con intención de someterla a su poder. En su fabricación casi siempre se incluye a una determinada materia prima de origen natural. Las descripciones más frecuentes hablan de golems de barro o madera. Quien, a través de un ritual, da vida al golem, tiene poder sobre él y puede utilizarlo en beneficio propio.

alguien un *hougan* (sacerdote), una *mambo* (hechizera) o un *bokor* (mago negro), con lo que la persona en cuestión muere o, según otras fuentes, queda a merced de una rigidez similar a la de la muerte. Unos días después, la persona que ha echado la maldición puede resucitar al muerto como zombi mediante un determinado ritual y gobernarlo a su voluntad. Por sí mismo, el zombi no tiene capacidad de pensamiento o actuación.

ZOMBIS Y PÓCIMAS

En muchas narraciones se habla de algún tipo de polvo del que el sacerdote vudú se sirve para crear un zombi. Hubo científicos que intentaron y consiguieron analizar una muestra de la pócima elaborada y posiblemente probada por unos hechiceros vudú. Se trataba de una mezcla a base de materias vegetales y animales a la que se habían añadido sapos y extractos de unos peces redondos. Ese bebedizo provocaba alucinaciones, parálisis de corazón y crisis circulatorias; en dosis controladas, la víctima caía en un estado parecido a la muerte. No se sabe de la existencia de otras composiciones que tengan un efecto similar.

Los zombis casi siempre aparecen en las películas como máquinas de muerte, inhumanas y deformes, que matan por iniciativa propia.

hechas a partir de materia inanimada, como los golem, para utilizarlos como esclavos dóciles o instrumentos de poder.

La magia ritual es también la base de la magia del hechicero vudú. Todo empieza con una maldición que lanza a

¿EXISTEN LOS ZOMBIS?

Aunque en estas líneas hemos hecho mención de algunas historias de zombis, en general esas historias, aparte de los resultados de la investigación de la pócima vudú, se basan casi exclusivamente en datos procedentes de hechiceros vudú o de sus seguidores (la auténtica magia vudú se lleva a la práctica, según parece, sólo en contadas ocasiones). Por otro lado, actualmente circulan en Haití relatos que han despertado el interés científico.

En la primavera de 1918 corrió la noticia por todo el mundo de que el capataz de una plantación, llamado Ti-Joseph du Colombier, empleaba para la cosecha de azúcar a unos hombres harapientos y claramente abúlicos a los que se obligaba a trabajar por la fuerza, a lo que hay que añadir que no parecían sentir el menor dolor a pesar de los golpes que recibían. Por lo visto, un tiempo después, habitantes de una ciudad cercana creyeron haber reconocido en alguno de aquellos hombres a algún pariente muerto.

En 1980 se documentó otro caso, según el cual Narcisse Clairvius, muerto 18 años antes, harapiento y apático, había pasado al lado de su aterrorizada hermana en el mercado del pueblo.

Ambos casos despertaron el interés de investigadores científicos y, aunque no se hayan podido comprobar todos los detalles de estos relatos, se puede suponer que encierran al menos una parte de verdad.

Allí donde se practica el vudú hay tiendas de objetos de culto que sacan provecho de los bulos que corren al respecto.

A los zombis se los llama «muertos vivientes» porque se encuentran en el umbral entre la vida y la muerte. En el vudú apenas se dan representaciones de muertos levantándose de su tumba.

Exorcismo

Un exorcismo es también un ritual. Si se trata de magia o de una práctica religiosa, eso es algo a lo que no se puede responder de manera general, ya que muchas veces depende de la persona que lleva a cabo el ritual. En principio se entiende por «exorcismo» la expulsión de un demonio o diablo de personas, animales, objetos o lugares.

EN CONTACTO CON EL MAL

A veces, cuando una persona o animal tiene un comportamiento fuera de lo común, se atribuye a que un espíritu o demonio se ha instalado en su cuerpo. La idea de «posesión» es más antigua y está más extendida que el cristianismo. Muchas culturas hacen referencia a esta posibilidad, y la mitología da testimonio de muchos y variados casos. También se describen parcialmente las medidas que hay que tomar para poner remedio a la situación: una persona capacitada, que, según las distintas tradiciones, puede ser un chamán, un

sacerdote, un héroe, un cabecilla, etc., tiene que entrar en contacto con el espíritu que se ha apoderado de la criatura y expulsarlo de su cuerpo. El exorcismo se lleva a cabo de distinta forma según la tradición cultural. Aparte de por la oración, puede consistir en conversaciones intelectuales, es decir, en intentar «persuadir» al demonio de que abandone el

Se obliga al espíritu maligno a abandonar el cuerpo. Según la interpretación de algunos pueblos primitivos, hay más posibilidades de conseguirlo si se debilita a la víctima por medio de golpes y conjuros.

Representación del siglo XVII de un exorcismo bíblico: el espíritu maligno abandona el cuerpo de un hombre.

cuerpo, o también en bailar en estado de trance, con lo que un chamán alcanza la situación que le permite luchar espiritualmente con el indeseable espíritu. Existen paralelismos respecto al ritual mágico, sobre todo cuando se trata de ayudar a personas o animales que claramente han sido puestos en un estado fuera de lo común por obra de brujería o de magia.

SIGNOS DE POSESIÓN

Los «comportamientos anormales» de personas o animales no se pueden describir de manera global. Existen pocos documentos escritos que permitan saber cuáles son los síntomas de una posesión. Signos de posesión se consideran el hablar una lengua extranjera o incomprensible, el miedo a símbolos religiosos, la ira desenfrenada, aullar, adquirir poderes psicológicos sobrenaturales, sufrir cambios corporales bruscos y hablar con voces distintas.

También existen informes de otros fenómenos que afectan al círculo cercano a la víctima, como poderes telequinéticos, es decir, la capacidad de mover objetos únicamente mediante la fuerza de la mente, fuertes oscilaciones de la temperatura o ruidos inexplicables que parecen provenir de la nada.

LA INVOCACIÓN DEL DEMONIO

Aunque sólo algunos grimorios (véase la página 162) describen el modo de proceder de un exorcista, muchas descripciones permiten llegar a la conclusión de que una contramagia sólo es eficaz a condición de que sea el mismo exorcista el que invoque al demonio patógeno y le ordene que libere el cuerpo

El hombre sólo puede escapar en contadas ocasiones del poder del demonio, que se apodera en primer lugar de su espíritu.

del poseído. Aunque la manera de proceder se narre de un caso a otro de distinta forma, se pueden establecer unos parámetros básicos.

Primero, el exorcista debe amenazar al espíritu maligno. Eso debe provocar que el demonio se enoje y que, en consecuencia, se comporte de forma imprudente. Acto seguido, se procede a preguntarle al demonio su nombre. Este paso se basa en la idea de que los espíritus y demonios están sujetos a una estructura jerárquica. Fuera del ámbito cristiano, un ritual mágico también tendría lugar con la víctima, para invocar al demonio y expulsarlo de su cuerpo. El cristianismo tiene una peculiaridad de origen desconocido: el exorcista, al conocer el nombre, obtiene el poder del demonio. Seguidamente ordena al espíritu maligno que abandone el cuerpo de la víctima. Con una palabra concluyente le prohíbe poseer de nuevo a esa criatura.

La duración de un exorcismo depende, por un lado, de la fuerza del demonio, y por otro, del exorcista y de la energía de la víctima. Existen casos documentados en los que el poseído murió por debilitamiento o por las heridas sufridas.

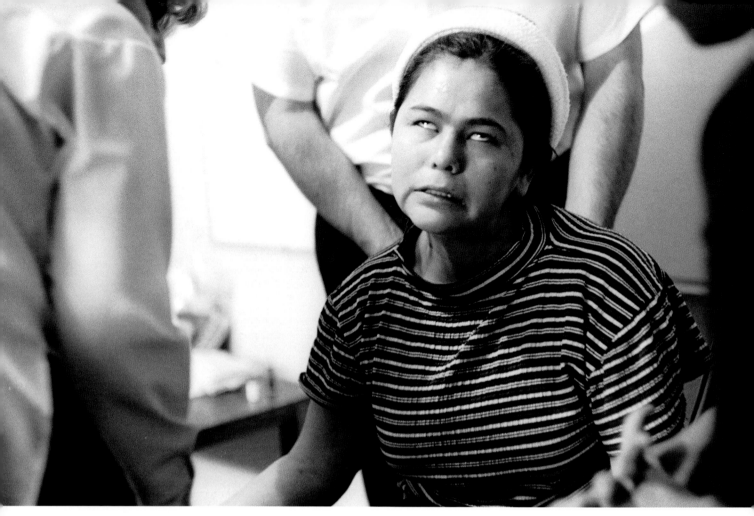

Exorcismo practicado por el pastor Hugo Álvarez de la iglesia de Dios Protector el 27 de febrero de 2002 en Iztapalapa, México D. F.

EXORCISMO Y ENFERMEDAD

Hoy día se han revisado descripciones de la Edad Media sobre casos de posesión a la luz de los conocimientos más recientes, médicos y, sobre todo, psicológicos. Casi todas las descripciones se han podido relacionar con cuadros clínicos actualmente bien conocidos, desde la epilepsia, que desencadenaba en los «poseídos» convulsiones o palpitaciones, y los tics (científicamente, síndrome de Tourette), que daban lugar a contracciones musculares o sonidos incontrolados, hasta la esquizofrenia o trastornos de la personalidad, es decir, trastornos psicológicos que podían provocar comportamientos transitorios fuera de lo común.

Aunque algunas fuentes han descrito otros fenómenos relacionados con el exorcismo, en círculos científicos se parte de la idea de que esas descripciones, que hablan de, por ejemplo, echar humo o de malformaciones corporales transitorias, son fruto en realidad de la fantasía del escritor y vendrían a tener un carácter simbólico. De ahí que la ciencia no reconozca, en principio, la «posesión», y, por consiguiente, ponga en duda la eficacia del exorcismo.

IGLESIA Y EXORCISMO

En la actualidad, la Iglesia católica hace una distinción entre el exorcismo sencillo y el más complejo. El exorcismo sencillo atañe sobre todo al sacramento del bautismo, con el que el bautizado es liberado de sus pecados y se destierra al diablo. Cuando se requiere un exorcismo complejo, el sacerdote sólo puede proceder una vez ha sido autorizado por su obispo, autorización que generalmente se otorga, siempre y cuando previamente haya dado su opinión, como mínimo, un médico especialista. Con esta forma de proceder, que ya regía en la Edad Media, se intenta evitar que gente que en realidad está enferma se someta a un exorcismo: aunque una enfermedad pueda ser fruto de una maldición, un médico está capacitado para curarla. Pero en los casos de posesión la medicina no tiene poder alguno. En la Edad Media, la Iglesia sólo autorizaba un exorcismo cuando ya había quedado probada la ineficacia de otros remedios e intentos. Y como entonces el médico no tenía los conocimientos de la psicología moderna, se solían practicar exorcismos en casos de enfermedades mentales. Desde 1999 la Iglesia católica reconoce explícitamente

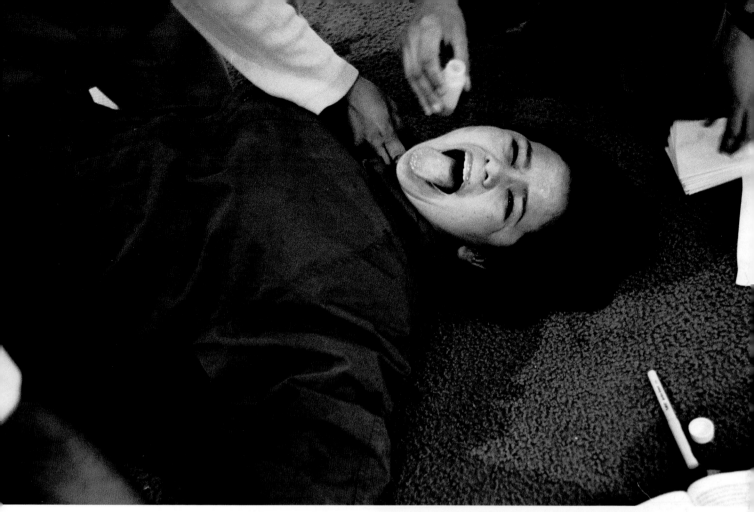

No existe un exorcismo unificado. El comportamiento de los poseídos es tan diferente como la duración del proceso: los hay que duran años.

la enfermedad mental como alternativa al caso de posesión. Sin embargo sigue aferrándose al exorcismo: hoy día, en el Vaticano aún se dan cursos de exorcismo, y en 2004 tuvo lugar en México la primera conferencia sobre el tema.

En cambio, las Iglesias protestantes más antiguas han dejado ya de practicar exorcismos. Los conocimientos en psicología han hecho que la mayoría de los casos pasen a recibir el tratamiento adecuado.

En la mayoría de las religiones primitivas, el chamán o curandero resuelve, incluso en la actualidad, su lucha contra el demonio a nivel espiritual.

Hoy en día sigue siendo inexplicable el porqué del éxito del exorcismo. Tras haber hecho las investigaciones pertinentes, se ha podido comprobar que casi siempre los casos de «posesión» tenían su origen en enfermedades mentales, y sin embargo se han hecho y se siguen haciendo exorcismos. No obstante, los resultados no son del todo claros.

Según el círculo cultural, gestos amenazadores y bailes pueden formar parte del exorcismo.

Paraciencias

PARAPSICOLOGÍA

La parapsicología, que se sitúa más allá de la frontera de la psicología, se ocupa de aquellas cualidades que trascienden las facultades supuestamente normales del ser humano, en especial, de la percepción y comunicación extrasensorial. Fue el psicólogo alemán Max Dessoir (1867-1947) quien acuñó el término en 1889, convirtiendo así en objeto de observación todos aquellos fenómenos que exceden el curso normal de la vida espiritual.

La parapsicología se ocupa de fenómenos sobrenaturales, ocultos, con una base puramente científica. Su tarea es investigar la existencia de la telepatía (predicción y pronóstico de futuro), la telequinesia o psicoquinesia (movimiento de objetos sin contacto físico, fenómenos de *poltergeist*), la percepción extrasensorial (evocar a personas o sucesos a través del tacto), las experiencias cercanas a la muerte, el espiritismo y la bilocación (estar en dos lugares al mismo tiempo). Además, la parapsicología se ocupa de ámbitos parciales de los campos mencionados arriba, por ejemplo, de las facultades especiales de algunas personas, como los yoguis o faquires.

La parapsicología investiga también las condiciones que dan pie a que surjan fenómenos paranormales, en relación con el entorno o con otras personas, y reivindica ser considerada como una ciencia que trabaja con métodos científicos. Pero muchos de los fenómenos objeto de estudio no pueden ser refrendados de manera fiable mediante los sentidos. Además, muchos informes de experiencias son marcadamente subjetivos, y se pone en duda su credibilidad porque un examen objetivo, en el sentido clásico del término, no es siempre posible. Muchos de los fenómenos no han podido hallar una explicación hasta la fecha. Sin embargo, existen pruebas de su existencia y se han documentado y examinado muchos casos, como el de las fotografías psíquicas de Ted Serios.

Una pareja observa cómo un médium intenta entrar en contacto con el otro mundo.

Telepatía

¿Hay personas que, gracias a unas facultades especiales, pueden percibir en otras procesos mentales y espirituales? ¿Es verdad que hay quienes pueden leer el pensamiento, incluso transmitirlo, «sentir a distancia»? Estamos hablando de gente que posee la capacidad que Frederik W. H. Myers (1843-1901), fundador de la londinense Society for Psychical Research, denominó por primera vez en 1882 «telepatía». Este conocido fenómeno de la parapsicología es uno de los grandes enigmas de la existencia humana.

CANALES DE COMUNICACIÓN FUERA DE LO COMÚN

La telepatía no es tan controvertida como otros fenómenos de la parapsicología, y desde hace décadas científicos de reconocida seriedad estudian la cuestión. Este hecho puede deberse a que son muchas las personas que a lo largo de su vida han tenido experiencias de este tipo. ¿Quién no ha pensado alguna vez en alguien y de repente ha visto asomar por la puerta justamente a esa persona? Solemos considerar estos hechos como sucesos fruto del azar, y no estamos preparados para admitir que la aproximación del otro se deja sentir a través de un canal mental que escapa a nuestro control.

APLICACIONES MÚLTIPLES DE LA TELEPATÍA

Ya antes del inicio de la Guerra Fría, e incluso durante la Segunda Guerra Mundial, en la Unión Soviética, Estados Unidos y el Reino Unido se hicieron experimentos con gente que podía «leer» el pensamiento de otras personas, y se obtuvieron resultados sorprendentes. La telepatía ofrece, en especial a los servicios secretos, múltiples posibilidades en el terreno del espionaje; se trata de los llamados «psicoagentes». Sin embargo, en ese terreno el concepto de «telepatía» se ha ido sustituyendo por el de *remote viewing* (percepción remota). Los agentes intentan describir a través de su pensamiento lugares y objetos. En 1940 el telépata Wolf Gregorewitsch Messing fue conducido ante Stalin en persona, y este

¿Se puede realmente recibir y enviar información o sensaciones a través de otros medios distintos de los habituales?

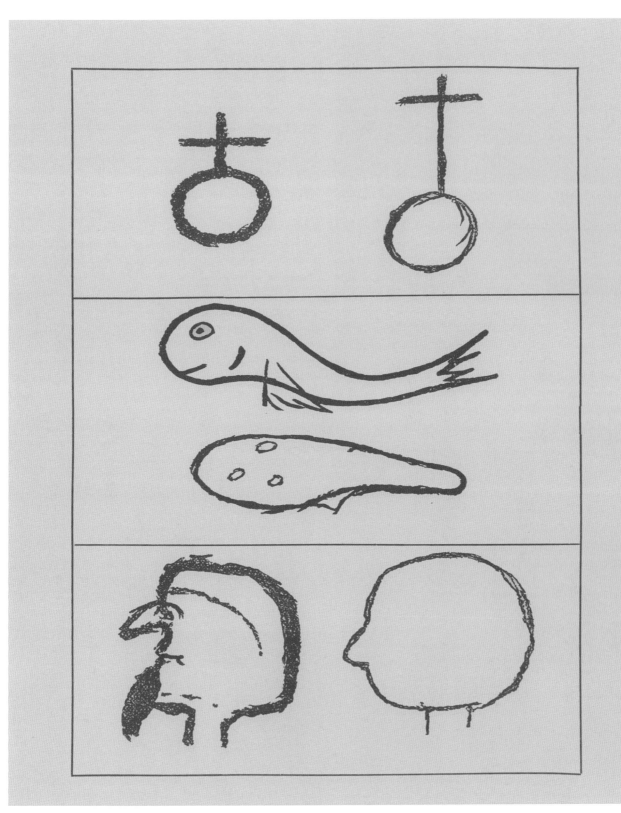

Estos dibujos son el resultado de un experimento sobre telepatía que realizó el investigador inglés Samuel Guthrie en 1883. Cada par muestra la imagen de partida y la reproducción de la impresión telepática.

Un experimento de la BBC sacó a luz algo sorprendente: en el momento concreto en que el dueño de un perro decidió volver a casa, el perro se levantó y fue a esperarlo a la puerta.

rencia unos pájaros llamados «sastrecitos» *(Aegithalidae),* que en una zona geográfica determinada aprendieron a abrir las chapas de las botellas de leche. Sastrecitos de otras partes del mundo empezaron a hacer lo mismo al cabo de poco tiempo. Dicho de otro modo, habían aprendido una forma de provisión de alimento gracias a los campos morfogenéticos. Lo cual demuestra que la telepatía no tiene fronteras. Tal es su alcance, que se da también entre personas y animales. Sheldrake lo demostró con un experimento muy impactante, el del papagayo y su dueña. El animal era capaz de pronunciar más de 500 palabras y de formular frases enteras. Estaba colocado ante una cámara móvil y su dueña, Aimee, estaba dos pisos más abajo. Aimee abría sobres con imágenes y las observaba. El resultado fue sorprendente: parecía que el papagayo percibía el pensamiento de su dueña, porque cada vez adivinaba lo que Aimee estaba mirando. El papagayo percibía su pensamiento y lo pronunciaba en inglés. Éste es un experimento único, pues hasta el momento no se han conocido casos similares con tal grado de exactitud y coincidencia.

OTROS EXPERIMENTOS CON ANIMALES Y PERSONAS

La BBC grabó documentales de otros experimentos con personas y animales: el dueño de un perro salía de su casa y empezaba a pasear por la ciudad sin rumbo alguno. En un momento determinado, la persona recibía una señal que le indicaba que volviera a casa. El equipo de rodaje filmó que, justo en el momento en el que el dueño tomaba la decisión de volver a casa, el perro se levantaba y se encaminaba a la puerta para esperar a su dueño. El experimento se repitió varias veces, y se demostró que no se trataba de una casualidad, pues se llegó siempre a los mismos resultados.

Cómo funciona exactamente la telepatía sigue siendo en la actualidad una cuestión sin respuesta clara. Tras años de investigación, lo que se puede afirmar es que el fenómeno existe. Ahora bien, no se sabe qué genera la telepatía, ni de dónde procede esta facultad especial que algunas personas parecen poseer.

caso podría considerarse el inicio del uso de la telepatía por parte de un gobierno. También en Occidente se investigó el fenómeno. Entre 1934 y 1939 el matemático S. G. Soal (1889-1979) examinó en la Universidad de Londres a 160 personas sometiéndolas a 100.000 pruebas. También los parapsicólogos Basil Shackleton y Rita Elliot consiguieron, en 1941, resultados que no podían ser fruto del azar.

La causa de este fenómeno, el porqué unos tienen la capacidad y otros no, se halla en la parte más oscura del conocimiento. Muchos científicos están convencidos de que todos nosotros tenemos facultades telepáticas, y de que podríamos poner en práctica ese «séptimo sentido» mediante ejercicios adecuados de sensibilización.

Los experimentos en el terreno de la telepatía siguen un patrón sencillo: la persona que se pone a prueba se sienta frente al examinador, que observa en un monitor símbolos e imágenes que van apareciendo al azar. El telépata debe especificar o dibujar qué imagen ha escogido mentalmente el examinador.

En aquellos experimentos las personas con dotes telepáticas pudieron «leer» lo que la otra persona pensaba, dibujar las imágenes que la otra veía. En innumerables pruebas se han obtenido índices de coincidencia muy impresionantes.

LOS CAMPOS MORFOGENÉTICOS

El biólogo inglés Rupert Sheldrake, que investiga desde hace años el fenómeno de la telepatía, desarrolló la tesis de los campos morfogenéticos. La tesis explica que la naturaleza almacena las informaciones en distintos campos, que se van interrelacionando. En su ejemplo más famoso, Sheldrake toma como refe-

El biólogo y filósofo Rupert Sheldrake (n. 1942) desarrolló la tesis de que existía una transferencia de información de generación en generación por medio de una especie de resonancia morfogenética a través del espacio y el tiempo.

El médium holandés Gerard Croiset (izquierda) se hizo famoso por sus predicciones y porque podía encontrar a desaparecidos. El profesor Hans Bender lo sometió en varias ocasiones al «experimento de la silla», en el que Croiset predecía dónde iban a tomar asiento determinadas personas a las que previamente se había asignado una silla al azar.

Precognición

«Precognición» significa conocimiento anterior, clarividencia, predicción y visión del futuro. Para la parapsicología, es la facultad de ver y presuponer acontecimientos futuros a través de percepciones extrasensoriales. Siempre han existido y existirán clarividentes, pero la cuestión es si son realmente de confianza las interpretaciones que hacen de los horóscopos, las líneas de la mano, las cartas y otros oráculos. ¿Hasta qué punto se puede predecir el futuro, y qué supondría eso para la humanidad y para sus valores?

MIEDO A LA MUERTE Y AL MÁS ALLÁ

Desde que existe la humanidad existe también el interés por saber qué vendrá, qué nos deparará el tiempo que está ante nosotros, los posibles peligros que oculta. Desde los tiempos más remotos, la humanidad se preocupa ante la muerte y por lo que le esperará en el más allá. Los oráculos eran respuestas que las pitonisas o sacerdotes de la gentilidad pronunciaban como dadas por los dioses; por eso se les buscaba y se les consultaba sobre el misterioso futuro.

Pero ese deseo no se dio sólo en el pasado, sino que en los tiempos modernos parece que incluso ha aumentado. Debido a la oleada esotérica, adivinos y médiums tienen una clientela cada vez más numerosa, como no la habían tenido desde la Edad Media. Resultaría difícil calcular el número de videntes que ejercen hoy en toda Europa porque muchos lo hacen como pasatiempo. Y no faltan clientes con fe, pues el 38% de la población adulta está convencida de que el futuro se puede

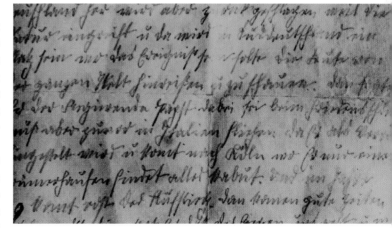

El miliciano alemán Andreas Rill informó en 1914 en dos cartas sobre un «francés que hacía profecías». Entre otras cosas, ofrecía datos concretos sobre el final de la Primera Guerra Mundial y el transcurso de la Segunda. Las cartas se sometieron a rigurosos exámenes y resultaron ser auténticas.

El físico y parapsicólogo alemán Helmut Schmidt, residente en América, construyó un aparato para el análisis de la precognición, la llamada «Four-Button-machine». La persona que hace el experimento elige un botón de entre cuatro para adivinar qué lámpara se iluminará. Se pone en funcionamiento un proceso al azar y una de las cuatro lámparas se ilumina. Si el médium es bueno, será la que haya escogido.

predecir. Pero, ¿hasta qué punto los clarividentes pueden ver el futuro? El mayor clarividente del último milenio, Nostradamus (1503-1566), hizo toda una serie de predicciones realmente desconcertantes. Entre otras cosas, predijo el fin del mundo anunciando las fechas por anticipado, siempre en Semana Santa, el 25 de abril, en los años 1666, 1734, 1886 y 1943. La próxima vez sobrevendrá en 2038.

LA PRECOGNICIÓN ES UN HECHO

A la hora de delimitar qué es la precognición y qué otros fenómenos paranormales, como la telepatía, siempre surgen problemas. Pero después de unos 100 años de investigación parapsicológica es posible remitirse ya a casos inequívocos, miles de pruebas de laboratorio y estudios experimentales sobre la precognición. A lo que hay que añadir que la investigación ha dejado de tomar como referencia fenómenos aislados para partir de la base de que cada uno de nosotros tiene la capacidad de prever el futuro. El parapsicólogo americano William Cox investigó sobre accidentes y el comportamiento de la gente. Cox comparó el número de pasajeros de trenes accidentados con el número medio de pasajeros que habían realizado esos trayectos los diez días anteriores. El día del accidente había un número de pasajeros considerablemente inferior que en otros

días. William Cox llegó a la conclusión de que mucha gente había tenido premoniciones inconscientes y que gracias a ellas se habían evitado, cuando menos, un buen susto.

LA VIDA COMO SUCESIÓN DE HECHOS PREDETERMINADOS

Los esfuerzos para predecir el futuro han sido ampliamente criticados porque, si fuera posible ver el futuro, nuestro saber global, nuestra moral y nuestra religión se pondrían en tela de juicio o habría que redefinirlos. La humanidad parte de la idea de responsabilidad y de libertad de elección de cada ser humano. Pero si el futuro estuviera ya determinado y lo pudieran «ver» personas capacitadas, nuestra vida no sería más que una sucesión de acontecimientos predeterminados. Para poder incorporar la precognición en nuestra visión del mundo tendría que cambiar nuestra concepción del tiempo y la causalidad, y sería necesaria una «nueva física» con puntos de vista radicalmente diferentes.

El futuro no se puede ver, el pasado sí. Esto es muy raro, porque no tenemos ojos en la espalda.

Eugène Ionesco

Visionarios famosos

VISIONARIOS EN LA ÉPOCA CLÁSICA

Grecia albergaba los famosos visionarios que se conocen a través de los mitos. Eran adivinos y anunciadores de la voluntad de los dioses y ejercían en lugares de culto o en oráculos (como el de Delfos). Los más conocidos son Tiresias, Anfiaro, Bakis, Calcas, Mopso, Epiménides y Anfíloco. También había mujeres visionarias, como la troyana Sibila, que se desplazaba de un lugar a otro y predecía la desgracia sobre ciudades y pueblos. En la historia de Troya encontramos a Casandra, cuyo destino fue augurar la caída de la ciudad y ser castigada por ello.

GRANDES VISIONARIOS DE LA HISTORIA

MICHEL DE NOSTRE-DAME, LLAMADO «NOSTRADAMUS» (1503-1566)

Es el visionario más famoso del último milenio, y pronunció profecías que llegan hasta el año 3000. Los versos de su libro, que parecen conocer toda la historia del mundo, están escritos en latín y codificados; por eso cada generación los interpreta de nuevo, y una y otra vez se revelan coincidencias sorprendentes. Una de sus grandes predicciones fue el atentado a John F. Kennedy de 1963, los atentados del 11 de septiembre de 2001, la guerra de Irak de 2003, los conflictos religiosos de la actualidad, y también los cambios climáticos.

Michel de Nostre-Dame, llamado «Nostradamus», ha sido uno de los visionarios más famosos de todos los tiempos.

Stefan Ossowiecki (1877-1944)

Entre sus poderes extraordinarios se contaban la psicometría (la facultad de ver personas y cosas a través de objetos), la telequinesia (mover objetos sin contacto corporal alguno) y la bilocación (estar en dos lugares a la vez). En 1917 los bolcheviques lo condenaron a muerte, pero consiguió huir a Varsovia. Durante la Segunda Guerra Mundial ayudó a mucha gente a encontrar a familiares desaparecidos. Fue asesinado por la Gestapo en 1944.

Stefan Ossowiecki fue un visionario ruso dotado de muchas facultades paranormales.

Erik Jan Hanussen (1889-1933)

En la década de 1920 Hanussen trabajaba como ilusionista en teatros de variedades. Como visionario, daba consejo a estrellas de cine, políticos y banqueros. Desde el principio apoyó a los nazis y se ganó las simpatías del movimiento. Al parecer, fue el clarividente de Adolf Hitler. Se cumplieron sus predicciones sobre el incendio del Reichstag (parlamento), la toma de poder y la noche del pogromo, o Noche de los cristales rotos. Por desgracia, en 1933 fue denunciado por ser judío y asesinado por la División de Asalto (SA) del partido nazi.

Margarita Meerstein, llamada «madame Buchela» (1899-1986)

Madame Buchela vaticinó el matrimonio de Soraya con el sha de Persia. Konrad Adenauer le consultó respecto a la repatriación de presos políticos de Rusia. Willy Brandt, Leonid Bréznev y Ted Kennedy le pidieron también consejo. Ella predijo el asesinato de John F. Kennedy, la guerra de los Balcanes y el sida. Como «visionaria de Bonn», parece que asesoraba a unas 80 personas al día.

Telequinesia

Uno de los fenómenos más enigmáticos de las paraciencias es la tele o psicoquinesia, es decir, la capacidad que tienen algunas personas de mover objetos, de transformarlos o incluso de mantenerlos suspendidos en el aire con la fuerza de su concentración mental. Aunque esa facultad primitiva probablemente está latente en cada uno de nosotros, pocos conseguimos despertarla.

UNA CAPACIDAD ENIGMÁTICA BASADA EN ENERGÍAS DESCONOCIDAS

Una persona con capacidad tele o psicoquinésica (dos expresiones para el mismo fenómeno) hace uso de una energía todavía desconocida para la mayoría de la gente. Algunos investigadores suponen que quien domina esta capacidad misteriosa produce una determinada interacción entre sus propias energías y las de los objetos que mueve. Se conoce también la macroquinesia, la capacidad de deformar visiblemente un objeto de la que hacía gala Uri Geller (véase el recuadro). En este terreno también tienen cabida los fenómenos *poltergeist* y las apariciones, que abordaremos más adelante. Otras expresiones y fenómenos relacionados son los cambios de datos del pasado (retro-psicoquinesia), la transformación de agua en hielo (crioquinesia) o aereoquinesia, relacionada con la influencia del aire.

EL DADO Y OTROS EXPERIMENTOS

En 1934 un jugador le contó al psicoinvestigador Joseph Banks Rhine que podía determinar cómo caería el dado. Acto seguido Rhine empezó a hacer una serie de experimentos. El investigador partía de una valoración estadística. Las personas y grupos del experimento superaron el pronóstico de probabilidad estática. Según Rhine, la conclusión llegaba casi a confirmar que se podía decidir qué cara del dado quedaría hacia arriba.

Otros experimentos parecían demostrar que ciertas personas, con la fuerza de su mente, podían desviar el recorrido de las gotas de agua. William E. Cox (antiguo asistente de Rhine) y el doctor Werner F. Bonin examinaron el fenómeno y llegaron a resultados sorprendentes. Bonin explicó que no se conoce la verdadera razón de los fenómenos telequinésicos, y que tampoco los podía razonar científicamente. Por eso muchas veces la telequinesia se acerca al terreno de fenómenos como el *poltergeist:* se trata de objetos que se mueven «impulsados por una mano fantasma».

Uri Geller en 1978 con una cuchara doblada. Al parecer, consiguió darle esta forma con la fuerza de su mente.

Uri Geller

Uri Geller nació en Tel Aviv en 1946 y actualmente reside en el Reino Unido. En los años setenta era famoso en el mundo entero como persona con poderes psíquicos que, a distancia, podía doblar cucharas, poner en marcha relojes antiguos y desviar las agujas de las brújulas.

Para liberar energías telequinésicas hay que:

- estar en buena forma física y mental,
- poder notar la energía de los objetos situados cerca,
- poder entrar fácilmente en un estado parecido al trance,
- poder concentrarse al máximo en una cosa,
- poder cargar y concentrar la propia energía,
- entrar en contacto energético con el objeto y controlarlo.

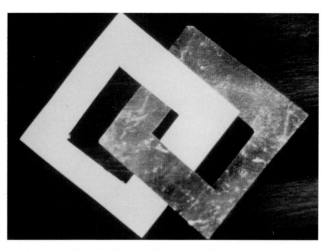

El «objeto imposible» de Silvio Mattioli: dos cuadrados recortados de papel que aseguró haber entrelazado por medios psicoquinésicos sin que se produjera ninguna rotura.

DUDAS SOBRE LA TELEQUINESIA

Desde el siglo XVIII se han ido llevando a cabo experimentos psicoquinésicos con la intención de verificar científicamente los diferentes fenómenos. A este ámbito de observación pertenecen también los movimientos de mesas y vasos. Se consiguieron resultados que certificaban en parte que ciertas personas eran capaces de mover objetos sin tocarlos. En aquel tiempo creció el entusiasmo por los fenómenos paranormales o extrasensoriales. En gran parte, el movimiento filosófico de la Ilustración fue el responsable de todo esto. Se querían redefinir los parámetros científicos, sociales y morales para contrarrestar las supersticiones religiosas y la ignorancia general. Por desgracia, en el terreno de la psicoquinesia se han desta-

pado muchos embustes, como las patrañas que presentaban magos y artistas del truco en los teatros de variedades. Por eso la telequinesia es tan controvertida. Algunos críticos de la parapsicología esgrimen la falta de pruebas veraces y por tanto repetibles a voluntad. Los críticos dicen además que cuanto más se desarrolla la precisión de los instrumentos de medida, más pequeños son los objetos movidos.

En un experimento de Richard Broughton, la persona debe determinar mentalmente la caída del dado virtual, regido por un generador aleatorio.

Psicometría

Ciertas personas psicológicamente sensibles pueden percibir como un lugar insoportable una casa vacía pero en la que haya sucedido algún hecho traumático, como una muerte o un suicidio. Por otra parte, un antiguo juguete puede provocar en ellas un efecto positivo. Objetos y lugares están cargados de sensaciones y recuerdos. ¿Cómo es posible que determinadas personas tengan un grado de percepción de ese calibre sobre cosas y lugares?

Humberto di Grazia en una necrópolis preetrusca con dólmenes. Este médium romano está especializado en descubrir parajes arqueológicos gracias a sus facultades paranormales.

REVIVIR HECHOS TOCANDO EL ARMA DEL DELITO

En parapsicología, la psicometría es la capacidad de dar testimonio de estados o acontecimientos del pasado; a la persona que tiene esta facultad le basta con hallarse en un lugar o tocar un objeto concreto para evocar toda una escena. Visionarios de este tipo afirman que serían capaces de reconstruir un crimen en su mente con sólo, por ejemplo, tocar el arma del delito. Como otros muchos fenómenos de la parapsicología, también éste es bastante controvertido. El conocido visionario e ingeniero ruso Stefan Ossowiecki hizo gala en un congreso internacional de arqueología de su extraordinaria capacidad para la psicometría: después de tocar una herramienta prehistórica que estaba expuesta, dio unas explicaciones sorprendentemente detalladas sobre modos de vida de la época. Años después sus declaraciones se confirmaron con métodos arqueológicos clásicos y con nuevos medios científicos.

APLICACIÓN EN MEDICINA

La psicometría encuentra aplicación concreta en la medicina. El médico Tino Merz asegura que este procedimiento, extremadamente sensible, es el único válido para examinar a personas que han sufrido graves lesiones por contacto con productos químicos. La psicometría vendría a posibilitar el tratamiento de personas con un alto grado de sensibilidad a los productos químicos. Tino Merz opina que ciertos estudios sobre organofosfatos no serían posibles sin este examen, ya que de otra forma no se podría afirmar nada sobre posibles infestaciones.

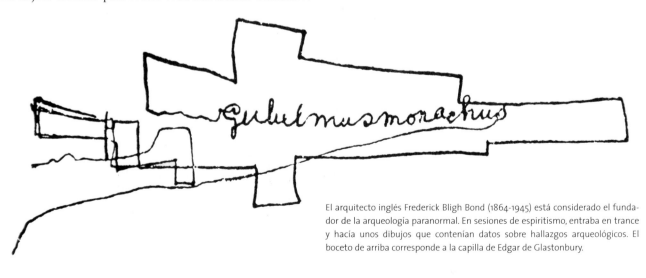

El arquitecto inglés Frederick Bligh Bond (1864-1945) está considerado el fundador de la arqueología paranormal. En sesiones de espiritismo, entraba en trance y hacía unos dibujos que contenían datos sobre hallazgos arqueológicos. El boceto de arriba corresponde a la capilla de Edgar de Glastonbury.

Aura

«Aura» significa hálito, aliento, soplo. Muchos parapsicólogos coinciden en que, más que existir por sí sola, consiste en la interacción entre los que la llevan y los que la ven. Una persona luce un aura por una facultad concreta, revelando de esa forma su vitalidad, mientras que otro individuo, especialmente sensible y preparado, la percibe. Pero, ¿qué nos revela exactamente el aura?

CAMPO DE ENERGÍA EMOCIONAL Y DE SALUD

Zeus transformó en fuente a la ninfa Aura, compañera de la diosa Artemisa. De ahí que todavía hoy en día se considere que el aura es una brisa suave o un hálito refrescante. Para la parapsicología el aura es la emanación de los estados del alma de una persona, y es visible para algunos médiums y visionarios. El color y la intensidad del aura determinan el estado de salud de la persona y pueden indicar el tratamiento adecuado de un enfermo, pues el aura no sirve sólo para establecer el diagnóstico, sino que también es útil en la terapia. El aura es una especie de campo de energía emocional o de salud.

Las representaciones artísticas de la ninfa Aura la muestran con un pañuelo en la cabeza ondeando al viento. Pero son más conocidas las representaciones del aura que han proporcionado las diferentes religiones, en las que Buda, Jesús o los santos se muestran rodeados de una luz o aureola. Hasta ahora no se ha comprobado todavía cuáles son las facultades que hacen

Fotografía Kirlian

Este nombre se ha dado al descubrimiento fortuito de un tipo de fotografía que hizo el ucraniano Semyon Davidovich Kirlian en 1939 cuando estaba reparando unos aparatos médicos. Consiste en fotografiar a una persona (o parte de ella) o un objeto que sea conductor eléctrico, y aparece a su alrededor un campo eléctrico, el aura. Según el color de ese campo eléctrico se puede realizar un diagnóstico de la energía. Algunos curanderos afirman que incluso el cáncer se puede detectar de esta forma. Pero es una cuestión bastante controvertida si con la ténica Kirlian se pueden o no reconocer enfermedades o estados de ánimo.

posible que una persona vea el aura de otra y la interprete en consecuencia.

En 1939 Semyon Davidovich Kirlian descubrió de manera casual este tipo de fotografía, que muestra el aura de un cuerpo o una parte de él. Aquí se aprecia el aura de las yemas de los dedos de las manos y de los pies de una persona.

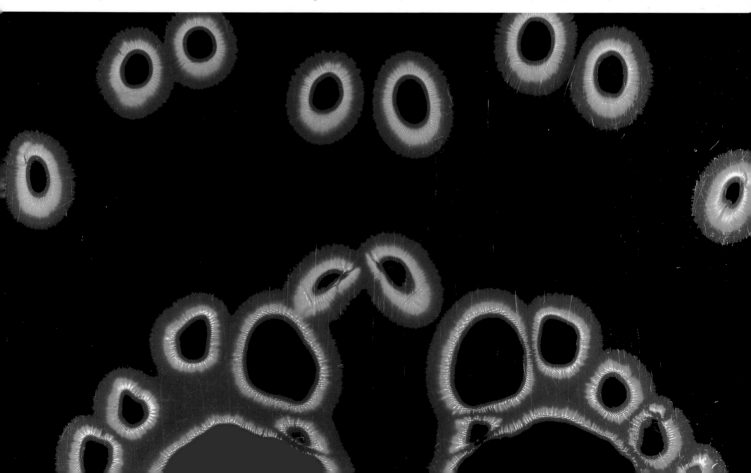

De muchos castillos, como del escocés Fyvie Castle, se dice que albergan fantasmas. En éste hay manchas de sangre que no se han podido limpiar, y está rodeado de historias de espíritus y de vientos helados que no se sabe de dónde soplan.

Apariciones y *poltergeist*

Los *poltergeist* (del alemán *Polter*, «espíritu», y *geist*, «ruidoso») son fenómenos que consisten en ruidos, movimientos de objetos o descargas eléctricas, y se dice que los provocan espíritus con sed de venganza. Así pues, los inofensivos duendes a los que parece remitir el término alemán pasan a convertirse en tenebrosos acompañantes.

CONTACTAR CON EL LADO OSCURO

En el marco de las paraciencias, los fenómenos de *poltergeist* se engloban en la telequinesia, porque también implican el movimiento de objetos por obra y gracia de «una mano fantasma». Muchos sucesos que en un principio se perciben como sobrenaturales, después de llevar a cabo un examen más preciso y riguroso resultan ser fruto de bromas o bien reacciones normales a fenómenos atmosféricos.

Pero, en ocasiones, ni aun después de mucho investigar y comprobar científicamente se puede atribuir a esas señales acústicas o movimientos de objetos una causa razonable, y entonces el fenómeno entra en el terreno de la parapsicología. Eso fascina a mucha gente, que ve tras ello el contacto entre dos mundos, un acercamiento al lado oscuro.

APARICIONES COMO CONSECUENCIA DE UN ESTADO DE EXTREMA AGITACIÓN NERVIOSA

Numerosos estudios han demostrado que los fenómenos de *poltergeist* aparecen muchas veces en el entorno de adolescentes o de gente que está interesada en ellos. En 1958 los parapsicólogos americanos J. Gaither Pratt y William G. Roll definieron el *poltergeist* como «psicoquinesia espontánea» (RSPK, *recurrent spontaneous psychokinesis*). Según su investigación, el *poltergeist* no es un espíritu, fantasma o visión, sino la proyección de personas con una gran tensión emocional, como los adolescentes. En sus exámenes, esa energía en tensión se traducía en descargas telequinésicas. También el profesor alemán de parapsicología Hans Bender investigó en las décadas de 1960 y 1970 fenómenos de este tipo con adolescentes, y llegó

Uno de los libros más antiguos sobre lugares encantados, de Petrus Thyraeus: *Loca infesta,* Colonia, Cholinus, 1598.

a la conclusión de que lo que provocaba los fenómenos telequinésicos era una especie de desdoblamiento inconsciente de la personalidad. Lo cual apoya la creencia generalizada entre los investigadores de que el origen hay que buscarlo primero en los mismos afectados, es decir, en su mundo interior. El parapsicólogo Theo Locher propuso como explicación científica al fenómeno de las apariciones la esquizofrenia, las alucinaciones o la agitación nerviosa extrema.

CASAS ENCANTADAS

Pero cuando una aparición o *poltergeist* no se puede explicar con esos términos el asunto resulta inquietante. En una casa de Wroclaw sucedió un acontecimiento misterioso: de la mansión salía un canto inexplicable. Los científicos que estudiaron el caso estuvieron de acuerdo en que los sonidos, procedentes de las bóvedas del sótano, parecían terminar en los muros de la casa. Ninguna ley de la acústica podía explicar tal cosa, y también se excluyó la posible perturbación mental de los que oían los sonidos; además, eran muchos.

En Stands, Suiza, se puede visitar la mansión «encantada» de la familia Joller. Los habitantes de la casa recogieron durante mucho tiempo en un libro los fenómenos extraños que ocurrían en su hogar; habían empezado un buen día con golpes y arañazos en presencia de toda la familia reunida, algo parecido al caso de Wroclaw. Se invitó a testigos y se buscó una explicación científica. Pero la ciencia no la encontró y hasta la fecha no se sabe qué es lo que propicia el fenómeno. Una mañana, Joller amaneció perturbado y con el pelo blanco, y un año después, en 1865, murió. Su libro *Místicos sucesos vividos en primera persona* está en paradero desconocido, aunque se sabe de su existencia por los apuntes que existen.

Hay numerosos testimonios de máquinas que han dejado de obedecer a los mandos y han pasado a funcionar a su albedrío. Para muchos, este tipo de sucesos son una prueba de la existencia de un mundo paralelo de espíritus, mensajeros de los muertos. ¿Coexiste paralela a nuestra realidad otra desconocida, el misterioso mundo los espíritus?

Este aparato especialmente diseñado registra las oscilaciones de temperatura repentinas. Se utiliza para documentar los «soplos de aire frío» en los casos de aparición de fantasmas.

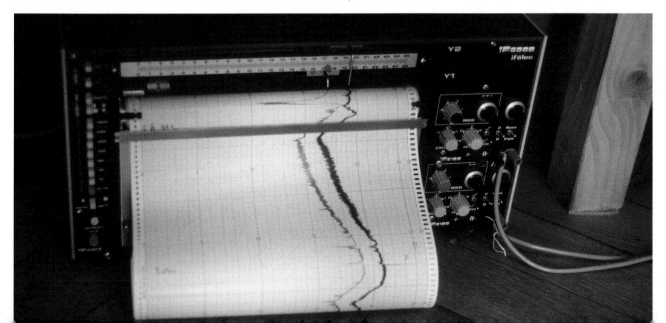

Levitación

Una persona o un objeto se elevan por encima del suelo y quedan en suspenso. En el seno de la Iglesia católica este fenómeno se considera una bendición que se concede a los santos. Al parecer, san José de Copertino fue famoso por su facultad de levitar. ¿Qué tipo de concentración energética es necesaria en una persona para que por medio de la fuerza mental pueda elevarse por encima del suelo?

EL AGUA PUEDE LEVITAR

El agua es visible, tangible y, cuando está en forma de hielo, sólida. Si se calienta el hielo, se derrite, cambia de estado y se convierte en líquido. Aunque sigue siendo tangible, no lo es tanto como el hielo. Si se continúa subiendo la temperatura del agua, se convierte en vapor. El agua se ha vuelto volátil e intangible, y apenas visible. Sigue siendo la misma agua, pero ha ido cambiando de estado: sólido, líquido y gaseoso. Después de la última transformación, como vapor, se puede seguir manipulando: si se enfría el vapor, se vuelve a convertir en agua, y luego en hielo. En resumen, el agua tiene la capacidad de levitar, de moverse para viajar. Esto último no es sólo un ejemplo gráfico que explique la levitación, sino que sirve también de explicación de la bilocación que se tratará en el capítulo siguiente.

EL SUEÑO DE VOLAR

La parapsicología considera la levitación como una forma de psicoquinesia que consiste en la capacidad de las personas de elevarse por encima del suelo sin apoyo alguno. Sobre este tipo de fenómenos encontramos relatos en casi todas las culturas. La Biblia cuenta cómo Jesús levitaba y podía caminar por encima del agua; de ahí que la Iglesia católica considere la levitación signo de santidad. Esta capacidad se atribuye a unos 230 santos. Algunos de ellos, como Teresa de Ávila, abordan la cuestión en sus escritos. Pero no podemos olvidar que volar es un tema recurrente de los sueños; de hecho, es el sueño por antonomasia de la humanidad.

La maga inglesa Adelaida Hermann hizo levitar a una joven mientras dormía.

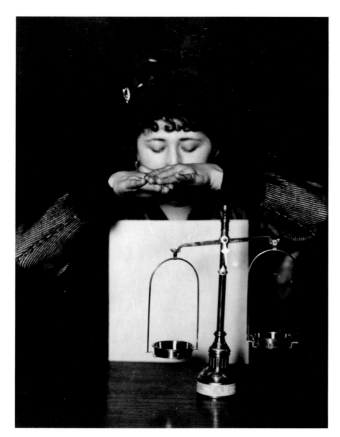

La médium polaca Stanislawa Tomczyk era capaz de decantar las balanzas por medios telequinésicos.

LA HUIDA POR LA VENTANA

A mediados del siglo XIX el estadounidense Daniel Douglas Home (1833-1866) causó sensación en círculos intelectuales europeos por su capacidad de volar. Personalidades como Mark Twain, John Ruskin o William Crokes, este último presidente de la Royal Society, fueron testigos de sus demostraciones de vuelo. Crokes escribió en el *Quarterly Journal of Science* que tuvo que superar una contradicción interna al ver lo que vio y tocó con sus manos, teniendo en cuenta su absoluto convencimiento de que las personas no pueden volar. Él mismo vio, escribe, cómo Home salió volando de una ventana de un tercer piso de Londres y luego entró, también volando, por otra ventana distinta.

A santa Teresa de Ávila se le atribuye la capacidad de levitar.

VUELO YÓGUICO, UNA TÉCNICA DE MEDITACIÓN TRASCENDENTAL

En el esoterismo, el vuelo yóguico es una técnica de meditación trascendental. En un primer estadio, las personas que meditan van dando saltitos, en el segundo, vuelan. El primer estadio se ha alcanzado, y hay fotos que muestran a personas en posición de meditación sin contacto con el suelo.

El fenómeno *sidhi* (así es cómo se denomina la levitación en el contexto de la meditación trascendental) conduce, según los practicantes de esta técnica, a una mejora de la armonía entre mente y cuerpo. Algunas investigaciones han demostrado su efecto positivo en la mente, el cuerpo, la actitud y el entorno. En el ámbito de los practicantes de la meditación trascendental se asegura que bastaría con que un grupo de 1.000 personas ejercitaran a la vez el vuelo yóguico para cambiar la conciencia colectiva de tal modo que crecerían la solidaridad, la armonía y el pensamiento positivo, y disminuirían el estrés, la violencia y las tensiones sociales. A todo lo cual se han asignado datos estadísticos: un descenso de la criminalidad de un 20%; del 25% para el número de accidentes de tráfico, y de un 35% para la tasa de desempleo.

Bilocación

Si una persona apareciera a la vez en dos lugares distintos, se trataría de un caso de bilocación. Se dice de muchos santos de la Iglesia católica que poseían este don misterioso. Pero también otras personas con facultades especiales han conseguido hacer viajar su cuerpo astral.

VIAJES ASTRALES A DOS LUGARES A LA VEZ

El cuerpo astral, formado por las más diminutas partículas indestructibles, es el «cuerpo de las almas». Según Paracelso, es una fuerza visible que opera en el cuerpo. La meditación y una profunda concentración hacen posible que, en determinadas condiciones, las personas puedan separar su cuerpo astral del físico, llevar a cabo viajes astrales y aparecer a la vez en dos lugares distintos del mundo.

La parapsicología califica de «materia sensible» todo aquello que se encuentra fuera del terreno de la fantasía pero a lo que no se puede dar una explicación científica. Manifestaciones físicas a este nivel se denominan «cuerpos fluidos». Otras denominaciones usuales son las de «doble» o «desdoblamiento». Ha habido personas que, como el poeta y aventurero Lord Byron (1788-1824), han cultivado la imagen de lo oculto, lo que hoy en día se llamaría «paranormal», y han sacado provecho del fenómeno de los viajes astrales. Lord Byron construyó su imagen de encarnación del diablo y enroló a dobles, que, con él, se dejaban ver en diferentes sitios de Europa a la vez, fingiendo viajes astrales.

EJEMPLOS RELIGIOSOS DE APARICIONES SIMULTÁNEAS EN VARIOS LUGARES

Los ejemplos religiosos de bi o multilocación, como el caso del padre Pío, indican, según lo explican los psicólogos, que personas muy religiosas tendrían la capacidad de desencadenar este tipo de fenómenos con la fuerza de su fe. El padre Pío fue visto en innumerables lugares del mundo, donde protegió a algunas personas de accidentes. En el caso del general italiano Cardona, impidió que se suicidara. El hecho es que el padre Pío jamás abandonó el monasterio mientras vivió. Los críticos y escépticos reprochan la devoción exagerada de muchos católicos y consideran estas historias como una estrategia de la Iglesia para conservar y atraer a los creyentes a través de misterios.

El fenómeno de los viajes astrales es conocido sobre todo a través de las experiencias cercanas de muerte (véase la página

En un experimento sobre experiencias extracorpóreas en el Instituto de Psicología de la Universidad de Colonia se examinó a la yogui india Pushpal Behen (a la derecha) y se documentaron los resultados.

Durante la fase del viaje astral, el encefalograma de Behen (EEG) mostró un incremento de las ondas de baja frecuencia, lo que es indicativo tanto de un estado de relajación total como de un alto grado de atención.

188). Pero hasta ahora la parapsicología no ha dado con la explicación de la bilocación o el viaje astral.

La Iglesia alega que, antes de la beatificación, se han examinado de manera extremadamente cautelosa, durante un largo período, todas las acciones de los santos, recurriendo a testigos y comprobando las posibles relaciones. Sólo entonces se canoniza a la persona. Quedaría abierta la cuestión de si la bilocación, fenómeno común a muchos santos, se puede considerar una prueba de santidad.

Informe de un testigo ocular de la bilocación del padre Pío

Un día entró en la sacristía un oficial de la armada italiano y, al ver al padre Pío, dijo: «Sí, aquí está. Estoy en el lugar adecuado». Se acercó al padre Pío, se arrodilló ante él y dijo con lágrimas en los ojos: «Padre, le doy las gracias por haberme salvado la vida». A los demás presentes, les dijo: «Yo era capitán de infantería. Un día, en hora terrible, en medio del campo de batalla, vi a un religioso que decía: "Señor, ¡váyase lejos de aquí!". Yo me dirigí hacia él y, nada más dar unos pasos, explotó una granada justo en el lugar en el que me encontraba segundos antes. La granada abrió un cráter en el suelo. Yo tropecé en el intento de encontrar al religioso, pero ya no estaba allí». (3) El padre Pío le había salvado la vida por medio de la bilocación.

El poeta y aventurero inglés Lord Byron (1788-1824) gustaba de hacerse pasar por una encarnación del demonio.

Una sesión de espiritismo tal y como se representó en la película muda de Fritz Lang *El doctor Mabuse*. Alrededor de la mesa están sentados los participantes, que se tocan con la punta de los meñiques para cerrar el círculo y concentrar así la energía.

Espiritismo

Quien cree en el espiritismo cree que los muertos se pueden comunicar o manifestar como fantasmas, a través de médiums. Surgido de las bases del ocultismo, el espiritismo intenta que los espíritus influyan en el mundo de los vivos. ¿Existen en verdad los espíritus? ¿Pueden los vivos entrar en contacto con los muertos y comunicarse con ellos?

BREVE HISTORIA DEL ESPIRITISMO
COMO FENÓMENO DE MASAS

El espiritismo moderno existe como fenómeno de masas desde 1848. El desplazamiento autónomo de vasos y mesas en sesiones más o menos concurridas y los médiums dieron origen a un movimiento que hoy en día ha alcanzado en Brasil el estatus de religión y cuenta con 4,6 millones de seguidores. El francés Léon Hippolithe Denizart Rivail, más conocido como Allan Kardec, reunió en el *Libro de los espíritus* y el *Libro de los médiums* historias de varias apariciones. En la actualidad ambos libros se consideran manuales. En particular de la mano de destacados médiums, como el estadounidense Daniel Douglas Home (véase la página 201), en el siglo XIX aparecieron en Estados Unidos y el Reino Unido círculos espiritistas, sociedades y revistas. En 1882 se unificaron muchos grupos para formar la *Society for Psychical Research* e investigar conjuntamente fenómenos paranormales. La parapsicología moderna tiene sus raíces en este movimiento.

A partir de la Segunda Guerra Mundial el espiritismo experimentó una nueva expansión en Europa y Estados Unidos.

Pero hoy en día se espera que una investigación sobre el más allá sea objetiva y se base en hechos. Ahora interesa más la parte práctica que las ideas románticas y los dogmas religiosos. En su libro *El otro mundo,* de 1962, el autor e investigador del más allá Hans Geisler apunta que preguntas sobre la eternidad, el más allá, el sentido y el objetivo de la vida se tienen que tratar con una exactitud y profundidad de naturaleza científica. La experimentación y la verificación han pasado al primer plano. Según Geisler, repartidos por todo el mundo hay unos 200 millones de personas que de una manera activa o pasiva se interesan por el espiritismo.

LAS TÉCNICAS DEL ESPIRITISMO

Las técnicas de invocación de espíritus son muy diversas, y todas ellas válidas a su manera. La cuestión es comunicarse con los espíritus, independientemente de si se consigue por el desplazamiento de mesas o sillas, a través de la escritura automática o hablando o haciendo experimentos con la grabación de voces. Todas esas técnicas, utilizadas de manera adecuada, conducen a un mismo objetivo: la comunicación con el mundo de los espíritus y de los muertos. El efecto es más notorio cuando está presente un médium, una persona con capacidades energéticas extraordinarias.

En una sesión de espiritismo con la médium italiana Eusapia Paladino, una mesita parecía moverse por telequinesia. Sin embargo, es bastante evidente que era la mujer quien la estaba sosteniendo por debajo.

En este grabado del siglo XIX se representa a un espíritu manifestándose en una sesión de espiritismo para transmitir a las personas reunidas información sobre el más allá.

Naturalmente, se plantea la cuestión de cómo identificar al ente con el que se ha establecido contacto. No se puede dar por sentado que el que se manifiesta sea el mismo que ha sido invocado. En su obra romántica *Teoría de los espíritus,* Johann Heinrich Jung-Stilling escribió a principios del siglo XIX que el mundo estaba habitado por espíritus y que nos veían tan poco como nosotros los vemos a ellos. Si se produjera un contacto fortuito, ellos huirían igual que lo haríamos nosotros. Un contacto positivo tiene como resultado un intercambio fructuoso para ambos. Según el autor, tampoco se puede dar por sentado que un espíritu siempre vaya a ser favorable, ya que, al igual que entre los vivos hay gente peligrosa, en el mundo de los espíritus también la hay. Es incuestionable que el contacto con el mundo paralelo entraña ciertos riesgos. A continuación se describirá la técnica más habitual de invocación: el desplazamiento de un vaso.

El desplazamiento de un vaso

El desplazamiento del vaso es la técnica más sencilla y la preferida de los principiantes, ya que en la mayoría de los casos se obtiene un resultado rápido. Se necesita una mesa de superficie resbaladiza, un vaso y papel con el alfabeto, los números del cero al nueve y las palabras «Sí» y «No». El vaso se sitúa invertido en el centro y los participantes ponen cada uno un dedo en la base. Tras una concentración máxima, se procede a invocar a un espíritu. Se puede tratar, por ejemplo, del de un fallecido próximo a alguno de los asistentes. Si la toma de contacto es exitosa, el vaso empezará a moverse. Los participantes hacen preguntas, que el espíritu responde desplazando el vaso de una letra a otra. Aquí surge un problema, ya que muchas veces las respuestas llegan de manera telepática a la conciencia de los participantes (o a la de uno de ellos). En ese momento hay que aprender a determinar si realmente se ha establecido una comunicación con el espíritu o si simplemente se trata de información que procede del propio inconsciente.

En las sesiones de espiritismo los participantes suelen formar una cadena, es decir, tocarse para cerrar un círculo. Por detrás de la médium Linda Gazzera (centro) aparece ectoplasma.

El ectoplasma

En biología se denomina «ectoplasma» a la parte exterior o capa del citoplasma de una célula viviente. En parapsicología, es supuestamente la materia blanca grisácea que, a modo de nube, asciende del médium cuando entra en contacto con un espíritu. El ectoplasma se considera una sustancia orgánica, inestable y sensible a la luz que segregan los espíritus, posibilitando así su materialización y la realización de acciones telequinésicas. El ectoplasma no se ve a simple vista, pero sí que aparece en las fotos. Muchos científicos creen que esa sustancia no identificable es el resultado de una manipulación con algún tipo de gasa.

Riesgos del espiritismo y de la invocación de espíritus

Los parapsicólogos hacen hincapié insistentemente en los peligros que entrañan los ejercicios espiritistas. Como muchas personas se acercan a este misterio sin preparación, no son conscientes del riesgo potencial ni de las posibles consecuencias. El autor Johann Edgar cita los siguientes inconvenientes:

DEPENDENCIA Y CONFIANZA INCONDICIONAL

Muchas veces se acaba recurriendo al espiritismo como una ayuda para la toma de decisiones en determinadas situaciones de la vida, lo cual debilita la propia capacidad de decisión. En especial la gente más débil corre el riesgo de que su juicio dependa de las respuestas que obtenga en las sesiones. Edgar previene contra el hecho de dejar que la voluntad propia la determine el mundo paralelo. Según parece, los espíritus no sólo son buenos gastando bromas a los que les consultan ciegamente, sino que algunos podrían incluso esconder malas intenciones.

SENSACIÓN DE MIEDO

A muchos principiantes, después de la sesión de espiritismo los invade una sensación de miedo, sobre todo si el encuentro se ha llevado a cabo de forma inadecuada. Eso sucede sobre todo cuando se han producido materializaciones (apariciones de espíritus). En ciertos casos el miedo se vuelve tan insoportable que se necesita ayuda médica.

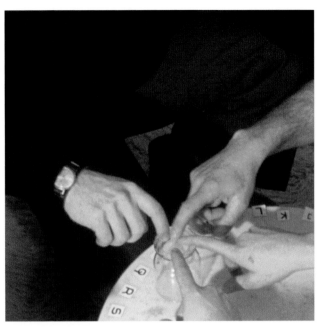

La energía de un espíritu invocado en una sesión desplaza un vaso encima de la mesa, de letra en letra, para escribir el mensaje, la respuesta a una pregunta planteada por uno de los participantes de la sesión espiritista.

INVASIONES Y POSESIONES

Edgar define la invasión como la influencia negativa que ejerce una criatura del mundo paralelo. La persona afectada está literalmente «invadida» por la criatura, que influye en su vida hasta el punto de incapacitarla para actuar de manera autónoma. Cuando el fenómeno se agudiza se habla de «posesión»: una criatura externa ejerce un control sobre el cuerpo de la persona afectada. El peligro que entraña esta situación es que puede suponer, como en los casos de drogodependencia, la discriminación social, la necesidad de tratamiento psicológico, o incluso abocar a la persona en cuestión al suicidio.

En una sesión de espiritismo se envolvió a la médium polaca Stanslava P. en un tejido de punto y se le taparon la cabeza y las manos con un velo para evitar cualquier tipo de engaño. De su boca manó ectoplasma.

Allan Kardec

Allan Kardec (1804-1869), pionero de la práctica espiritista, fue alumno de Johann Heinrich Pestalozzi. Primero fue pedagogo, y más tarde investigador espiritista. Sus libros se vendían en tiradas de centenares de miles. Su obra gozó de especial reconocimiento en Brasil, donde incluso en 1957 se editó un sello con su imagen en honor a los 100 años de la primera edición de su *Libro de los espíritus*.

El fisiólogo y Premio Nobel Charles Richet encomió también la aportación de Kardec en el terreno del espiritismo : «Debemos reconocer sin reserva alguna la energía intelectual de Allan Kardec, que siempre se apoya en su experimento: debemos ver en su obra no sólo una gran teoría homogénea, sino una impresionante recopilación de hechos».

El zahorí King Faria, antiguo ganadero, con su horquilla. Durante la gran sequía de California, se le llamó para que buscara pozos en terrenos privados.

Radiestesia

A la vista de ciertos relatos mitológicos, ya en Roma y Egipto se conocía la radiestesia. Golpeando el suelo con una varilla horquillada, los zahoríes pueden detectar agua, oro, carbón, bronce, petróleo, minerales o incluso tesoros escondidos. A veces los zahoríes se confunden con magos, porque causan sensación cuando de verdad encuentran oro o bronce.

DESCUBRIMIENTOS POR RADIACIÓN ESOTÉRICA

Las varillas para radiestesia son un bastón de madera de forma ahorquillada, la mayoría de las veces de nogal o sauce, aunque desde hace un tiempo también puede ser de plástico o metal. El zahorí sostiene la horquilla por los extremos con las dos manos sin aplicar tensión, alejando de su cuerpo la base, que es la que reacciona a las radiaciones de la tierra y oscila. Según los zahoríes, las radiaciones que perciben no son de naturaleza física sino esotérica. Los zahoríes describen su acción como fruto de un proceder meditado y no como una mera percepción. Según sus declaraciones, cuando están buscando tienen la capacidad de colocarse ante el material deseado, y entonces la horquilla se arquea. Ellos parten de la idea de que cada material emite una vibración característica, que penetra a través de todo y que el zahorí puede sentir. Algunos zahoríes

Aguafuerte que muestra las diferentes maneras de sujetar la horquilla.

pueden también descubrir focos patógenos en los enfermos. Como médicos naturistas, determinan la tolerancia a remedios o alimentos. Los críticos colocan estas actividades en el marco del ocultismo, o en cualquier caso allí donde no se llevan a cabo análisis científicos.

HISTORIA DE LA RADIESTESIA

La radiestesia se conoce desde el siglo XVI. Se parte de la idea de que la madera de determinados árboles tiene energías especiales, sobre todo la del muérdago. Esta creencia derivaba de las varitas mágicas, que tenían que estar hechas de una «madera especial». Aunque también podría ser que todo derivara de la manera ancestral de echar la buenaventura: tirando unos palos. Moisés golpeó las rocas con un bastón para encontrar agua, y el dios griego Hermes poseía un bastón en forma de serpiente que abría los infiernos. El dios germánico Wotan era el señor del «deseo y del bastón».

En la Edad Media es cuando se empiezan a encontrar referencias a zahoríes que utilizaban ramas para encontrar minerales. Ya entonces resultaba un método controvertido. En la noche de san Juan, se cortaban ramas de nogal, que desde entonces se considera una madera muy adecuada. Hasta entrado el siglo XIX las varillas adivinatorias gozaban de una amplia utilización, haciendo uso de ellas también geólogos y físicos. En el siglo XVII el zahorí francés Jacques Aymar afirmó

El efecto Carpenter

El efecto Carpenter, llamado así por el psicólogo inglés Walter Benjamin Carpenter (1813-1885) dice que la simple idea de que algo se va a mover puede desencadenar el movimiento. Como ejemplo serviría el comportamiento de los espectadores ante un evento deportivo: en ellos despierta un impulso de participar en lo que ven, o también provoca el movimiento deseado. Se trata de sugestión. En parapsicología, fenómenos como el del desplazamiento del vaso, la oscilación del péndulo o la radiestesia se explican por este efecto.

que con su varilla podía incluso detectar delitos. Por un lado se atribuían a Aymar poderes sobrenaturales, pero por otro lado también fue duramente criticado.

Existe la creencia de que hay campos de fuerzas «electrométricos» que afectan a personas especialmente sensibles.

Se han hecho muchas pruebas para verificar el efecto real de las varillas o para desenmascarar posibles embustes. Los críticos confían poco en las varillas adivinatorias y atribuyen el fenómeno al llamado «efecto Carpenter».

Un zahorí intenta averiguar con sus varillas qué medicamento homeopático es más adecuado para un paciente examinando los medicamentos y al paciente alternativamente.

Hipnosis

Durante mucho tiempo la hipnosis, antiguamente explicada como «magnetismo», tuvo fama de ser algo sobrenatural e impresionaba a la gente supersticiosa. La hipnosis consiste en cambiar el estado de conciencia de un paciente. ¿Hasta qué punto es capaz un hipnotizador hábil de influir en el estado mental y corporal de una persona? ¿Se dan durante la hipnosis procesos psíquicos especiales? ¿Es la persona que está en trance un juguete sin voluntad? Lo que generaron preguntas como éstas fue la concepción de que la hipnosis estaba en el terreno de lo sobrenatural.

LA SUGESTIÓN DE LA MENTE

Hace unos 200 años que la hipnosis se somete a exhaustivas investigaciones científicas, y fue a mediados del siglo XIX cuando el médico inglés James Braid (1795-1860) introdujo el concepto. Pero el estudio científico decisivo de este fenómeno, es decir, de la forma de predisponer a la persona en cuestión o paciente a determinadas influencias, se desarrolló entre los años 1850 y 1980. Entre esas influencias se cuentan la concentración y recuerdo limitado, la sugesión de determinadas ideas, reacciones y sensaciones, así como también cambios corporales.

Definición de «hipnosis» desde un punto de vista médico
En el manual de medicina de Merck el concepto de «hipnosis» se define de la siguiente manera:
«La hipnosis es un proceso en el que determinados contenidos mentales (recuerdos, conceptos, sentimientos...) de la percepción consciente se desvanecen y escapan a la voluntad». (5)

La hipnosis goza de una larga tradición. En esta foto, un grupo de médicos franceses observando cómo un colega hipnotiza a un paciente.

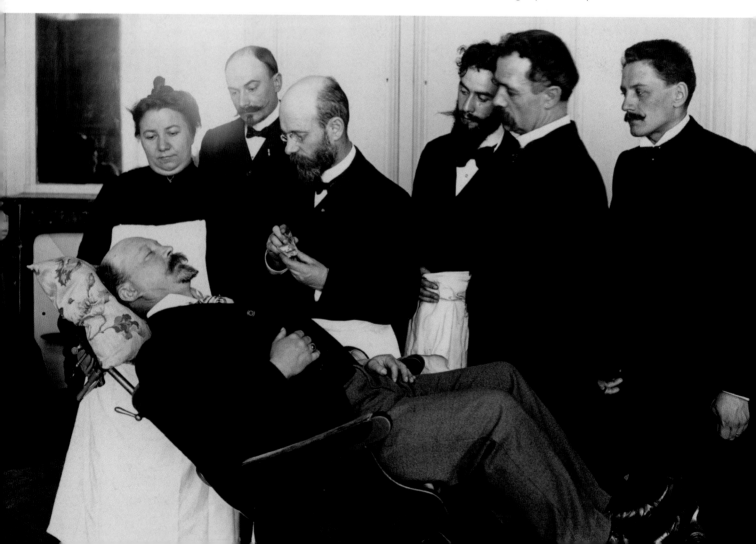

Las «órdenes posthipnóticas» son aquellos mandatos dados durante la hipnosis que fluirán desde el inconsciente para hacer que el paciente los obedezca cuando se haya despertado. La persona cree estar actuando por iniciativa propia.

Es totalmente erróneo suponer que durante la hipnosis transcurran procesos psíquicos especiales: la hipnosis es una forma extrema de sugestión (véase abajo).

Con el descubrimiento de las conexiones entre el sistema nervioso y el inmunológico y de su importancia para la salud, la hipnosis ha alcanzado una nueva dimensión en el tratamiento de ciertas enfermedades y dependencias (de la nicotina, las drogas, el alcohol). Pero la investigación clásica de la hipnosis demuestra que diferentes individuos reaccionan de manera distinta a la hipnosis. Hay gente que incluso no reacciona de ninguna manera.

El psicólogo W. J. Ousby de pie sobre el cuerpo rígido de un paciente que acababa de hipnotizar. Mediante la hipnosis, Ousby trataba los problemas psicológicos de sus pacientes.

TRES MÉTODOS HIPNÓTICOS

Para los supersticiosos, un hipnotizador es una especie de mago que mira fijamente a los ojos y susurrando dice: «¡duérmase, duérmase!». Esto ya no es así, al menos fuera de las representaciones en los teatros de variedades o en el circo. Existen diferentes métodos para alcanzar el estado hipnótico. Tres de los más frecuentes son el de la «fascinación», en el que la persona que va a ser hipnotizada mira un objeto luminoso, como un péndulo o la luz que refleja. En el método que consiste en ir contando, el hipnotizador dice previamente al paciente: «Ahora contaré hasta diez y, cuando acabe, estará usted hipnotizado». En el método de «fijación», el hipnotizador mira fijamente a los ojos del cliente y le dice que está cansado, hasta que acaba por cerrar los ojos.

Lo que es común en todos los métodos es que el cliente siempre pasa de un estado de sugestión al de relajación y por último al cansancio. También es la sugestión la que permite a la persona llegar a ese estado, o la que genera la duda que lo impide: una persona que se resista o que no se fíe del método no podrá ser hipnotizada. La creencia en que se pueda entrar en trance en contra de la propia voluntad, e incluso cometer

en ese estado acciones horribles, es del todo descabellada. Siempre es el propio paciente el que se conduce a sí mismo a ese estado. Por eso los especialistas han acuñado el concepto de «hipnosis autodirigida».

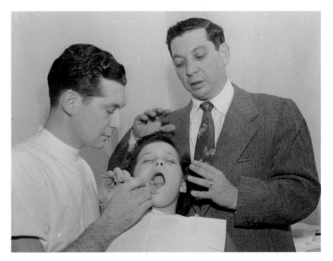

El hipnotizador Edwin L. Baron lleva a un estado de trance a Karen Shafer para que el dentista Arthur M. Krause pueda trabajar sin anestesiar a la paciente. La foto se tomó en Chicago en 1954.

Fotografía mental

Al parecer, hay gente que es capaz de proyectar, sólo mediante la fuerza de su pensamiento, imágenes, ideas o sentimientos sobre una película virgen, y que después son visibles. ¿Qué leyes de la naturaleza hay tras fenómenos psíquicos como el de la fotografía mental? Se trata de unas leyes que, pese a todos los avances revolucionarios en las diferentes ciencias, permanecen hasta ahora ocultas.

PENSAMIENTOS CONVERTIDOS EN REALIDAD

Las fotografías mentales son psicógenas, es decir, imágenes producidas con el pensamiento que se hacen realidad gracias a un gran poder de concentración o de aguzamiento de los sentidos, o fruto de una acentuada fantasía. Hay gente que ve la imagen de su pensamiento como un objeto ante sí. Si se tratara de una persona, podría incluso volverse real por intervención de las fuerzas de interacción con el médium. Lo que

Ted Serios es el médium especialista en fotografía mental más conocido del mundo.

Fragmento del libro *Fotografía mental. Las psicofotografías de Ted Serios*, de Jule Eisenbud.
«Como ya se ha indicado anteriormente, es posible que la terminología de la física, por encima de la cual, en mi opinión, están los psicofenómenos, nunca llegue a estar en condiciones de clasificar pensamientos de este tipo. Probablemente lo único que nos acerca a entender la relación entre psique y naturaleza en su totalidad es un tipo de pensamiento que no percibe la realidad desde un punto de vista abstracto, un pensamiento similar a la conciencia mística.»

primero es imagen mental, resultará más o menos compacto según la fuerza espiritual que fluya en la imagen. Como en realidad no son pensamientos que se reproducen («fotografía mental» es una traducción prestada que se apoya en el concepto inglés *thoughtography*), sino imágenes de la fantasía, la expresión elegida no es del todo correcta; se trata además de un fenómeno psicoquinético.

EL ESPECTACULAR CASO DE TED SERIOS

En círculos parapsicológicos se considera al psiquiatra y parapsicólogo Jule Eisenbud (1908-1999) pionero de la fotografía mental o psicofotografía. En su libro de 1975 describe los espectaculares experimentos que llevó a cabo con Ted Serios, un portero de hotel de Denver, Colorado, que tenía la facultad de grabar sus pensamientos orientando una cámara hacia su cara. Muchas fotos mostraban sólo su rostro concentrado, pero otras eran realmente sorprendentes: aparecían personalidades famosas o monumentos en los que él se había concentrado previamente. De un modo u otro, era capaz de plasmarlos en la película.

El doctor Eisenbud y otros científicos examinaron a nivel médico a Serios sin obtener resultado alguno. Se examinó y controló detalladamente su cuerpo y su entorno, para encontrar posibles indicios de fraude, pero tampoco se consiguió ningún resultado. El caso se tuvo que valorar como fenómeno parapsicológico auténtico, uno de los más sorprendentes de toda la investigación psicológica.

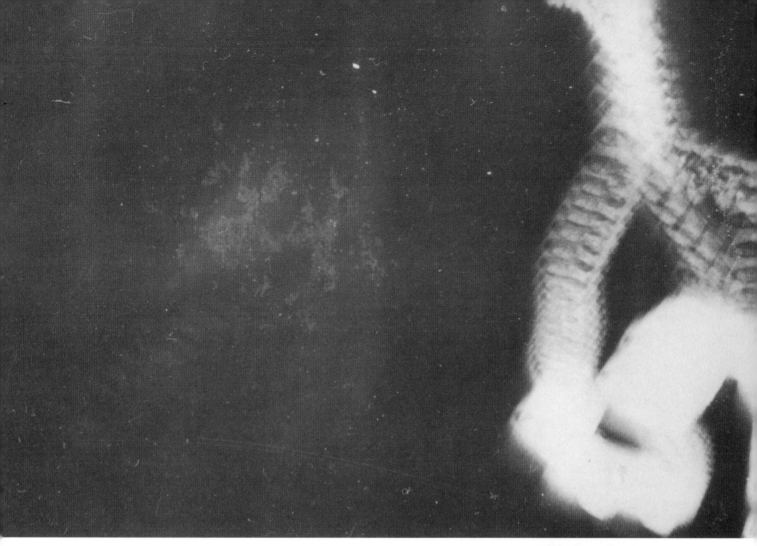

Esta fotografía mental del estadounidense de origen alemán Willi Schwanholz muestra un jugador de béisbol con el guante.

VERDADES ENTERRADAS DE TIEMPOS REMOTOS

El gran interés que supuso el caso de Ted Serios se debía en parte a la fascinación generalizada por lo paranormal o extrasensorial que se experimentó a principios de los años setenta. Esa época estuvo marcada por un nuevo sentido de la vida, por las nuevas religiones y las drogas que potenciaban la conciencia. El caso Serios fue sólo parte de un fenómeno cultural. De alguna forma, Eisenbud veía en él a un salvaje, un salvaje procedente de la jungla moderna de la gran ciudad. Pero también veía a alguien con capacidad de acceder a verdades y habilidades ancestrales. Facultades que en la época moderna se habían relegado al terreno de la superstición y que estaban al margen de la civilización. Serios nos conectó con algo que dormita en nosotros, algo paralelo al mundo que nos rodea.

Willi Schwanholz (a la izquierda en la imagen) en un experimento sobre fotografía mental con el psiquiatra Jule Eisenbud, que fue quien llevó a cabo más experimentos con Ted Serios.

Experiencias cercanas a la muerte

Casi todas las culturas cuentan con historias que explican lo que sucede en el umbral de la muerte. Desde hace 2.000 años se habla de viajes en los que héroes, profetas y reyes, pero también mortales, cruzan ese umbral dos veces: mueren y luego regresan al mundo de los vivos, trayendo consigo un mensaje para la humanidad.

SONDEOS DEL MUNDO INTERMEDIO

La experiencia de la muerte aparece en epopeyas, mitos y escritos sagrados, y puede tomar tres formas distintas. Una de ellas consiste en el descenso a los infiernos.

Héroes como el griego Heracles intentan rescatar a alguien del reino de los muertos, otros quieren obtener información sobre la muerte.

Una segunda forma es la ascensión a mundos superiores, que conlleva el éxtasis y la bendición. El profeta Mahoma emprende un viaje celestial y regresa con información sobre un mundo paradisíaco. Esta creencia sigue vigente en la religión musulmana. Los misterios eleusinos de la Grecia antigua servían de cultos rituales para la unión y preparación a la muerte. Zaratustra (sacerdote y profeta), Pablo (apóstol), Mani o Manes (fundador del maniqueísmo) o Henoch (séptimo padre del Génesis) regresan igualmente a la Tierra con descripciones de la magnificencia celestial. Jesús muere en la cruz y vuelve del reino de los muertos con la resurrección.

La tercera variante son fantásticos viajes de aventuras, como el que narra la *Odisea* de Homero, en la que, entre muchas otras aventuras, se cuenta el azaroso descenso de Ulises al Hades. Pero también están los informes de viaje del navegante Marco Polo (1254-1324) o de Juan Ponce de León (hacia 1460-1521). Todos ellos regresan a su mundo conocido después de haber traspasado la frontera, y cuentan haber visto

Muchas de las personas que han pasado por experiencias cercanas a la muerte explican que se encontraron ante un túnel oscuro en cuyo fondo se veía una luz luminosa.

tesoros increíbles, jardines encantados, espíritus, seres de fábula y monstruos.

TESTIGOS DEL MUNDO INTERMEDIO

Hoy en día hay incontables informes sobre viajes al más allá de personas que se consideraban clínicamente muertas y en cambio volvieron a la vida. En este caso no se trata tanto de descripciones adornadas de viajes exóticos como de, en la mayoría de los casos, informes serios. El viajero moderno al más allá es una especie de testigo del mundo intermedio. Los informes de este tipo se hicieron populares en la década de

Teniendo en cuenta los relatos sobre experiencias cercanas a la muerte, cabe plantearse si la muerte es realmente el final. Qué significa en verdad morir es uno de los mayores enigmas del ser humano.

1970 a raíz de la publicación del libro *Vida después de la muerte* de Raymond Moody. Desde entonces el mercado y la cultura popular están plagados de libros e historias que abordan esta cuestión.

El ingeniero estadounidense Tom Sawyer explicó en un programa de televisión cómo había permanecido 15 minutos aplastado bajo un camión:

«Mi corazón dejó de latir, el vacío tomó la forma de un túnel y ante mí pude ver una luz resplandeciente; es la luz de todas las luces o, dicho de manera sencilla, la esencia de Dios.» (6)

El siguiente informe se atribuye a san Salvius, del siglo VI:

«Cuando morí, hace cuatro años, dos ángeles me elevaron y condujeron a lo más alto de los cielos, con lo que pensé que bajo mis pies tenía no sólo esta triste Tierra, sino también el Sol y la Luna, las nubes y las estrellas. Después me llevaron hasta una puerta que brillaba más que la luz del Sol, y entré en una casa en la que el suelo brillaba, como brillan el oro o la plata. Había una claridad indescriptible, cuyo alcance no se puede describir.» (6)

Ambas historias tocan el mismo tema, aun distando 14 siglos la una de la otra. Las coincidencias impresionan. El mismo patrón se encuentra en todo el mundo, independientemente de la edad, el sexo, la posición social o la religión. En todas las épocas parece ocurrir lo mismo: salir del cuerpo, túnel, luz, la vida pasa ante nosotros como si se tratase de una película, contacto con seres iluminados, valoración de la vida y regreso voluntario al cuerpo mortal.

ENCEFALOGRAMA PLANO

En el Reino Unido se realizó un estudio con 63 pacientes con paro cardíaco. Siete personas del grupo relataron experiencias cercanas a la muerte. Este estudio ha proporcionado hasta el

Cuando uno ve lo que es capaz de conseguir hoy en día la medicina, se pregunta: ¿cuántos estadios tiene la muerte?

Jean-Paul Sartre

En el fresco de Miguel Ángel *El juicio final*, Caronte, el anciano barquero, lleva en su barca a las almas malditas hasta el Hades. La obra la encargó el papa Pablo III en 1536 y se acabó en 1541. Se encuentra en la Capilla Sixtina, Roma.

Después de sufrir un accidente, el arquitecto suizo Stefan von Jankovich (izquierda) estaba clínicamente muerto. Cuando lo hubieron reanimado, recordaba un sinfín de detalles sobre su impresionante experiencia cercana a la muerte, que representó él mismo en numerosas acuarelas.

momento los mejores datos sobre la existencia de vida después de la muerte, como lo explicó el director de la investigación, el doctor Sam Parnia de la Universidad de Southampton.

Las personas que clínicamente habían vuelto a la vida hablaban de felicidad, esperanza, luz, calor, seres luminosos y familiares fallecidos. Todos esos pacientes habían presentado un encefalograma plano. ¿Cómo es posible llegar a sentir en esas condiciones? Según algunos investigadores, los agentes que provocaron tales experiencias fueron las combinaciones de oxígeno y dióxido de carbono en el cerebro. Sin embargo, el doctor Parnia alega que las siete personas presentaban una elevada concentración de oxígeno en el cerebro; la falta de oxígeno, por tanto, quedaría excluida como desencadenante del viaje al más allá. También se podría excluir, según el mismo especialista, que se tratara de alucinaciones, porque los informes eran demasiado realistas y detallados. Teniendo en cuenta el estado en que se encontraban los pacientes, su cerebro no hubiera sido capaz de elaborar procesos de tal índole o de almacenar recuerdos.

¿HAY VIDA DESPUÉS DE LA MUERTE?

En 1994 se hicieron unas pruebas en las que los voluntarios debían respirar aceleradamente hasta caer desmayados. Los participantes experimentaron sensaciones y estados parecidos a la muerte clínica.

Para Parnia la cuestión es poder confirmar si realmente hay vida después de la muerte. Pero para responder a esa pregunta de forma concluyente sería necesario llevar a cabo muchos más estudios. Las experiencias que relatan los afectados siguen siendo un misterio sin resolver. ¿Podría ser que la muerte fuera un inicio y no un final? ¿Es posible una «existencia» tras la muerte del cuerpo físico?

Un estudio hecho en el Reino Unido con pacientes que habían sufrido paro cardíaco y que presentaban encefalograma plano proporcionó datos sobre la existencia de vida después de la muerte.

Vida después de la muerte

Investigaciones ampliamente interdisciplinarias han revelado que, en todos los tiempos, lugares y culturas, el ser humano ha anhelado conservar la propia existencia más allá de la muerte, así como alcanzar la inmortalidad, ya sea por medios religiosos, ascéticos o extáticos. ¿Es la esperanza en la vida eterna un acicate vital?

ESPERANZA DE UNA VIDA DESPUÉS DE LA MUERTE

El ser humano es el resultado de la fusión de dos células, de un patrimonio genético mínimo. Todo lo que necesita para la vida se forma en el cuerpo de la madre durante los nueve meses anteriores al nacimiento. La pregunta de adónde va a parar la energía que cada ser humano encierra en sí una vez que ha muerto preocupa a la humanidad desde el origen de su existencia. El ser humano se prepara en el vientre de su madre para su vida en la Tierra, y mientras se prolonga su existencia se prepara para el mundo del más allá. Todo lo que necesita, debe adquirirlo en este mundo. Éstas son las interpretaciones más usuales de casi todas las religiones, y todas ellas vienen determinadas por la esperanza de que exista algún tipo de vida después de la muerte.

Pero no sólo las religiones, sino también las creencias populares, parten de la idea de que hay vida después de la muerte. Todas las civilizaciones cuentan con historias de muertos vivientes, de zonas y lugares por donde vagan fantasmas, que suelen aparecer a media noche. Las Iglesias católica y anglicana luchan contra este fenómeno por medio del exorcismo (véanse las páginas 180-183), cuya finalidad es conseguir que las almas «torturadas» encuentren la paz. Con ese ritual reconocen la existencia de los muertos vivientes como una parte significativa de su dogma.

Las Iglesias católica y anglicana luchan mediante el exorcismo contra la posesión de una persona por parte de un incubo, espíritu maligno o demonio. Se debe conducir al alma «torturada» a un estado de calma. Aquí, una escena de la película *El exorcista*.

Interpretaciones de diferentes religiones

Las religiones orientales se basan en la idea de que el mundo es eterno y está sujeto a unas leyes inmutables de la existencia. Las occidentales disienten de esa interpretación e instruyen en la idea de transitoriedad del mundo, regido por Dios. A pesar de las diferentes interpretaciones, domina en las religiones occidentales la creencia en que las almas son inmortales y serán juzgadas por sus actos, que, por lo tanto, serán los que determinen si entrarán en el paraíso, si irán al purgatorio para purificarse o si merecerán la condenación eterna.

Hinduismo

El karma es el destino del ser humano, y está condicionado por sus acciones en encarnaciones anteriores. Estrechamente relacionada con esto está la creencia en la transmigración de las almas. Si la persona hace el bien, cosechará el bien. Las almas son eternas y van transitando por envolturas materiales, manifestándose en diferentes cuerpos.

Budismo

El budismo, como el hinduismo, parte de la idea de renacimiento a través de la ley kármica, es decir, del proceder en cada una de las vidas. Pero en este caso el ciclo de las reencarnaciones se puede interrumpir para entrar en el Nirvana como estado completo de paz espiritual. El alma queda entonces liberada de la migración.

Universalismo

El universalismo es la unión de las religiones chinas. Todas ellas comparten el culto a los antepasados. El antepasado falle-

La «rueda del renacimiento», un *thangka*, que representa una parte esencial de la cultura religiosa del Tíbet. Esta rueda se encuentra en la pared del centro de refugiados tibetano de Happy Valley, en Darjeeling, India.

cido toma partido en el destino de los suyos y ayuda como espíritu protector. A los antepasados muertos se les hacen ofrendas de dinero, comida e incluso automóviles, porque tienen que seguir viviendo de forma parecida a los vivos.

Judaísmo

El judaísmo se basa en el Antiguo Testamento. Ni los principios de fe ni la existencia de Dios están dogmáticamente determinados. Los adeptos a otras religiones (en contraposición a las doctrinas cristiana o islámica) también pueden participar de una vida después de la muerte si se han comportado éticamente en esta vida.

Cristianismo

El cristianismo se fundamenta tanto en el Antiguo Testamento como en el Nuevo, basado en las enseñanzas de Jesucristo. La existencia después de la muerte constituye uno de los pilares de su fe, alcanzando la categoría de dogma.

Islamismo

El islamismo remite en principio al mismo dios del judaísmo y el cristianismo, y también se basa en el Antiguo Testamento. El paraíso como lugar de vida eterna se apoya en gran medida en la historia del viaje del profeta Mahoma.

Detalle de la Resurrección de Cristo en un fresco de Francesco Figini Pagani del siglo XVII.

Regresión

La experiencia espiritual de volver a vidas pasadas puede ayudar a descubrir talentos o capacidades personales y ayudar a vencer miedos. Muchas personas han conocido anteriores reencarnaciones a través de la hipnosis y han comprendido así algo de su realidad. La experiencia ha infundido un nuevo sentido a su vida, proporcionándoles energía vital y bienestar. Los que han pasado por regresiones han viajado a su propia existencia anterior al margen de cualquier base religiosa. ¿Hemos vivido otras vidas y podemos regresar a ellas?

REGRESIÓN

La regresión a vidas anteriores se lleva cabo de diferentes maneras. La hipnosis (véanse las páginas 210-211) es el método más sencillo y rápido, ya que no requiere técnicas de meditación especiales que se tengan que aprender. En pocos minutos el paciente está tan relajado que la regresión, conducida por un experto, no resulta problemática. La persona emprende un viaje a su propia existencia anterior sin ningún temor, porque la hipnosis le procura un estado agradable: está espiritualmente atenta y concentrada en sí misma. Todo lo que se experimenta en el viaje a existencias anteriores se puede recordar a voluntad.

MIEDO A LA NADA

Desde que existe la humanidad la ha acompañado el miedo a la muerte, el temor a desaparecer sin dejar rastro, la nada. De ahí que todas las culturas se hayan preguntado sobre el sentido de la existencia, es decir, «de dónde» y «adónde». Parece lógico que el deseo del ser humano de continuidad sea un objetivo central de casi todas las religiones. Por eso el renacimiento y la reencarnación son pilares fundamentales de la fe. Las personas que a través de la hipnosis han sido conducidas a vidas pasadas informan, extáticas, de situaciones e imágenes de vidas anteriores.

Partiendo de la base de que la investigación sobre el más allá determina que cada uno de nosotros ha almacenado en su inconsciente todas las experiencias de otras vidas, el problema radica en poder volver a hacerlas presentes. Con la rememoración de vidas anteriores una persona puede conocerse mejor; será de verdad dueña de su existencia, aprenderá del pasado y podrá vencer los problemas de su presente y futuro.

La regresión a vidas anteriores puede llevarse a cabo mediante distintas técnicas, por ejemplo, por medio de la hipnosis.

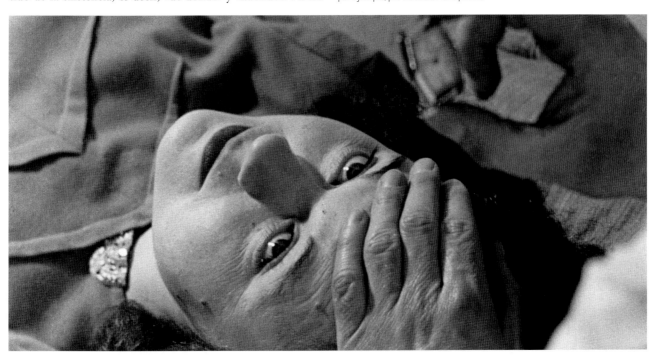

Este faquir pidió que lo enterraran y permaneció así durante años.

Faquires

Los faquires son personajes fascinantes y exóticos fruto de la cultura mística de la antigua India. Mitad prestidigitadores, mitad santos, para nosotros son algo así como artistas de circo. ¿Cómo son capaces los auténticos faquires de demostrar un control del cuerpo tan extraordinario? ¿Tienen más que ver con artistas del truco o con personas dotadas de facultades misteriosas?

HOMBRES PRODIGIO Y MAGOS

A los faquires se les considera hombres prodigiosos y santos que son capaces de hacer milagros gracias a la meditación y a fuerzas sobrenaturales otorgadas por los dioses. Se tumban sobre tablas de clavos o trozos de cristal sin dañarse la piel; andan sobre brasas ardientes; hacen aparecer por obra de magia *vibhuti* (ceniza sagrada) o joyas; se clavan ganchos en la espalda, se les atan unas cuerdas y arrastran coches; se hincan agujas en las mejillas y en la lengua y no sangran; meten las manos en aceite hirviendo como si nada; levitan; consiguen que las cuerdas se queden verticales en el aire y trepan por ellas; se dejan enterrar vivos y sobreviven; se cortan la lengua y se regenera; hacen exorcismos...

En la India es muy frecuente ver al borde de un camino a un faquir sobre un lecho de espinas.

Los faquires son iniciados de la orden mendicante sufí que llevan una vida ascética, hombres santos que hacen voto de pobreza. Eso es lo que significa su nombre, que viene del árabe. Los faquires van vestidos únicamente con un taparrabo y van de pueblo en pueblo haciendo milagros, curando a la gente y entreteniendo al público. De este último aspecto de su quehacer deriva su significado en Occidente, donde se les considera artistas de variedades o magos.

Sai Baba, la consumación de todas las religiones

En la India, a algunos faquires se les cubre de gloria y pasan a ser hombres santos. El más conocido es el inescrutable y misterioso Sai Baba. Nació en 1926 y desde su nacimiento está rodeado de leyendas, según las cuales bajo su cuna había una cobra venenosa, los instrumentos musicales empezaban a sonar sin que nadie los tocara, los pétalos de jazmín que se echaban al aire caían al suelo formando su nombre. Desde 1963 se le atribuye ser la encarnación de Shiva y Shakti, divinidades indias que simbolizan lo masculino y lo femenino. Su religión es el hinduismo y su dios, Brahma, la energía del universo. Para sus adeptos, es un avatar (en el marco del hinduismo, encarnación terrestre de un dios), una materialización divina, y está dotado de poder divino.

Sai Baba lleva a cabo innumerables milagros; incluso se le atribuye haber resucitado a muertos. También afirma que a través de él cualquier religión llega a la consumación, y se identifica continuamente con Cristo. Sai Baba rechaza una investigación para que se averigüe la naturaleza de esos fenómenos, de ahí que algunos críticos lo tachen de impostor.

Santos o prestidigitadores

Científicos de la Indian Rationalist Association (IRA) viajaron de pueblo en pueblo fingiendo ser faquires. Estaban y están convencidos de que los faquires son impostores, que hacen trucos de prestidigitación, que utilizan el engaño y otros medios para convencer a la gente de los pueblos de sus poderes milagrosos. Así que la gente del IRA se tumba sobre cristales, anda sobre el fuego y enseña a todo el mundo cómo se puede hacer todo eso sin recurrir a ninguna fuerza sobrenatural. Su objetivo es desenmascarar a los faquires, que se aprovechan de la ignorancia y la superstición de la población para enriquecerse. A lo que hay que añadir que muchos de estos taumaturgos que aparecen en las fiestas populares y mercados se caracterizan por una fuerte religiosidad. ¿Cómo separar el grano de la paja? ¿Se trata de milagros o de trucos, de santos o de prestidigitadores?

El faquir Yvon Yva hace una demostración de su facultad: está echado de espaldas sobre una tabla de clavos con un gran peso sobre el pecho. Su asistente incluso golpea con una maza la piedra que tiene sobre el pecho y el faquir no sufre herida alguna.

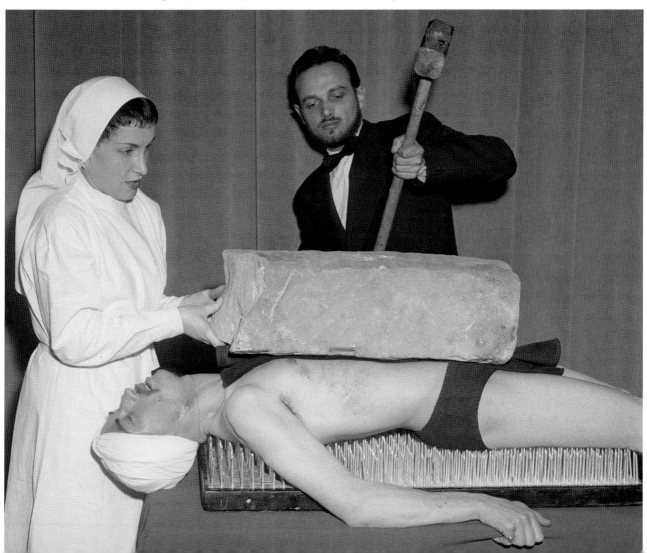

Yoguis

En sánscrito, yogui significa «el que se pone en tensión», el que medita y practica el yoga. Para un yogui, la inmortalidad, como experiencia mística de la eternidad, es ya en este mundo un estado de conciencia. ¿Qué energías son capaces de liberar estos hombres santos para lograr semejante control del cuerpo? ¿Qué les confiere esa extraordinaria fuerza interior?

INDUMENTARIA ROJA PARA VENERAR A LA DIOSA AMBA MATA

En una cueva no lejos de un templo, en el estado indio occidental de Gujarat, vive un eremita, un hombre santo, el yogui Prahlad Jani. Se viste siempre de rojo en honor de la diosa Amba Mata porque, según cuenta, fue ella quién lo dotó de una facultad especial. Gracias a un agujero que tiene en el paladar, del que según parece fluye un líquido que lo alimenta, puede renunciar a comer o beber. Desde 1965 no ha ingerido nada, dice Prahlad Jani, y tampoco excreta orina o heces. Los

El yogui Maharishi Mahesh junto a un cuadro de su maestro del Shankaracharya. Maharishi Mahesh fue el gurú espiritual de los Beatles.

creyentes que visitan el templo de Gujarat y conocen al yogui desde hace años ratifican sus declaraciones.

TODA UNA VIDA SIN COMER NI BEBER

Fue el neurólogo Sudhir Shah, que conocía desde hacía tiempo al septuagenario Prahlad Jani, quien después de mucho insistir pudo convencerlo para que se dejase internar en el hospital de la ciudad india Ahmadabad y permitiese poner bajo observación su especial facultad. Un equipo médico llevó a cabo todo un seguimiento del fenómeno. Los médicos confirmaron la existencia de un agujero en el paladar del hombre y la salida de líquido, pero hasta la fecha no han podido determinar de qué se trata.

«El yogui era todo un reto para la ciencia», dijo uno de los médicos. En los diez días que estuvo hospitalizado, el enjuto hombre de barba blanca ni comió ni bebió, y tampoco excretó orina o heces. Se vigilaba al yogui durante todo el día a través de una videocámara, pero no se pudo hallar explicación alguna que desvelara el secreto. Prahlad Jani estaba física-

mente sano, y todas las pruebas médicas dieron un resultado totalmente normal. Con todas las pruebas que le hicieron, lo único que se descubrió fue que la vejiga de Jani producía orina, pero que la pared del órgano la volvía a absorber, de ahí que no orinara. Entre tanto, el yogui tiene asegurado el estatus de hombre santo. Sus adeptos aseguran que jamás ha caído enfermo.

REALIZADOR DEL CAMINO DEL DIAMANTE

Un yogui es un adepto practicante del yoga. Esta disciplina ayuda a entender las incontables y misteriosas facultades propias de los yoguis, como las de Prahlad Jani. Algunos tienen la facultad de ralentizar de tal forma su pulso que prácticamente no se nota y parece que estén muertos. Otros, a través de la meditación, levitan o andan sobre brasas ardientes. ¿Puede el clásico yoga de Patanjali del siglo II a.C., el llamado «camino de purificación con los ocho eslabones» (véase el recuadro de la página siguiente), provocar estos milagros? El yogui se esfuerza por conseguir una transformación de su cuerpo, en particular a través de los ejercicios de respiración y de unas posturas corporales casi acrobáticas. La ciencia se pregunta cómo los yoguis, que en el budismo tibetano se conocen como «realizadores del camino del diamante», consiguen todo eso gracias a la pura meditación.

Un yogui indio levantando con el pene piedras que pesan kilos sólo por la fuerza de la concentración.

Un yogui meditando en la posición del loto.

Camino de purificación con los ocho eslabones del yoga clásico de Patanjali

Los ocho niveles según Patanjali son la división más citada de los métodos de yoga. El camino hacia la iluminación queda dividido en niveles de progreso con sus métodos correspondientes.

- *Yamas*, no violencia
- *Niyamas*, observaciones
- *Asanas*, posturas
- *Pranayama*, regulación o control de la respiración

- *Pratyahara*, control de los sentidos
- *Dharana*, concentración
- *Dhyana*, meditación
- *Samadhi*, estado de supra-conciencia

Fiesta de Thaipusam

La fiesta de Thaipusam es uno de los rituales más curiosos del hinduismo. Los creyentes jóvenes que han hecho el voto se perforan las mejillas y la lengua, se clavan ganchos en la piel y agujas en el cuerpo y bailan como en trance por las calles. Pero no les sale ni una gota de sangre porque se untan con ceniza sagrada.

MURUGA: EL DOLOR COMO OFRENDA

Cuando en *Thai,* el décimo mes del calendario hindú, la estrella Pusam está en el cielo durante la luna llena, los creyentes hindúes celebran una de sus mayores fiestas, cuyos orígenes se remontan a 2.000 años atrás: Thaipusam se celebra en honor de uno de los hijos de los dioses superiores Shiva y Parvati. Es el dios Muruga, el colmador de deseos, que tiene seis cabezas. Todo aquél que rece a Muruga y le pida favores en la fiesta de Thaipusam tiene que hacer un juramento y darle en ofrenda su dolor, junto con miel, leche y flores.

Durante la noche, los creyentes se reúnen en el patio del templo de Sri Srinivasa Perumal, en el barrio indio de Singapur, que es donde la fiesta se celebra con más suntuosidad. Los participantes, acompañados por sus familiares, se preparan para la marcha, destinada a propiciar el ánimo clemente del dios Muruga.

HOMBRES SANTOS QUE PONEN EN TRANCE A LOS DEVOTOS

Son los faquires y los yoguis los que preparan a los que tienen que emprender la marcha, clavándoles docenas de pequeños ganchos en la espalda y el pecho. No hay duda de que hacen falta virtudes como la valentía, el aguante y la resistencia al dolor. Cada uno vuelve la mirada hacia sí mismo, con los ojos casi cerrados. Los jóvenes hindúes han ayunado durante seis semanas y se han preparado para cumplir con la promesa a su dios. De los ganchos que tienen clavados en la piel se les cuelgan ahora naranjas y limones. A continuación viene la perforación de las mejillas, después de que un hombre santo las haya frotado con ceniza sagrada. La música suena, hace un

Mujer joven pintada con ceniza sagrada y con las mejillas y la lengua atravesadas por pinchos sin que salga una sola gota de sangre.

calor espantoso, tambores y flautas arrullan con su sonido a los devotos hasta que los ojos se les retuercen; entonces, de una vez, les clavan un pincho, que puede alcanzar el diámetro del dedo gordo, que les atraviesa las dos mejillas. Sorprendentemente, no corre ni una gota de sangre. El faquir estira entonces de la lengua del joven y la perfora con otro pincho, de forma que se crucen. Sigue sin salir sangre. El joven abre los ojos y se coloca bien los pinchos. No parece sentir dolor alguno. Unos ayudantes le echan agua poco a poco en la boca, que permanecerá abierta hasta la mañana siguiente.

ADORNADO CON PLUMAS DE PAVO REAL Y FLORES

Se llama *kavadis* a los arcos de aluminio de hasta 3 metros de alto que se adornan con plumas de pavo real, flores e imágenes de dioses, con radios puntiagudos, que se sujetan a las caderas y el torso del devoto. Los *kavadis* pueden llegar a pesar 60 kilos. A algunos fieles se les amarran también carros de madera a los ganchos de la espalda, y luego se ponen en camino hacia otros templos. Parecen estar anestesiados porque su rostro irradia felicidad. Algunos de los portadores de *kavadis* empiezan a bailar, dando vueltas descalzos sobre el asfalto de la calle. Los familiares les van echando agua continuamente en la boca abierta con los pinchos cruzados. A la entrada del templo de Sri Thendayuthapani, los ayudantes parten cocos en el suelo como ofrenda al dios. Sólo entonces se libera de su dolorosa carga a los que han hecho el camino, que parecen no haber notado nada. De nuevo son los faquires quienes, con movimientos magistrales, extraen los pinchos de la lengua y las mejillas de los jóvenes y les frotan los agujeros con ceniza: no queda ni una cicatriz. Los chicos están agotados pero felices, pues para ellos el ritual es una fuente de alegría; en ningún momento lo consideran una tortura.

Durante la fiesta de Thaipusam, un hombre lleva en honor del dios Muruga un *kavadi* y pinchos clavados en la cara y el cuerpo.

A veces los sampedranos se suben a alguien a la espalda para andar por encima de las brasas.

Hombres que caminan sobre fuego

Hace miles de años que hombres de todas las culturas caminan sobre brasas ardientes para rendir homenaje al elemento sagrado del fuego. El fuego quema pero también purifica. Los chamanes ejercitan el andar sobre fuego para curar a sus comunidades. Para todo aquel que camina sobre brasas, hacerlo es como bailar con el fuego de la vida, baile en el que, misteriosamente, nadie sufre lesión alguna.

ANDAR POR EL FUEGO COMO RITUAL DE INICIACIÓN

Andar sobre brasas es en muchas culturas un ritual de iniciación. La parapsicología lo considera el camino más elevado hacia la propia conciencia. En el esoterismo, los seminarios en que se enseña a andar sobre el fuego ofrecen la posibilidad de llevar a cabo este antiguo ritual sin sufrir daño alguno, para despertar cualidades, fortalecer la concentración y vencer el estrés. En casi todo el mundo hay personas que andan sobre fuego. Los rituales más conocidos son los de la India, Sri Lanka, las islas Fiyi y países del sur de Europa. En las islas Fiyi andan sobre piedras ardientes, no sobre brasas al rojo vivo como en otros sitios. En la playa griega de Agia Eleni, a finales de mayo, los hombres caminan sobre brasas ardientes sosteniendo iconos de san Constantino y santa Helena. Pero el personaje europeo más famoso que anda sobre fuego reside en el pequeño pueblo de San Pedro Manrique, en la provincia de Soria. Los lugareños consideran la zona un punto de intersección, el «fin del mundo», donde Soria no sólo tiene frontera con otras provincias, sino también con otros mundos.

La tradición de andar sobre fuego tiene raíces celtas y paganas, y nació de la creencia en la invulnerabilidad durante la noche de solsticio de verano.

SAMPEDRANOS, LOS HOMBRES QUE CAMINAN SOBRE FUEGO DE SAN PEDRO MANRIQUE

A las diez de la noche, la víspera de san Juan, se prende una hoguera gigantesca en la plaza de delante de la capilla de la Virgen de la Peña. Se hace con madera de roble que, según la tradición, se va a buscar al pueblo vecino de Sarnago. A continuación, se extienden las brasas en un rectángulo. El lugar está lleno de misterio: al parecer, hace cientos de años, la Virgen se apareció en un arbusto de espino blanco que desde entonces no ha vuelto a secarse. Dicen que allí también han tenido lugar curas milagrosas, y documentos antiguos lo confirman. Muchos de los vecinos del pueblo andan sobre las brasas ardientes porque previamente han hecho el voto por la caridad de la Virgen. Descalzos, a veces llevando a otro a la espalda, caminan pesadamente por las brasas sin quemarse o gritar, sin sentir dolor.

¿Cómo es posible caminar sobre las brasas y salir indemne? La gente que lo hace afirma que éstas pueden alcanzar una temperatura de 1.000 grados. ¿Cómo es posible, para alguien con una constitución normal, andar por encima de las brasas sin sufrir daño alguno?

En Rukua, en la isla Beqa de las islas Fiyi, un hombre descansa después de haber andado por el fuego. Sus pies están negros por la ceniza, pero no presentan herida alguna.

Los científicos que han investigado el fenómeno lo explican como sigue: las brasas ardientes de madera producen quemaduras debido a su capacidad de almacenar y conducir el calor, no por su temperatura. La ceniza que reviste la brasa es mala conductora del calor; además, la superficie de la brasa es desigual y la zona de contacto, pequeña.

Los hombres que caminan por las brasas lo hacen rápido: cada contacto dura muy poco, menos de medio segundo. Además, la sangre corporal evacua rápidamente el calor, por eso los pies no sufren ninguna herida: no pasan más de siete segundos en total sobre las brasas. Ahora bien, los pies deben estar bien irrigados y calientes ya antes de dar el primer paso, para que no se les queden pegados trozos de brasa. A pesar de todas las indicaciones, recomendaciones e investigaciones de los escépticos, sigue vigente el misterio de cómo consiguen los sampedranos, como se llaman los vecinos del pueblo, andar sobre brasas y salir indemnes de la hazaña.

La noche de San Juan en San Pedro Manrique. Los que caminan por el fuego dan pasos decididos sobre las brasas.

CRIPTOZOOLOGÍA

La criptozoología es la búsqueda y el estudio de animales presentes en las mitologías o en las leyendas populares pero cuya existencia no se ha podido probar de forma concluyente. ¿Estamos ante una ciencia en vías de expansión o son los criptólogos los últimos aventureros románticos?

El término «criptozoología» lo acuñó en 1950 el doctor Bernard Heuvelmans. La criptozoología forma parte de las paraciencias y se mueve entre la ciencia y la fantasía. La palabra griega *kryptos* significa «oculto», «desconocido», «secreto», y, en el contexto de la zoología, «criptozoología» significa «estudio de los animales sobre cuya existencia sólo poseemos evidencia circunstancial y testimonial, o bien pruebas materiales consideradas insuficientes por la mayoría».

Hoy día conocemos la existencia de alrededor de 1,5 millones de especies animales, pero sigue habiendo muchas no descritas hasta la fecha. Algunos científicos hablan de un total de 15 millones de especies animales. Esa zona gris es el ámbito de trabajo de la criptozoología, que se interesa por animales que escapan a cualquier clasificación y que han sido ignorados por la zoología tradicional. Los celacantos se consideraban extinguidos hasta que en 1986 se comprobó que aún existían. Los calamares gigantes se contaban entre los mitos del mar hasta que en 2005 un equipo japonés fotografió uno vivo. Para los criptozoólogos la existencia de esos animales, como la del dragón de Komodo y el rinoceronte de Java, es la justificación de la criptozoología como ciencia.

La criptozoología también se ocupa de criaturas inexistentes o de improbable existencia pero que numerosos testimonios han asegurado ver durante siglos. Con lo cual, se parte de la idea de que los informes que hay sobre esos animales, que se consideran criaturas fantásticas o de fábula, apuntan a especies desconocidas.

Desde tiempos inmemoriales extrañas criaturas alimentan nuestra fantasía y protagonizan mitos y leyendas. Los avistamientos de animales desconocidos han ido balizando nuestra imaginación. Este grabado coloreado muestra cómo un monstruo marino ataca un barco.

Criptozoólogos, los últimos románticos

Podría resultar extraño ir en busca de animales desaparecidos, sobre todo teniendo en cuenta que el índice de extinción por intervención del ser humano asciende ya a cientos, incluso a miles, de especies de la naturaleza. La mayoría de las 794 especies animales amenazadas viven en distintos lugares, en su mayor parte en países en vías de desarrollo, donde la tasa de extinción es más alta. Ése es el campo de acción de los criptozoólogos. A su manera, son estos científicos los últimos románticos que se aventuran en parajes desconocidos.

LOS DOS ÁMBITOS DE LA CRIPTOZOOLOGÍA

La criptozoología se divide en dos campos de estudio. Uno es el dedicado a seres que se conocen a partir de mitos y leyendas, como los dragones o las sirenas. Se supone que tras toda leyenda hay un ser real que, o bien vivió alguna vez, o bien vive aún en algún lugar escondido. Por otro lado, la criptozoología se dedica al estudio de animales reales que supuestamente se han extinguido o que todavía no se han catalogado como especie animal. A este grupo pertenecen los críptidos, es decir, los animales buscados por la criptozoología, como el yeti o el chupacabras. En los últimos años la criptozoología está viviendo un renacimiento, y «los detectives de la naturaleza», como se les llama muchas veces, que se sitúan en la

En la pequeña isla de Komodo viven los llamados «dragones de Komodo», una especie de lagarto nunca vista en otra parte. Es el lagarto más grande del mundo, pues llega a medir hasta 3 metros.

frontera exótica de la zoología, cuentan con mayor apoyo después de la confirmación de algunas de sus teorías.

CUATRO GRUPOS DE CRÍPTIDOS

En su manera científica de proceder, la criptozoología refleja la verdadera zoología. Los animales todavía desconocidos, los críptidos, se clasifican en cuatro grupos:

1. Animales desconocidos: derivan de especies animales totalmente conocidas pero no se pueden clasificar en ningún sistema zoológico vigente. A este grupo pertenecen por ejemplo el Mothman o el Bigfoot («pie grande»).

2. Animales potencialmente extinguidos: organismos considerados extinguidos, algo así como formas modernas de saurios.

3. Animales que se parecen a especies conocidas: se diferencian de los animales conocidos por algunas particularidades. Pueden ser mutaciones o parientes desconocidos de especies

En 1989 se publicó en la prensa la noticia de que varias personas habían visto una pantera en el bosque de Oden. Ningún zoológico echó en falta ningún animal. ¿Era miedo a lo desconocido o viven en Alemania esos enormes felinos al margen de nuestra percepción?

animales catalogadas. La clasificación en el sistema de la zoología es relativamente sencilla en este caso.

4. Animales conocidos detectados fuera de su ámbito natural: a modo de ejemplo se pueden mencionar aquí informes sobre la presencia de panteras en el bosque alemán de Oden o casos similares. Se trata de descubrir si son animales extraviados o si existe una verdadera población.

El fundamento de la criptozoología

Los descubrimientos de especies animales que se habían considerado extinguidas, así como de otras nuevas, dan empuje a la criptozoología. Entre ellas están:

Los celacantos (Crossopterygii). Son una subclase de peces vertebrados, depredadores con aletas lobuladas. Hasta 1938 se sabía que habían existido porque se habían hallado unos fósiles del Devónico. Sin embargo, aún viven, a una profundidad de entre 600 y 900 metros, y pueden llegar a pesar 70 kilos. Su cuerpo es parecido al de algunos animales vertebrados de cuatro patas.

El rinoceronte de Java (Rhinoceros sondaicus). Es una especie de rinoceronte que vive en los bosques y que antes poblaba todo el sudeste asiático. Hoy en día quedan algunos restos en la zona protegida de Udjong-Kulon, en Java.

El dragón de Komodo (Varanus komodensis). Es el lagarto vivo más grande: mide hasta 3 metros de largo y puede llegar a pesar 135 kilos. Fue descubierto en 1912 en la isla Komodo, Indonesia.

Bernard Heuvelmans

Bernard Heuvelmans nació en El Havre, al noroeste de Francia, en 1916. A los 23 años se doctoró en Zoología en Bruselas. En 1938 empezó a compilar informes y artículos que se desmarcaban de la zoología tradicional. En 1955 apareció su obra en dos volúmenes *En busca de animales desconocidos*, que se tradujo a unos 20 idiomas. En 1982 fundó la International Society of Cryptozoology (ISC). Nunca se planteó la cuestión de si la criptozoología era una para o pseudociencia.

Bernard Heuvelmans, el «padre de la criptozoología», sentó los cimientos para una metodología moderna. Murió en agosto de 2001. En la actualidad, el Museo Zoológico de Lausanne alberga, como colección única en el mundo, el archivo criptozoológico.

Dragones, unicornios y seres de fábula

Muchos animales fabulosos están grabados en la memoria de la gente desde hace miles de años. Los encontramos en las constelaciones, como Pegaso, Hidra, Centauro o Fénix, entre otras, como figuras simbólicas de las religiones y los soberanos del mundo, o como cuño de monedas desde la antigüedad occidental y asiática.

SERES DE FÁBULA EN LA CRIPTOZOOLOGÍA

Los seres de fábula aparecen en canciones y cuentos, en la medicina y en las películas: tienen un importante papel en todas las culturas del mundo. Nuestros antepasados fueron encontrando huesos, a veces tan grandes o tan deformados que no podían relacionar con ningún animal o ser conocido. Con el tiempo, hubo viajeros que trajeron consigo fragmentos de cuerpos de animales que no se podían clasificar. De todo eso nacieron las leyendas y las fábulas: los enormes huesos de un mamut de la Edad de Hielo se convirtieron en las piernas de un gigante. La criptozoología es el estudio más moderno que se ocupa de estos hallazgos inexplicables. Para muchos investigadores los seres de fábula no se despachan sencillamente como leyendas, sino que han encontrado su lugar en una disciplina que linda con las científicas.

EL DRAGÓN

El dragón es la criatura fantástica más conocida y de más carga simbólica. Aparece en cuentos y leyendas de todas las culturas, especialmente en la mitología china pero también, por ejemplo, en la Biblia. Puede escupir fuego, es relativamente irreductible y existe, por un lado, como castigo de la humanidad, y por otro lado, como símbolo de buena fortuna.

Los dragones aparecen en todas las culturas y en todos los tiempos de la historia de la humanidad, y tienen las mismas características en todo el mundo. Aquí, la escultura de un dragón en un puente en Liubliana (Eslovenia).

San Jorge matando al dragón. Los lugares donde se daba muerte a algún dragón solían ser sagrados, porque correspondían a localidades que habían pasado por un proceso de cristianización. Se mataba al dragón, que representaba el paganismo, y así quedaba superado simbólicamente.

Legendaria criatura mixta

Desde un punto de vista zoológico, el dragón no es un animal, sino una criatura cuyas partes del cuerpo son una mezcla de serpiente, lagarto, pájaro, murciélago o lobo. El dragón es muchas veces protector de un tesoro, y el que lo mata se suele llevar a la princesa o a veces adquiere alguna habilidad especial. Según las diferentes culturas, el dragón puede ser una criatura benévola o maligna. En el mundo cristiano se considera una forma del demonio, encarnación de la maldad, enemigo de los dioses y de los humanos. Por el contrario, en Asia, sobre todo en la cultura china, el dragón es portador de suerte y sabiduría y encarna el principio masculino del universo.

La figura del dragón en las distintas mitologías

Hasta entrado el siglo XVI se sostuvo que los dragones eran criaturas que existían realmente. El médico y naturalista suizo Konrad Gesner (1516-1565) llegó a diferenciar tres clases de dragones en su obra sobre el mundo animal, con un total de seis volúmenes: las serpientes gigantes no aladas; las serpientes aladas, y una criatura con cuerpo de serpiente, plumas en la piel, cabeza astada y poderosas garras.

Los dragones aparecen en todas las culturas. En Egipto se dice que las divinidades Neptis e Isis, después de la muerte de Osiris, volaron convertidas en dragones sobre el muerto embalsamado hasta que se le dio sepultura. En la mitología griega, Ladón es un dragón de 100 cabezas que guarda la manzana de oro del jardín de las Hespérides. Zeus, el dios-padre griego, puso al dragón Tifón bajo el Etna, y desde entonces su respiración hace que la Tierra se estremezca y que expulse fuego. Apolo arrebató a Delfina y Pitón el oráculo de Delfos. Jasón, héroe de la mitología griega, y sus acompañantes, los argonautas, sembraron dientes de dragón en Colcos, donde reinaba Aetes, y salieron gigantes invencibles. El vellocino de oro, objetivo del viaje de Jasón, lo guarda un dragón enrollado en el roble del que cuelga. Cadmo, el fundador de Tebas, también siembra dientes de dragón y cosecha monstruos. Medea, personaje femenino de la mitología griega, vuela en un carro tirado por dos dragones. En la leyenda cristiana, santa Marta vence en el sur de Francia al dragón de Tarascón, y san Jorge doma y mata a un dragón. En la tradición germana, el dragón Niddhögg se acuclilla a los pies del fresno Yggdrasil, y la ardilla le cuenta los chismes del águila que está sentada en la cima. El dragón que mata Sigfrido y en cuya sangre se baña para ser invulnerable se llama Fafner.

El dragón asiático, a diferencia del occidental, es benévolo y portador de buena suerte. Vive en las nubes cargadas de lluvia, lagos y fuentes. En China se considera símbolo de poder, y el emperador siempre se sentaba en un trono en forma de dragón.

El origen de una imagen común de dragón

La criptozoología se pregunta cómo es posible que en todas las culturas exista una criatura dotada de los mismos atributos y de aspecto tan similar. Hay una teoría que dice que el dragón había sido un saurio que, como aprendió a volar, sobrevivió a los otros de su especie, y se extinguió cuando el hombre ya existía, de ahí que pudiera llegar hasta las diferentes tradiciones con unas características formales similares. Otra teoría bastante más aventurada dice que en realidad los dragones son ovnis que se han avistado por todo el mundo, y de ahí procedería esa imagen común.

También en la leyenda alemana de los Nibelungos hay dragones. El héroe Sigfrido mata al dragón y se baña en su sangre para volverse invulnerable.

El unicornio, el caballo fabuloso con un cuerno en la frente, aparece en las más diversas culturas. En la cristiana es símbolo de pureza, y también de Cristo.

EL UNICORNIO

El unicornio es otra criatura mítica, un caballo con un cuerno en espiral en medio de la frente. San Ambrosio lo interpretó como símbolo de Cristo. Desde la antigüedad y en las culturas más diversas se atribuyen a ese cuerno cualidades mágicas. Los amuletos hechos con cuernos desempeñan un papel muy importante en la medicina popular y la superstición.

La vida de un unicornio

Al nacer, el unicornio puede no tener todavía el cuerno o tenerlo muy pequeño: va creciendo a medida que transcurre su vida. Un cuerno roto necesita diez años para volver a cre-

El cuerno del unicornio o del narval

El colmillo del unicornio real, el narval macho, mide hasta 3 metros. Durante mucho tiempo se especuló sobre la finalidad de un colmillo de ese tipo: si su tamaño era decisivo para establecer el rango en el grupo, si servía para atravesar la capa de hielo, remover el fondo del mar o coger peces, etc. Hoy en día se sabe que es un órgano sensorial por el que pasan 10 millones de vías nerviosas. Es un sistema que percibe la temperatura, la presión o el contenido de sal del agua, entre otras cosas.

cer. Llega un día en que el unicornio abandona el bosque de su madre y busca uno propio donde vivir. Algunas fuentes le atribuyen la vida eterna, otras, una vida muy larga. Los unicornios esquivan al hombre, porque los cazan para poseer su cuerno. Estos seres fantásticos son visibles únicamente para las personas que creen en ellos. Las demás ven en ellos simples caballos. Sólo las vírgenes pueden apaciguar la naturaleza salvaje de los unicornios, que posan la cabeza en su regazo y se duermen. Muchas veces esa confianza se aprovecha para cazarlo: la virgen espera a que la criatura se quede dormida y entonces llegan los cazadores.

La leyenda del unicornio

Como hemos dicho, nuestros antepasados fueron encontrando huesos de muchos tipos que no podían clasificar porque eran demasiado grandes o de formas que no se correspondían con animales conocidos, y ésa debió de ser la base de muchas historias. Probablemente fue así como nació la leyenda del unicornio, a cuyo cuerno molido se atribuyen poderes curativos y fuerzas milagrosas: se debieron de encontrar en las playas unos objetos que visualmente podían corresponder con el aspecto de un cuerno de unicornio. En realidad se trataba de colmillos de narvales macho arrastrados por el mar (véase el recuadro de la página anterior).

Algunos criptozoólogos consideran al *Procamptoceras brivatense*, extinguido hace un millón de años, el antepasado real del unicornio. Era una especie de antílope con dos cuernos situados muy cerca el uno del otro que bien podían pasar por uno.

OTROS SERES MÍTICOS:

Pegaso
Caballo alado mágico de la mitología griega que nació de la sangre de la Medusa Gorgona y fue domesticado por Belerofonte. Es el símbolo de la fantasía poética.

Hidra
Monstruo acuático policéfalo de la mitología griega. El héroe Heracles mató la Hidra de Lerna (en el Peloponeso) quemándole las cabezas una a una e impidiendo que le crecieran de nuevo.

Con torso de hombre y cuerpo de caballo, en la mitología griega el centauro se considera una criatura lujuriosa.

Según la mitología griega, Pegaso surgió de la sangre de la Medusa y fue domesticado por Belerofonte. Pegaso es hoy símbolo de la poesía.

Centauro
Criatura mítica con torso y cabeza humanos y cuerpo de caballo. Esta lujuriosa criatura salvaje vivía en las montañas de Arcadia y Tesalia.

Sirenas
En la mitología griega las sirenas son divinidades de ultratumba, jóvenes con cuerpo de ave. En la *Odisea* son monstruos de los mares que habitan en una isla y con su canto seducen a los marineros hasta llevarlos a la perdición. En mitos posteriores aparecen como criaturas mitad mujer, mitad pez, y se han convertido en símbolo de la inmortalidad. Al parecer, Colón creyó haber visto sirenas cerca de las Antillas. En el siglo XVIII se expuso en el British Museum de Londres un ejemplar que presuntamente había sido capturado en aguas japonesas.

Cerbero
Es el perro de las tinieblas de la mitología griega, con tres cabezas y cola de serpiente. Cerbero es el que conduce a las personas al Hades y nunca más las deja salir.

Nessie

Nessie es la reina absoluta de los críptidos. Hace ya unos 1.500 años que el monstruo del lago Ness alimenta las leyendas y mitos de las tierras altas de Escocia. En el siglo pasado pasó a ser famosa en todo el mundo, y hubo una oleada de personas que se lanzaron en su búsqueda.

EL MONSTRUO DEL LAGO NESS

Si hubiera algo parecido a una lista de los más buscados de la criptozoología, Nessie, el monstruo del escocés lago Ness, encabezaría la lista. Según la mayoría de las descripciones, Nessie tiene el aspecto de un plesiosaurio.

El lago en el que presumiblemente vive Nessie tiene 37 km de largo, una anchura de 1,5 km y una profundidad máxima de 275 metros. La temperatura en la superficie oscila en verano entre los 5 y los 12 ºC. El fondo del lago es fangoso, provocando que el agua sea turbia y sea difícil investigar las formas de vida que se dan en esas aguas.

La primera mención que se hace del «monstruo» la encontramos en una biografía de san Columbano que nos llegó a través del abad Adamnan. San Columbano, monje irlandés, se esforzaba por convertir a los gentiles escoceses cuando él mismo y sus fieles fueron testigos de cómo un monstruo mataba a un hombre. Acto seguido, el monstruo intentó atacar a uno de los fieles. Con una cruz, el santo pidió al «demonio» que parara, y el monstruo desapareció en las profundidades del lago. Desde entonces Nessie forma parte de la mitología de los *Highlands* escoceses.

El lago Ness está situado al norte de Escocia. Con una profundidad de 275 metros, 37 km de longitud y una anchura de 1,5 km, es el lugar donde supuestamente vive la legendaria criatura Nessie.

Nessie es, junto al Yeti, la criatura criptozoológica más famosa del mundo. Hoy en día se sigue dudando de su existencia. Esta foto de 1934 muestra al «monstruo», pero se comprobó que era falsa.

NESSIE, UN IMÁN TURÍSTICO

Con la construcción de la carretera de la ribera del lago, en 1933, empieza la época moderna del monstruo. El matrimonio Mackay fue de los primeros que vieron a la criatura, a una distancia de 500 m, y la compararon con una ballena. Ese mismo año se sucedieron 50 avistamientos más, una vez incluso en tierra. Un matrimonio de Londres vio algo parecido a un dragón, de 8 metros de largo, con un largo cuello y que llevaba un cordero en la boca. Algunos de esos avistamientos duraron hasta 10 minutos; otros testigos afirman haber visto a la criatura 18 veces.

Desde entonces ha habido innumerables fotos y apariciones, en su mayoría probadamente falsas: la mayoría de las veces se habían confundido con el monstruo ramas flotantes, estelas de barcas de pescadores, torbellinos de la superficie, salmones muy grandes, focas, etc. La tecnología más avanzada, como el ecómetro y cámaras sumergibles, apenas han obtenido resultados a lo largo de sus innumerables expediciones. No se ha podido dar con las cuevas submarinas donde se supone que habita Nessie. Con sonares se han registrado una y otra vez grandes objetos bajo el agua, pero nunca se han podido mostrar fotos concluyentes porque lo que se había detectado volvía a desaparecer o, literalmente, se disolvía.

La literatura sobre Nessie llena bibliotecas. Muchos autores consideran a esta criatura un pez fuera de lo común; otros, los escépticos, piensan que Nessie no es más que una atracción turística que se mantiene viva, y otros consideran el lago Ness como un callejón sin salida de la evolución, ya que la fauna y la flora del lago se remontan hasta la Edad de Hielo.

La última vez que se fue en busca del misterioso monstruo se colocaron cámaras y se observó el lago durante 24 horas.

Un buceador con una luz ultravioleta durante una expedición a las profundidades fangosas del lago Ness, en 1976. La temperatura de la superficie llega en verano a un máximo de sólo 12 grados.

Otras criaturas del agua y monstruos marinos

Nessie no es la única criatura misteriosa que vive en el agua, y el lago Ness no es el único lago con posible habitante extraordinario. En tres lagos canadienses ha habido avistamientos insólitos desde hace siglos, y desde tiempos inmemoriales y en gran número hay informes que hablan de serpientes marinas, desde Tasmania hasta Massachussets. Muchas de esas criaturas se parecen en sus descripciones al Monosaurio o Ichtiosaurio, que vivieron durante el Plioceno, la última época del Terciario, hace de 3 a 5 millones de años, y que se consideran extinguidos. ¿Podría ser que esas criaturas sigan escondidas en el fondo del mar y que las veamos de vez en cuando?

MANIPOGO

En el lago Manitoba, en la provincia canadiense del mismo nombre, se habla de la existencia de una especie de lagarto marrón oscuro, casi negro, con joroba; se trata de Manipogo. Se cree que su longitud oscila entre los 3,5 y los 15 metros. En 1962 consiguieron sacarle fotos dos pescadores de anguilas, pero eran de muy mala calidad y no se aceptaron como prueba. Aquello podía muy bien ser una rama flotante.

IGOPOGO

Al norte de Toronto, también en Canadá, se cree que en el lago Simcoe, cuya parte nororiental se llama Kempenfelt Kelly, vive el Igopogo. Al parecer, tiene un largo cuello y cabeza de perro. Todas las descripciones de la criatura coinci-

den, lo cual refuerza la teoría de que realmente en el lago vive un ser desconocido. El presidente del British Columbia Scientific Cryptozoology Club, John Kirk, fue en su busca en 1970

Otras criaturas de agua en diferentes países y regiones

- Cardborosaurius «cady» (isla de Vancouver, Columbia Británica, Canadá)
- Piast, Peiste, Pasita, Allphiast, Ullfish (Irlanda)
- Morgawr (Cornualles y Gales, Inglaterra)
- Chessie (Cheasepeak Bay, Maryland, Estados Unidos)
- Rocky (Rock Lake, Wisconsin, Estados Unidos)

sin obtener resultado alguno. En grabaciones de videoaficinados se ve una sombra oscura, luego aparece una cabeza, mira unos segundos a su alrededor y vuelve a sumergirse. Kirk dijo que son lobos de mar o focas.

OGOPOGO

En el lago Okanagan, en la Columbia Británica, Canadá, se cree en la existencia de un animal de nombre Ogopogo. Mucho antes de que hiciera aparición por primera vez, los indios del lugar ya creían que en el lago vivía una criatura mítica; por eso, cuando tenían que cruzar el lago, llevaban siempre consigo un par de gallinas. No existen pruebas concluyentes sobre este monstruo acuático. El primer avistamiento tuvo lugar en 1937, y se hablaba de una criatura de unos 9 metros de largo. En 1986 emergieron del agua seis jorobas, y los testigos dijeron que el animal medía entre 15 y 18 metros. Los especialistas piensan que se trata de un reptil o una ballena.

BASILOSAURIO O SERPIENTE MARINA

Algunos criptozoólogos clasifican a esta criatura como el extinguido basilosaurio, la ballena primitiva. Pero sería extraño porque en invierno los lagos se hielan, y el animal no podría ama-

En 1550 Sebastian Munster dibujó monstruos marinos basándose en los relatos de los descubridores que regresaron a Europa desde el otro lado de la Tierra.

En 1993 se construyó esta maqueta de ballena primitiva, el basilosaurio, que llegaba a alcanzar una longitud de 25 metros.

mantar ni subir a la superficie para respirar. Además, los basilosaurios alcanzaban una longitud de hasta 25 metros, con lo cual tampoco habrían podido vivir en ríos no helados. Otros criptozoólogos piensan que se trata de las más grandes serpientes marinas, que, por un lado, existían bajo el hielo, y por otro, podrían haber nadado por un río y pasar desapercibidas.

Para los zoólogos, los avistamientos sólo prueban que las focas a veces emigran del mar a los lagos continentales, es decir, que lo que se ve son focas. Bernard Heuvelmans analizó 587 informes de avistamientos y él mismo resumió: «Serpientes marinas con el típico cuello largo y el cuerpo en forma de puro, cuatro patas, membranas natatorias y movimientos rápidos; saurios de mar vistos ocasionalmente, que parecen cocodrilos y surgen en aguas tropicales; caballitos de mar, nutrias gigantes de varias jorobas, pinnípidos marinos, anguilas gigantes, varios tipos de tortuga y marmotas de vientre amarillo» (7).

El Lighthouse Reef o agujero azul, como los habitantes de Belice (Centroamérica) lo denominan, de un diámetro de 90 metros y con cuevas submarinas y abismos, se considera morada de monstruos marinos.

Bigfoot

Desde hace mucho tiempo, en Estados Unidos y Canadá, en las escarpadas regiones de las Montañas Rocosas y los Apalaches, se han avistado seres de pies gigantes *(big foot)*, de un tamaño corporal considerable y peludos. ¿Se trata en este caso de hombres mono, de monos hombre o incluso, como apuntan las últimas investigaciones, de extraterrestres?

EL BIGFOOT: ¿UN SER EXTINGUIDO O UNA LEYENDA?

Al Bigfoot, en indio, *Sasquatch,* en español, «hombre bestia», lo consideran los criptozoólogos un superviviente del extinguido *Gigantopithecus.* Para los zoólogos es sólo una leyenda, pero científicos y legos siguen yendo en busca de este ser.

En 1818 se describió en un artículo de prensa el primer encuentro con el Bigfoot. Desde entonces no cesan los testimonios de avistamientos, que llegan hasta nuestros días. Las descripciones son siempre iguales: el Bigfoot mide, según las versiones, hasta 2,5 metros, camina erguido, está cubierto de una piel parda rojiza, sus penetrantes ojos rojizos están muy cerca uno del otro y ponen en trance al hombre, tiene una cabeza maciza encajada en los hombros, emite gemidos y echa un olor nauseabundo.

EL ADN DE UN HOMBRE MONO

Continuamente se encuentran pistas del Bigfoot y se rechazan porque resultan ser falsas. Los criptólogos afirman que las huellas verdaderas se podrían distinguir en seguida porque el desplazamiento de la carga de un ser vivo al caminar y las huellas resultantes no se pueden imitar fielmente con pies de madera o de goma.

En 1981 el criptozoólogo californiano C. Thomas Biscardi consiguió sacar esta foto de un Bigfoot huyendo. ¿Llegará a demostrarse la existencia de esta criatura, que ha sido vista ya en tantas ocasiones?

En muchas ocasiones se ha confundido al Bigfoot con el oso grizzly cuando está en posición erguida.

muerto, aunque en algunos casos se hubieran disparado todos los cartuchos. O bien el cadáver cayó en un barranco, o no lo pudieron esconder inmediatamente y al día siguiente había desaparecido, o las balas no le hacían nada y sobrevivía o bien se desintegraba en el aire.

BIGFOOT Y VISIONES DE OVNIS

Las nuevas teorías relacionan el avistamiento de ovnis con la aparición del Bigfoot. En este caso la pregunta no es sólo si se trata de un hombre o un animal, sino que se acerca al ámbito de los seres extraterrestres. En realidad, estaríamos hablando de hologramas, ya que sólo así sería posible explicar sus apariciones súbitas y su desaparición también repentina, así como el hecho de su insensibilidad a los disparos.

Aparte de las huellas de los pies de este «antropoide», hay también muestras de pelo y excrementos que no se han podido clasificar. Las investigaciones sólo han resuelto que el ADN es comparable al de un antropoide.

Muchas veces resulta que cuando se ha visto a un Bigfoot, en realidad se trataba de un oso grizzly, que anda sobre las patas traseras y cuyo cuerpo es parecido al del hombre.

FUEGO AL FANTASMA

También hay registros de imágenes y sonidos de Bigfoot pero, como suele pasar, hay opiniones enfrentadas. Los criptozoólogos, por ejemplo, creen en la autenticidad de la película de Patterson y Gimlin. Patterson la rodó en 1967 y Gimlin estaba junto a él. Los defensores dicen que la película muestra una hembra cruzando un río. Los escépticos detractores, entre ellos Heuvelmans, creen que es un fraude. Al parecer, en una observación más detallada del material fílmico se aprecia incluso un desgarro muscular en la pata derecha. Según los defensores, algo así no podría haberse representado de haberse trucado la película.

El autor Roland Horn titula «Fuego al fantasma» su capítulo sobre Bigfoot. Es interesante que todos los que dicen haber visto un Bigfoot llevaran un arma consigo y dispararan, a pesar de que no suponía amenaza alguna. Es también significativo que no se haya podido nunca mostrar a un Bigfoot

En 1974 el doctor Grover Krantz, antropólogo de Washington, presentó estos vaciados de yeso de un Bigfoot. Basándose en la profundidad y el tamaño de las huellas, calculó que mediría unos 2,5 metros y pesaría entre 250 y 350 kilos.

Yeti

¿Quién no ha oído hablar del Yeti o Metoh Kangmi, «abominable hombre de las nieves», tal como lo llaman los habitantes del Himalaya? Allí sigue dejando sus huellas e incluso ha sido visto alguna vez, ya que en el Himalaya parece estar su guarida. ¿Es el Yeti un vestigio de nuestros antepasados o una especie hasta hoy no identificada?

HUELLAS MISTERIOSAS EN LA NIEVE

El Yeti del Himalaya es un clásico más de la criptozoología. Pero en este caso no se trata tanto de si se le ha visto o no en realidad como de sus huellas, cuya longitud oscila de forma notable entre los 15 y los 45 centímetros.

Hoy día se sigue hablando de apariciones de la misteriosa criatura. En su libro editado en 1998 *Yeti: leyenda y realidad,* Reinhold Messner escribe que él se encontró con el Yeti, o por lo menos eso creían sus acompañantes, nativos de la zona. En una investigación más precisa, Messner declara que se trataba de un oso pardo del Tíbet. Dada su estructura ósea y el hecho de que puedan caminar erguidos, sigue sucediendo una y otra vez que se confunda a los osos con crípticos. Las personas que creen haber visto al Yeti por los alrededores se muestran siempre de acuerdo en que no es ni un mono ni tampoco un oso.

TRES CLASES DE YETI

Para los nativos del Himalaya que creen en el hombre de las nieves, existen tres clases de Yeti: el más pequeño, *yeh-the,* el más grande, *meh-the,* y el gigante, *dzu-the.* Esta diferenciación en tres tamaños vendría a explicar las diferentes huellas. En el caso del pequeño y el mediano, se trata probablemente de especies de mono que en Himalaya se consideran Yetis. Si realmente existiera el Yeti, seguro que descendería del *Gigantopithecus,* de los extinguidos monos gigantes (véase la página 241). Cuando se extinguieron, hace medio millón de años, el monte Everest estaba creciendo unos 500 metros. Es posible que eso fuera la causa del aislamiento de muchas especies.

Otra teoría sugiere que el origen del Yeti se localizaría en los bosques y valles que están más abajo de la frontera de las nieves. Muy pocas veces el hombre visita esos valles escondidos de vegetación exuberante y muy nebulosos. El Yeti, para desplazarse de un valle a otro, tendría que hacerlo por la nieve, lo que explicaría las huellas que regularmente se van encontrando.

UN ELEMENTO FIRME EN LAS CREENCIAS DE LOS NATIVOS DEL HIMALAYA

Reinhold Messner afirma en su libro que el Yeti, como ser parecido al hombre, persistente, salvaje y horrible, sigue siendo una de las firmes creencias de los nativos del Himalaya. Pero de hecho, aparte de algunas fotografías de mala calidad (la falsedad de la mayoría de las cuales está probada) y textos religiosos tibetanos, no hay pruebas de su existencia. Restos de este ser se siguen encontrando en recónditos monasterios tibetanos, exhibidos como prueba de su existencia, pero en la

Hace tiempo que el Yeti fascina a mucha gente. Durante la producción de la película que se rodó sobre el abominable hombre de las nieves, mucha gente, atraída por el tema, fue a visitar el plató.

mayoría de los casos son restos de especies animales conocidas. En 1960 Heuvelmans investigó una presunta cabellera de Yeti, un objeto ritual de los nativos del Himalaya. Comparándola con el pelo de una cabra montés del Himalaya que Heuvelmans encontró en el Museo de Ciencias Naturales de Bruselas, dedujo que se trataba de pelo de esa misma especie de cabra.

En realidad no existe prueba alguna. Exceptuando las declaraciones de miles de testimonios, la existencia de este críptido es un misterio de las vertiginosas alturas del Himalaya.

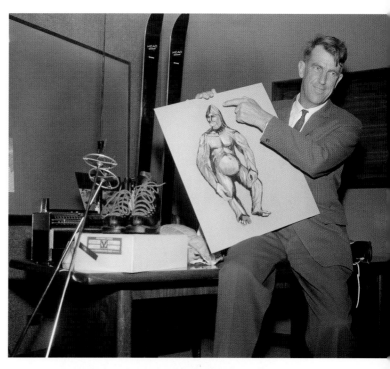

Sir Edmund Hillary, el primer hombre que alcanzó la cima del Everest, muestra en una rueda de prensa de 1960 dibujos de una criatura de las nieves que, según afirmaba, había visto en el Himalaya.

A principios de la década de 1990 se encontró la piel de una criatura, presuntamente del legendario Yeti, en un pueblo en el valle de Khumbu, en Nepal.

Hombres mono

Además de las ya comentadas y famosas formas de hominoides como son el Yeti y el Bigfoot, en los diferentes continentes y países han sido vistos a lo largo de la historia otros hombres mono, que además están documentados. En realidad, son muy sorprendentes las recurrentes coincidencias. ¿Cómo es posible que se describan las mismas características independientemente del lugar y el tiempo? Los casos siguientes presentan sólo una elección de los crípticos más importantes. La existencia de estos seres no se ha podido verificar científicamente.

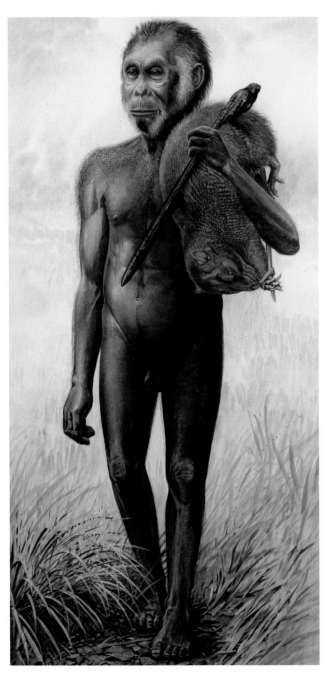

Esta reconstrucción del *Homo floresiensis* muestra la criatura cuyo esqueleto se encontró en la isla de Flores, Indonesia. Medía un metro escaso.

EL MONO DE LOYS

El mono de Loys (*Ameranthropoides loysi,* también conocido como Didi, Vasitri o Guayazi) es una especie de hombre mono o mono hombre, al parecer oriundo de América del Sur. Desde hace más de 400 años existen informes sobre esta criatura, y ya *sir* Walter Raleigh (1552-1618) trajo a Europa las primeras noticias sobre ella en 1595. 200 años más tarde Alexander von Humboldt tradujo historias indianas sobre hombres mono que comían humanos; él mismo creía que eran osos. En las historias de los nativos, esas criaturas eran agresivas, secuestraban a mujeres y mataban a los hombres.

En 1920 una expedición supervisada por el geólogo suizo François de Loys (1892-1925) en busca de petróleo en el río Tarra, en la selva entre Colombia y Venezuela, fue atacada por unas criaturas más grandes que monos que caminaban sobre las patas traseras y no tenían cola. Se defendieron, y uno de los hombres disparó contra una hembra. Para fotografiarla, colocaron el cadáver en una caja y lo pusieron en posición erguida con ayuda de un palo. Según dicen, el animal medía alrededor de un metro y medio y tenía la piel parda rojiza, los brazos largos, los pies como garras y 32 dientes (en América del Sur los monos suelen tener 36). Además, al animal le sobresalía un gran clítoris, que podría haberse confundido fácilmente con un pene. El zoólogo francés y amigo de Loys Georges Montadon clasificó al animal dentro de una especie, *Amerantropoide loysi* (hombre mono Loys de América del Sur). Dentro de la zoología el hallazgo se encajó con mucho escepticismo: se afirmaba que Loys le había cortado la cola a un mono y se clasificó al animal como mono araña, por el color de su pelo.

Defensores de la nueva especie alegaron que, según las medidas de la caja en la que el animal fue fotografiado, el mono tenía que medir aproximadamente un metro y medio, medida que superaría con creces la normal de un mono araña. Sin

embargo, no dejaron examinar ni la caja ni el número de dientes. A favor de la autenticidad del descubrimiento de Loys juega el hecho de que él nunca lo hizo público: de eso se encargó Montadon. El geólogo Loys estuvo en Río Tarra en busca de petróleo, o sea que no estaba interesado en hacerse famoso descubriendo ningún animal poco usual.

En 1920, entre Colombia y Venezuela, el geólogo suizo François de Loys disparó a esta criatura simiesca, de la que después se hizo un boceto. Se trata de una hembra de alrededor de un metro y medio de altura. El animal muestra un clítoris gigante, que primero se pensó que era un pene. El zoólogo Montadon lo clasificó como una nueva especie: el mono de Loys.

EL ORANG PENDEK

El Orang Pendek o «pequeño hombre», porque al parecer no mide más de 75 cm, se parece al orangután, el «hombre del bosque», y presumiblemente vive en los bosques tropicales del norte de Sumatra. Estaríamos probablemente ante una nueva especie de primate. De sus homónimos se diferenciaría sobre todo por el tamaño, pero también porque camina erguido. Los indicios que apuntan a su existencia se basan únicamente en las huellas y no en restos de pelo clasificados o cualquier otra muestra de tejido. Las huellas se distinguen claramente de las de otros críptidos como el Yeti o Bigfoot. Hasta la fecha no se han conseguido pruebas concluyentes que demuestren su existencia. Lo único que es seguro es que los restos de piel y pelo no pertenecen a ningún mono o mamífero conocido. Todas las fotografías que existen, o bien se ha demostrado que son falsas, o son inservibles. Los que dicen haberlo visto declaran que se parece al parantropo, un pariente de los antepasados del hombre. Se supone que el Orang Pendek podría estar emparentado o ser un descendiente del *Homo florensiensis*, descubierto en 2004, una especie del género *homo* extraordinaria por su reducido tamaño y extinguida hace unos miles de años en la isla de Flores.

Debido a sus brazos y piernas delgados y largos, esta especie de mono de América del Sur se llama «mono araña». La ciencia convencional clasifica al mono de Loys como mono araña, aunque este último no mide más de 40 cm de altura.

¿Qué otros misterios oculta la selva de América del Sur? ¿Viven allí criaturas de cuya existencia no se sabe nada todavía?

Siempre se han dibujado monos como si fueran algún tipo de homínido y con cualidades humanas. Aquí, un estudio del siglo XVIII.

YEREN

Se le llama Yeren en la provincia china de Hubei. El «hombre del bosque» de Shennongjia o Yen Hsiung es un hombre mono que se supone que vive en las montañas de la provincia, está cubierto de pelo pardo rojizo y mide entre metro y medio y dos metros de altura. Desde la primera vez que fue visto, en 1920, hay unos 400 informes sobre su aparición. Los cripto-zoólogos parten de la idea de que se trata probablemente de un representante del extinguido *Gigantopithecus* (véase la página 241), del que en esta región de China se encontraron fósiles.

ALMA

El Alma es el hombre mono legendario de Mongolia y, al parecer, mediría unos dos metros de altura. Tiene el cuerpo cubierto de pelo pardo rojizo, largos brazos y una chocante frente plana. Los Almas, al parecer muy huidizos, aparecen en las montañas de Mongolia y en la cordillera china de Tien-Shan. Los primeros informes se remiten al año 1420. Los nativos tildaban a la criatura de «hombre salvaje». Este hombre mono se ha buscado en numerosas expediciones pero, aparte de supuestas huellas y algunos restos de pelo que nunca han podido ser verificados, no se ha dado con ninguna prueba de su existencia.

El hombre de hielo de Minnesota

En 1968 los zoólogos Ivan T. Sanderson y Bernard Heuvelmans visitaron en Minnesota una exposición itinerante en la
que se podía ver un hominoide congelado en un cubo de
hielo. Los zoólogos hicieron fotografías y dibujos, documentando así a la criatura. «Por primera vez en la historia se ha
encontrado el cadáver de un neandertal parecido al ser
humano. Lo que significa que esta forma de hominoide, que
se creía extinguida desde la época prehistórica, todavía vive»,
escribió Heuvelmans entusiasmado (7). El zoólogo suponía
que el hombre de hielo procedía de Vietnam y llegó a Estados
Unidos en las bolsas destinadas a los cadáveres de los soldados americanos muertos, ya que el capitán Hansen, que era el
que lo exhibía, estuvo destinado allí durante la guerra, en
1966. La procedencia real del hominoide no saldrá probablemente nunca a la luz, ya que continuamente aparecen informes contradictorios, la mayoría de ellos elaborados por el
mismo capitán Hansen. Él afirmó haberle disparado en
Minnesota, haberlo dejado allí y haber vuelto a encontrarlo
congelado después de los años. Más tarde declaró que lo
había pescado en un bloque de hielo que iba a la deriva
en Siberia. Después diría que había descubierto el
cadáver en un saco de plástico en Hong Kong. El
hombre de hielo de la exposición itinerante de Minnesota desapareció, supuestamente porque su cadáver empezó a descomponerse, y fue sustituido por
uno falso. Los zoólogos lo demostraron basándose
en quince pruebas. En 1997 apareció en Francia
otro hominoide similar al hombre de hielo de
Minnesota. Bernard Heuvelmans también vio en
este caso una clara falsificación.

Otros nombres de criaturas simiescas en diferentes países y regiones

- Yowie (Australia)
- El monstruo Moehau (Nueva Zelanda)
- Chuchunaa (este de Siberia)
- Jag-mort (territorio de los Urales)
- Mechenji (oeste de Siberia)
- Kaptar y Almastij (Cáucaso)
- Hibagon (Japón)
- Dwendis y Duende (Belice y Guatemala)
- Shiru (Ecuador y Colombia)
- Didi (Guayana, Surinam y Guayana Francesa)
- Mapinguary o Maricoxis (Brasil)
- Ucumar, Umahuaca y Ucu (Argentina)

«Por primera vez en la historia se ha encontrado el cadáver de un neandertal
parecido al ser humano», escribió Bernard Heuvelmans entusiasmado cuando vio
en una exposición al llamado «Hombre de hielo de Minnesota».

Chupacabras

El chupacabras está a medio camino entre leyenda y realidad. Su forma bestial de matar animales domésticos y ganado, de chuparles toda la sangre e incluso de extirpar sus órganos atrajo la atención de la criptozoología poco después de su primera aparición, en 1995. Muchas incógnitas rodean a esta criatura y su procedencia. Para algunos es muy cercano al mundo de los extraterrestres, y para otros es el resultado de horribles experimentos genéticos.

MEZCLA DE MAMÍFERO, DRAGÓN Y VAMPIRO

El chupacabras, nombre con el que aparece en la prensa local porque deja a sus víctimas sin una sola gota de sangre, fue visto por primera vez en Puerto Rico en la década de 1990. Más tarde se dio testimonio de esta criatura que había infundido terror en América del Sur en los estados del sur de Estados Unidos, y entre tanto también en África. Las descripciones son en la mayoría de los casos muy parecidas: se trata de un animal de un metro y medio, con una mandíbula inferior muy pronunciada, ojos grandes y rojos, pequeños orificios nasales y una boca a modo de raja estrecha con colmillos arqueados. Su piel es negra y gris para unos testimonios, mientras que para otros podría tener la propiedad de la del camaleón, es decir, cambiar de color. Al parecer, tiene protuberancias dentadas en la espalda. Se supone que esta criatura puede correr muy rápido y saltar muy alto y lejos. El autor Wladislaw Raab lo describe así: «… hace el efecto de ser un tipo de mamífero, comparable a un

Deinonico o Velociraptor… El mito del vampiro, muy difundido también en América del Sur, parece tener un papel en los informes, porque en los cadáveres se encuentran marcas dentales al más puro estilo de Drácula.» (8)

¿ES EL CHUPACABRAS EXTRATERRESTRE?

Muchos criptozoólogos creen que la procedencia de los chupacabras habría que buscarla en el contexto de los ovnis. El ufólogo Tito Armstrong considera al chupacabras como el salvaje animal doméstico extraterrestre que hace de las suyas en la Tierra. El criptozoólogo Scott Corales califica a la criatura de «cruce entre el alien gris y un animal terrestre parecido a un puercoespín o un canguro». Añade Corales que es activo de noche y de día: los demás animales son presa del pánico cuando el chupacabras merodea por la zona. Además, el chupacabras es muy astuto para pasar desapercibido. Casi siempre, según parece, sus apariciones van acompañadas de avista-

Más de una criatura que en un principio se consideraba un chupacabras, resultó ser al final un coyote.

Las numerosas muertes de animales acontecidas en Puerto Rico se explicaban por la acción del macaco rhesus, para el que matar es un «placer». Contra esta teoría están los innumerables testigos que dicen haber visto al chupacabras y explican que era más grande y fuerte que estos monos.

Mezcla de diferentes especies

El profesor Juan Riviero de Puerto Rico ha dado una explicación lógica a los casos de animales muertos que ha habido en su país: los macacos rhesus serían los responsables. Esos monos se llevaron a la isla con fines experimentales. Según Riviero, matan por «placer» y podrían ser los responsables de los extraños casos de muerte de animales. En contra de esta teoría existen incontables testigos que dicen haber visto al chupacabras. Otras teorías hablan de experimentos genéticos de la NASA en los que algo debió de fallar.

En Nicaragua se dice que un pastor mató a un chupacabras cuando atacó a su rebaño. El cadáver tenía los glóbulos oculares muy hundidos. Su piel era suave como la de un murciélago, sus garras y colmillos, enormes y sorprendentes, y a lo largo de la columna vertebral se extendía una especie de cresta. Los veterinarios que lo examinaron declararon que aparentaba ser el resultado de una mezcla de especies, y que en cualquier caso no se parecía a ningún animal conocido. El jefe de la policía científica confiscó el cadáver, y desde entonces no ha habido más información.

Lo curioso de los animales muertos encontrados, cabras en la mayoría de los casos, es que su carne no había sido devorada. Sólo los succionaron literalmente hasta vaciarlos; no se halló ni una gota de sangre en los cuerpos.

mientos de ovnis. Algunos grupos llegan a hablar de un programa extraterrestre con un objetivo concreto: matar a personas en grandes cantidades valiéndose de fuerzas vampirescas, hasta que el planeta se quede vacío y por tanto esté preparado para una colonización de extraterrestres. Sin embargo, hasta la fecha ninguna persona ha sido atacada.

El hombre polilla, con sus ojos rojos hipnotizadores, es una de las criaturas más inquietantes de la criptozoología. Sembró el terror durante meses en el oeste del estado americano de Virginia.

El hombre polilla

Con sus hipnóticos ojos rojos, el hombre polilla llegó a convertirse en una de las criaturas fantásticas del siglo xx. Parece no encajar con ninguna de las explicaciones más usuales. Existen más de cien testigos que informan de esta extraña criatura, mitad hombre, mitad murciélago, que causó el pánico durante dos años en el oeste del estado de Virginia, Estados Unidos, para desaparecer en 1967 sin dejar huella alguna.

EL PÁJARO DEL OESTE DE VIRGINIA

En los años 1966 y 1967, en el oeste del estado de Virginia, Estados Unidos, se dieron incontables avistamientos de una criatura con alas, de un «animal», como lo llamaban quienes lo vieron aparecer de repente en medio de la oscuridad. La criatura tenía unos ojos redondos, rojos y, en la oscuridad, incandescentes, que se suponía que tenían un efecto hipnotizador. Tenía forma de hombre pero medía más de 2,10 metros. No se le distinguía la cabeza: los ojos parecían reposar directamente sobre los hombros. En la parte trasera del cuerpo llevaba

replegadas unas grandes alas que, extendidas, podían alcanzar una envergadura de 3,5 metros. Los testigos declararon que emitía sonidos estridentes como los de un ratón. La criatura era gris, caminaba sobre dos robustas piernas humanas, y probablemente disfrutaba de capacidades sobrenaturales, pues levantaba puertas de hierro y se movía a velocidades de hasta 150 km/h, todo esto dicho por testigos que habían intentado huir en el coche y que la vieron volar sobre ellos a la misma altura. La primera noche en la que hizo aparición le dieron el nombre de «hombre polilla».

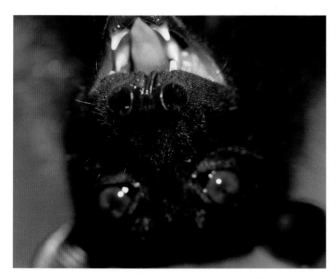

Un primer plano de un murciélago muestra el inquietante perfil de sus dientes. Desde siempre se ha considerado al murciélago una criatura siniestra con poderes mágicos.

EL EFECTO PARALIZADOR DE UNOS OJOS INCANDESCENTES

Existen testimonios, sobre todo de mujeres durante la menstruación, que fueron seguidas hasta su casa por la criatura. Algunas de ellas la clasifican de pájaro gigante, mientras que otras hablaban de murciélago enorme, porque no tenía plumas y su piel se presentaba en muchos casos como escurridiza. En todas las descripciones se coincide en el hecho de que tenía los ojos incandescentes, de hasta 5 cm, y que por lo visto parecían tener un efecto paralizador. Como en aquel año fue visto incontables veces en ese estado, cundió el pánico, aunque a nadie le infligió daño alguno. En una semana de finales de 1966 hubo informes de avistamientos de pájaros extraños y grandes, parecidos al hombre polilla, en Ohio y Pensilvania. Como en esa época abundaban en la prensa noticias sobre la extraña criatura, resulta difícil decir si se trataba de avistamientos o más bien de un caso de histeria colectiva.

CONEXIONES MISTERIOSAS ENTRE VISIONES DE OVNIS Y EL HOMBRE POLILLA

John Keel decía en su libro *Las profecías del hombre polilla:* «Aquel que vio al hombre polilla, vio también ovnis, y quien los vio, tuvo contacto con los aliens». (9) La aparición de cada uno de los tres fenómenos iba acompañada en la mayoría de los casos de cacofonía estática (tonos disonantes); algunos la definían como un fuerte piar o un ruido deformado. Muchos testimonios del oeste de Virginia informan de que el sonido era como si se oyera una grabación demasiado acelerada.

Los avistamientos de estas criaturas siguen siendo un misterio. Por un lado, el hombre polilla es biológicamente imposible, pues sería demasiado grande como para volar. Por otro lado, según los testimonios, no hacía uso de sus alas, sino que volaba como un helicóptero.

En total, según dice Keel, la «criatura imposible» fue vista durante esos dos años por más de cien personas. Al parecer, en 1975 se dieron en Texas apariciones similares al hombre polilla, pero no están documentadas. En 2001 se filmó la película *Las profecías del hombre polilla,* basada el libro de John Keel que le da título, con Richard Gere como protagonista.

En el intento de interpretar lo inexplicable, se ha ido representando al hombre polilla de diferentes maneras, también a nivel artístico. Aquí, un murciélago que se ha estilizado hasta darle forma de hombre polilla.

El kongamato y el pájaro trueno

En Indonesia, África, Australia y los dos subcontinentes americanos se llevan produciendo desde hace ya mucho tiempo avistamientos de criaturas voladoras enormes. En especial, el kongamato africano y el norteamericano pájaro trueno *(thunderbird)* han sido objeto de investigación concienzuda por parte de los criptozoólogos. Incluso se sitúan en el contexto de los ovnis.

KONGAMATO

El kongamato, la «más imponente de las embarcaciones», es, para la criptozoología, un saurio volador con alas de una envergadura de 1,20 a 2,10 metros que todavía viviría en las ciénagas de Jiundu, en el oeste del Zaire. Se lo describe sin plumas, de piel resbaladiza, roja o negra, y con un largo pico repleto de dientes. Su nombre le viene dado por los nativos, cuyas canoas de pesca presuntamente hace zozobrar. Además, la mitología popular cree que a todo aquel que lo ve queda irremediablemente abocado a la muerte.

En 1923 el aventurero británico Frank H. Melland escuchó los relatos de los nativos de la tribu kaonde sobre la existencia de un «demonio de las ciénagas». Intentando identificar al animal, Melland enseñó a los nativos dibujos de saurios voladores. Sin vacilar identificaron su kongamato.

Unos años más tarde coincidieron en una expedición a las colonias inglesas de África el periodista J. Ward Price y el que más tarde sería el rey Eduardo VIII. Cerca de la ciénagas de Jiundu se toparon con un nativo que había sufrido graves heridas en la espalda, al parecer producidas por un impresionante pájaro de grandes dientes. El hombre reconoció tam-

Una persona presa del pánico puede ver en una cigüeña normal una criatura sacada de una fábula, o incluso quizá un *thunderbird.*

bién en seguida en las imágenes de saurios voladores al animal que le había atacado. En 1957 un hombre que presentaba heridas en el pecho afirmó cuando lo ingresaban en hospital que había sido atacado por un pájaro gigante en las ciénagas de Bangweulu, en el sur de Rodesia. Cuando hizo un esbozo de su atacante, dibujó la silueta de un saurio volador. Hasta finales de los años cincuenta continuaron los avistamientos en los lugares mencionados, aunque una foto de kongamato resultó ser falsa después de los análisis pertinentes.

No existe explicación para el fenómeno del kongamato. Algunos zoólogos creen que se trata de la cigüeña de pico de zapato autóctona de aquellas ciénagas. Pero no se sabe de ningún caso en que ese pájaro haya atacado a una persona. En otro intento aclaratorio, se le considera un animal alado aún no clasificado. Los criptozoólogos son de la opinión de que se trata de un saurio volador al que erróneamente se da por extinguido.

Los zoólogos consideran que el kongamato es en realidad la cigüeña de pico de zapato autóctona de África. Pero no se conoce ningún caso en el que este pájaro haya atacado a una persona.

THUNDERBIRD

El «pájaro trueno», *thunderbird,* sería la versión del africano kongamato para la mitología de los indios norteamericanos. Ya desde los tiempos de la colonización, hay testimonios de avistamientos de aves gigantes, sobre todo en los estados septentrionales de Estados Unidos, en donde realmente se podría incluso hablar de una «ola de avistamientos».

Los criptozoólogos, y al frente de ellos el investigador estadounidense Ivan T. Sanderson, son de la opinión de que el *thunderbird* podría ser, como ocurre con el kongamato africano, un saurio volador que ha conseguido sobrevivir a la extinción. En este caso se podría tratar de los extinguidos teratórnidos americanos, parientes gigantes de los buitres de hoy, cuyo mayor representante tenía una envergadura de hasta ocho metros.

En cuanto a la clasificación de estos animales, algunos científicos, en concreto los partidarios de la argumentación preastronáutica, llegan a dar por supuesto que la mitología nativa del *thunderbird* remite a avistamientos prehistóricos de cuerpos alados extraterrestres.

Los indios americanos veneran desde tiempos inmemoriales al *thunderbird* como animal totémico.

Este animal, un ajolote, fue fotografiado en la década de 1980 en Baja California, México. Sus pequeñas patas delanteras le confieren un parecido con el mítico gusano con zarpas y confirman la posibilidad de su existencia.

El gusano con zarpas

Un gusano con zarpas es un reptil mítico de los Alpes con dos o cuatro patas. Desde el siglo xv hay testimonios de personas que dicen haber visto a este críptido, que por lo visto parece haber asustado a más de un caminante.

Un pequeño dragón o un dragón gusano

El gusano con zarpas se suele describir como escamoso y con pelo por el cuerpo, parecido a una serpiente o a veces a un mamífero, y en algunos casos con cabeza de gato. En unos relatos se habla de un animal de 30 cm de largo, en otros, de un metro. El gusano con zarpas parece ser, en cualquier caso, una bestia agresiva que ataca a animales y personas. Suele habitar en cuevas y galerías que excava en las rocas. Se dice que exhala venenos extraños e incluso vomita fuego. En algunas historias se cuenta que escupe mucosidades venenosas y su piel es también venenosa.

Apenas visto desde hace 50 años

En Europa se han visto animales parecidos. En 1924 dos caminantes encontraron el esqueleto del legendario gusano de 1,20 metros de largo, pero desgraciadamente se perdió. Las presuntas fotografías que se han hecho han resultado siempre falsas. Una de las últimas veces que se vio fue en 1954, en Sicilia, cerca de Palermo: unos campesinos vieron un gusano con patas delanteras y cabeza de gato. Desde entonces apenas se han dado más casos de avistamientos.

Heuvelmans suponía que el gusano con zarpas vendría a ser un pariente del monstruo de Gila, el *Heloderma suspectum,* o de la salamandra gigante de Japón y China, el *Megalobatrachus.* Otros criptozoólogos creen que tiene un parentesco con el lagarto de cristal *Ophisaurus apodus.*

¿Será posible que una criatura que vivía cerca de nuestras casas haya visto reducido su hábitat debido al turismo y a la urbanización, llegando a extinguirse ante nuestros propios ojos? Pero los criptozoólogos creen que aún quedan ejemplares escondidos en algún lugar de las montañas.

El gusano de la muerte de Mongolia

La inhóspita amplitud del desierto de Gobi es la patria de una misteriosa criatura, el *allghoi khorkhoi,* el gusano de la muerte de Mongolia, que por lo visto es capaz de matar animales y personas a gran distancia.

CRIATURA MORTAL BAJO LA ARENA DEL DESIERTO

El gusano de la muerte mediría entre 60 cm y metro y medio de largo, y se suele describir como una especie de serpiente gorda y de un color rojo fuerte. La población de Mongolia teme a esta criatura, y cree que el mero hecho de nombrarla trae mala suerte. Por lo visto, pulveriza un veneno mortal, lo que le da la habilidad de matar a distancia o incluso de desencadenar fuertes descargas eléctricas.

El autor checo Ivan Mackerle fue el primero que se interesó por esta criatura. Nómadas de Mongolia le contaron que el gusano se sentía atraído por el color amarillo. Al parecer, un niño tenía una caja de juguetes de ese color, el gusano se arrastró hasta él, y cuando el niño lo tocó, murió en el acto. Sus padres sólo vieron desaparecer una cola en la arena y quisieron matar al animal, pero fue el gusano de la muerte el que los mató a ellos.

CULEBRA MORTAL DEL DESIERTO O PARIENTE DEL GUSANO CON ZARPAS

Existen muchas teorías sobre esta criatura. Según una de ellas, el gusano de la muerte sería una *desert death adder,* una culebra mortal del desierto. En su descripción resulta parecida al *allghoi khorkhoi,* que también esparce veneno. Dada su naturaleza, la *desert death adder* podría muy bien sobrevivir en el desierto de Gobi, pero según se ha podido comprobar aparece sólo en Australia y Nueva Guinea. Los escépticos opinan que

Aquí, en el desierto de Gobi, se dice que vive el gusano de la muerte. Es el desierto más grande de Asia. Está a mil metros de altitud y tiene una extensión de casi dos millones de metros cuadrados.

un gusano convencional no sobreviviría en el desierto, porque se secaría. O bien vive en el desierto de Gobi una especie desconocida de culebra mortal cuyo aspecto y peligrosidad han sido exagerados por la superstición, o la criatura es fruto de la fantasía de los nómadas, que intentan así dar con una explicación a las muertes inesperadas.

Existen incontables teorías sobre el gusano de la muerte. Una dice que se trata de una culebra mortal del desierto. Se parece al gusano de la muerte y también escupe veneno.

MISTERIOS DEL
PRESENTE

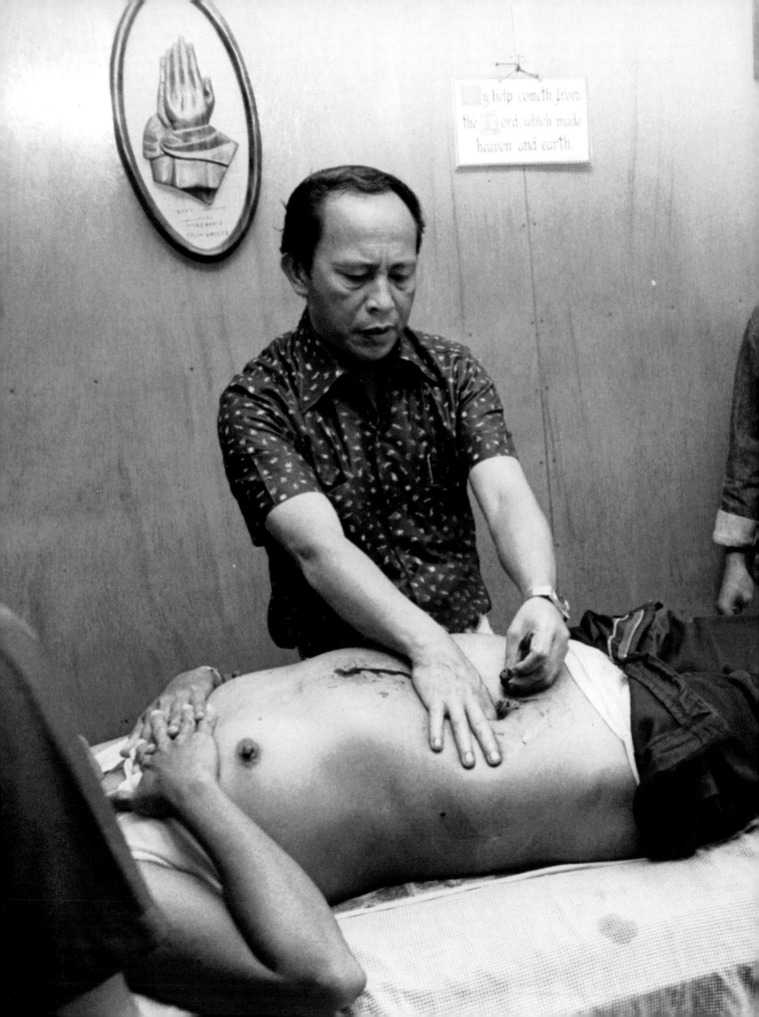

Fenómenos médicos y psicológicos

Desde que el sueño y el subconsciente se sistematizaron, y desde que su estudio, gracias a Sigmund Freud y C. G. Jung, fue reconocido como disciplina científica, muchos investigadores de los ámbitos más dispares empezaron a ocuparse de otras regiones fronterizas, zonas que aún no se habían incluido en el canon de las ciencias. A ese ámbito pertenecían, sobre todo, fenómenos que se designan como «paranormales».

Entre ellos están los diferentes métodos curativos alternativos, que van desde los chamanes de los pueblos primitivos y los curanderos hasta los sanadores espirituales. Hay casos documentados y comprobados de curaciones a distancia, de operaciones exitosas con la simple imposición de manos y, además, de sanaciones espontáneas de enfermos graves sin tratamiento reconocible, como por obra de una mano fantasma. Pero otros muchos fenómenos han sido y siguen siendo objeto de estudio: cadáveres incorruptos o personas dotadas de poderes especiales, como los niños rusos que poseen la misteriosa capacidad de una visión radiográfica, que ha permitido examinar cuerpos y diagnosticar enfermedades. Ningún médico convencional se atreve a opinar sobre estos fenómenos, que se tachan simplemente de charlatanería. ¿De dónde procede ese miedo injustificado a lo inexplicable, o mejor dicho, a lo inexplicado?

Este capítulo no sólo trata el aspecto físico de la curación, sino que también rastrea y esclarece los aspectos psicológicos.

El sanador espiritual filipino Lawrence S. Cacteng opera a un paciente valiéndose únicamente de las manos.

Curación espontánea

La curación espontánea o, por ejemplo, la regresión de tumores malignos son procesos que cualquier médico conoce por propia experiencia, aunque la razón no esté clara. Como los médicos se consideran científicos, ninguno habla en estos casos de «milagro». Se siguen buscando explicaciones que encajen con los esquemas médicos conocidos, y se rechaza cualquier otra interpretación. La pregunta que se hace la medicina es: ¿qué significa en realidad «curación»?

UNA CIEGA QUE RECUPERA LA VISIÓN

Joyce Urch, que actualmente tiene 74 años, sufrió en 2004 un grave infarto de miocardio que la dejó en coma. En Coventry, Gran Bretaña, los médicos luchaban por salvar su vida. Al cabo de tres días Urch salió del coma y además, después de 25 años siendo ciega, volvió a ver. Los médicos aún no han encontrado una explicación para esa inaudita curación. Joyce enfermó en 1979 de glaucoma y se quedó casi ciega: sólo veía sombras y no se podía valer por sí sola. Había perdido la vista gradualmente y volvió a ver de golpe. Los médicos se encuentran ante un enigma, porque la curación espontánea escapa a cualquier explicación racional. La paciente y sus familiares hablan de «milagro».

DOS CASOS CLÍNICOS MÁS

Un paciente alemán sufría un tumor bronquial, otro tenía cáncer de piel. Los dos casos ya estaban en una fase de metástasis, habiendo alcanzado los órganos vitales. Los médicos desahuciaron al primer paciente, y sólo le proporcionaban curas paliativas. De repente y sin medicina alguna, los tumores y la metástasis empezaron a involucionar. El paciente vivió diez años más sin padecer cáncer y murió de una neumonía.

En el caso del paciente con cáncer de piel, el tumor se extirpó en una operación, y contra la metástasis se le aplicó quimioterapia; además, la metástasis del cerebro se le trató con radioterapia. A pesar del tratamiento, se le desahució. El paciente empezó a seguir una terapia alternativa e inició una alimentación basada en la eliminación de cualquier tipo de carne de su dieta. A lo largo de los tres años siguientes, todos los tumores desaparecieron, y desde 1986 el hombre está totalmente curado. La medicina se encuentra de nuevo ante un enigma.

Algunas personas experimentan curaciones espontáneas que son todo un enigma para los médicos. Tal fue el caso de una ciega que, tras sufrir un grave infarto de miocardio, recuperó la visión.

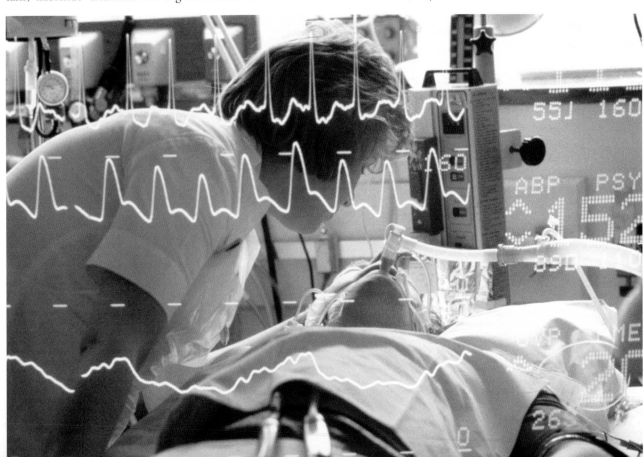

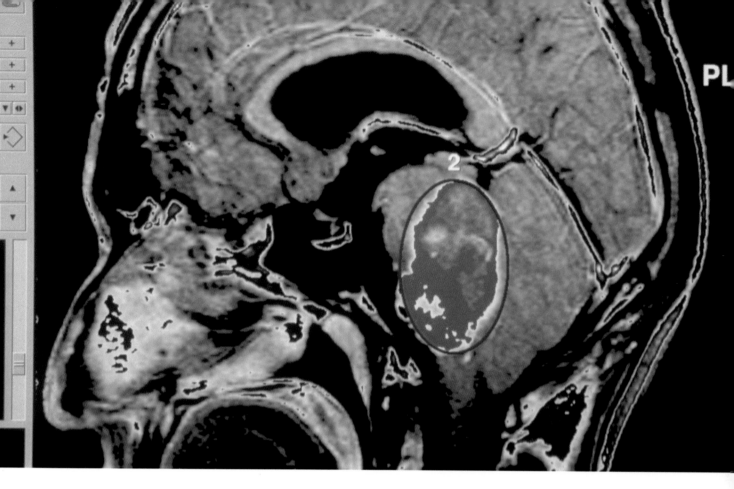

EL PAPEL DE LA VOLUNTAD EN LA CURACIÓN ESPONTÁNEA

La gente que ha experimentado una curación espontánea lo atribuye en la mayoría de los casos a su propia voluntad, al cambio de su estilo de vida o al seguimiento de una terapia alternativa. Científicos de todo el mundo recogen desde hace unos años datos sobre curaciones espontáneas e intentan interpretarlos estadísticamente. Pero los investigadores no han dado aún con una explicación racional. Grupos de investigación del Hospital Clínico de Nuremberg y la Universidad de Heidelberg han declarado que hasta el momento no hay ni recomendaciones para los pacientes ni nada que explique las curaciones espontáneas.

Una y otra vez se hacen consultas acerca de características de personalidad, modos de comportamiento o factores espirituales, en especial en las terapias alternativas o círculos de parapsicología. Los casos de curación espontánea con trasfondo religioso o relacionados con una profunda superstición están mejor documentados. La medicina rechaza sin embargo la causalidad y remite al principio de casualidad. En cualquier caso, lo que desencadena las curaciones, ya sea la influencia de energías espirituales o del azar, sigue sin hallar respuesta.

Análisis de un melanoma en estadio avanzado. La estadística señala que, de 500 casos de cáncer de piel, es previsible al menos una curación espontánea.

Existen casos de curaciones espontáneas inexplicables, en los que incluso tumores cerebrales han remitido completamente. Aquí, una tomografía.

UNA EXPLICACIÓN CIENTÍFICA DE LOS FENÓMENOS ESPIRITUALES

En el restablecimiento de un enfermo desempeñan un papel determinante factores como su actitud ante la vida, su calidad de vida y su manera personal de enfrentarse a la enfermedad. Los científicos admiten una «transformación existencial» cuando el enfermo siente a Dios o a la «esencia de la vida». La persona experimenta entonces un sentimiento de agradecimiento por su enfermedad. Ese pensamiento desencadena unos mecanismos en el sistema inmunológico que, según los investigadores, podrían favorecer la curación.

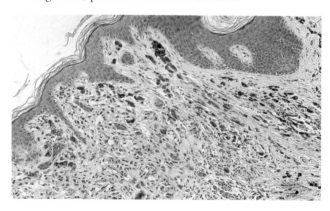

Curaciones milagrosas

Cada vez menos gente confía en la medicina tradicional, de ahí que cada vez más se acuda a los llamados curanderos o sanadores para que proporcionen alivio a un sufrimiento. Los métodos alternativos de curación son muy variados, y van desde la imposición de manos hasta el uso del péndulo. Muchos curanderos tratan a distancia, reconociendo las vibraciones de las enfermedades y enviando energía curativa. ¿Dónde está la frontera entre los farsantes y los que ponen al servicio de la humanidad su misteriosa facultad?

En 1951, en el Royal Festival Hall de Londres y ante un gran número de testigos, el curandero Harry Edwards consigue que una mujer lisiada vuelva a caminar.

HACER COMPRESIBLE LO INCOMPRENSIBLE

Desde hace bastantes años los logros de los curanderos sorprenden a buen número de personas: tumores que desaparecen, enfermos de cáncer que se curan, cojos que vuelven a andar, enfermedades que se consideran incurables y se curan en poco tiempo, pacientes desahuciados que sobreviven... Los sanadores deben hacer un esfuerzo enorme para que se les tome en serio, y deberían poner al servicio de la humanidad sus facultades. La medicina convencional se ha negado durante mucho tiempo a reconocer las formas alternativas de curación, así como a recurrir a esas técnicas en su trabajo. Pero cada vez más científicos empiezan a dudar ante los éxitos de los «otros». Cada vez más investigadores intentan hacer comprensible lo incomprensible, y llevan a cabo pruebas con cámaras de infrarrojos, mediciones de las frecuencias del corazón y complejos experimentos celulares para responder a la pregunta de si existe en verdad la energía curativa.

DOS SANADORES EN ALEMANIA

Cada vez hay más gente que confía en los sanadores y menos en la «medicina de aparatos», porque esta terapia alternativa brinda algo que la medicina convencional pocas veces ofrece: apoyo, esperanza, curación.

Christos Drossinakis, de origen griego, es el sanador más conocido de Alemania y se ha sometido a varias pruebas en

El éxito de la medicina alternativa

El doctor Harald Wiesendanger describe el éxito de la medicina alternativa como sigue: «La curación espiritual conlleva una amplia vuelta atrás, hacia las terapias "naturales" o "suaves", que de forma engañosa se denominan "medicina alternativa". En los últimos veinte años se ha doblado ampliamente el número de ciudadanos que toman de manera regular medicamentos naturistas. Y no menos del 84% están a favor. En Alemania, al menos uno de cada seis adultos ha probado alguna terapia no reconocida por la medicina convencional, y nueve de cada diez se muestran satisfechos con el resultado.» (10)

todo el mundo; tiene la capacidad de desestabilizar la estructura molecular del agua a kilómetros de distancia. ¿Cómo lo consigue? ¿Cómo puede Drossinakis a través de la concentración modificar la temperatura corporal de un enfermo? ¿Cómo es posible que consiga curar de un ataque de asma a un paciente que se encuentra a miles de kilómetros?

El sanador Pjotr Elkunoviz, residente en el estado federado de Renania-Palatinado, no puede explicar su facultad de curar los achaques de la gente: dice que una fuerza divina actúa a través de él. Una paciente con una osteoporosis avanzada abandona a los pocos minutos la sala de tratamiento y lo hace liberada de sus dolores. Pjotr corrige la desviación de pelvis de otra paciente con un movimiento de mano, y consigue volver a igualar la longitud de sus piernas. Muchísima gente elogia la capacidad de Pjtor Elkunoviz y experimenta el éxito de su método curativo. Para esas personas él es una mezcla de dios, Sai Baba (véase la página 221) y Madre Teresa, o al menos así es como lo describe una de sus pacientes.

EL SANADOR ESPIRITUAL COMO MEDIADOR ENTRE DOS MUNDOS

La medicina convencional lo tacha de «charlatanería», «efecto placebo» y «fe ciega». Pero cada vez más médicos convencionales hacen uso de esas facultades misteriosas. El doctor Kasper Rhyner, jefe médico del hospital de Glarus, trabaja en equipo con una sanadora. El doctor ha podido comprobar cómo enfermos que la medicina convencional había desahuciado sanaban gracias a la intervención de la sanadora.

La curación espiritual se utiliza en todos aquellos métodos terapéuticos que se apoyan en energías y capacidades espirituales. Se aplican de manera enigmática energía, luz, o una corriente curativa. El sanador no es el origen de esa fuente sino sólo mediador entre los «mundos»: el origen está en lo divino o cósmico universal, y las corrientes energéticas se ordenan y regulan a través de él. De ahí que se pueda sanar a grandes distancias. Cada curación da comienzo a un proceso de maduración espiritual. Los sanadores espirituales casi siempre dicen a sus pacientes: «No soy yo, sino tu fe, lo que te ha curado».

La curandera Olga Worrall pone las manos en la cabeza de un hombre para curarlo de sus sufrimientos en Baltimore, Estados Unidos.

Christos Drossinakis, de origen griego, es el sanador espiritual más famoso en Alemania y el curandero al que se han hecho más pruebas.

Sanadores espirituales

En las Filipinas tiene su origen la cirugía psicológica, que consigue, usando únicamente las manos, penetrar en el cuerpo para acceder a las energías negativas. Los psicocirujanos explican que su capacidad procede del Espíritu Santo, que actúa a través de ellos. Las manos se introducen en el cuerpo y eliminan el tejido enfermo. Lo más sorprendente en esta forma de curación es el hecho de que la piel se cierra sin mostrar ninguna herida o cicatriz.

LA PREDISPOSICIÓN DEL PACIENTE A SER CURADO

Los psicocirujanos actúan en el cuerpo del paciente, operan haciendo uso sólo de las manos y así curan enfermedades de todo tipo. Pacientes de todo el mundo confían plenamente en ellos. En la medicina convencional tienen fama de charlata-

El sanador espiritual Alex Orbito es uno de los muchos que hay en las Filipinas. Aquí, haciendo una operación de intestino valiéndose únicamente de las manos.

nes, pero los sanados los veneran como taumaturgos: ¿dónde hay que clasificar a estas personas con misteriosas facultades curativas? ¿Hasta qué punto es decisiva la autosugestión para que la terapia surta efecto? ¿Son realmente milagros?

El número de personas desahuciadas por la medicina convencional, que ya han pasado por la quimioterapia y todo tipo de tratamientos y que no creen ni ellas mismas en su posible curación, va aumentando año tras año. A la vez, en todo el mundo está creciendo el interés por los procedimientos curativos alternativos, sobre todo la naturopatía y la fe en sanadores y cirujanos espirituales.

El médico alemán Matthias Kamp es jefe de un grupo de investigación científico-médica que estudia el fenómeno de las curaciones espirituales. Los resultados de su trabajo son muy variables pero, según él, parece lógico que en un sector nuevo como éste no sólo emerjan elementos positivos. En un campo tan difuso como el de la curación espiritual hacen también acto de presencia farsantes, pero eso no debería menoscabar la consideración por el trabajo que llevan a cabo los verdaderos sanadores espirituales.

El médico estadounidense Donald McDowall hace años que se ocupa de las curaciones espirituales y de la cirugía psíquica. Según él, quien decidiera seguir esta vía de curación tendría que informarse bien primero sobre el cirujano. Él pone al paciente dos condiciones: fe en la curación y predisposición a ser curado, ambas firmemente asumidas.

ENERGÍAS CURATIVAS DESDE TIEMPOS REMOTOS

Todas las épocas y culturas han tenido conocimiento de las energías espirituales, pero a medida que el hombre iba avanzando a nivel técnico fue creyendo que podía renunciar a ellas. De ahí que los sanadores espirituales tengan una reputación dudosa, fomentada por la medicina convencional y los consorcios farmacéuticos: nada les resultaría más provechoso que tachar a todos los sanadores de charlatanes, fortaleciendo así su posición. Pero los logros de estos sanadores van aumentando, y los informes médicos, pruebas de laboratorio e historiales clínicos dan fe de que realmente se produce la cura-

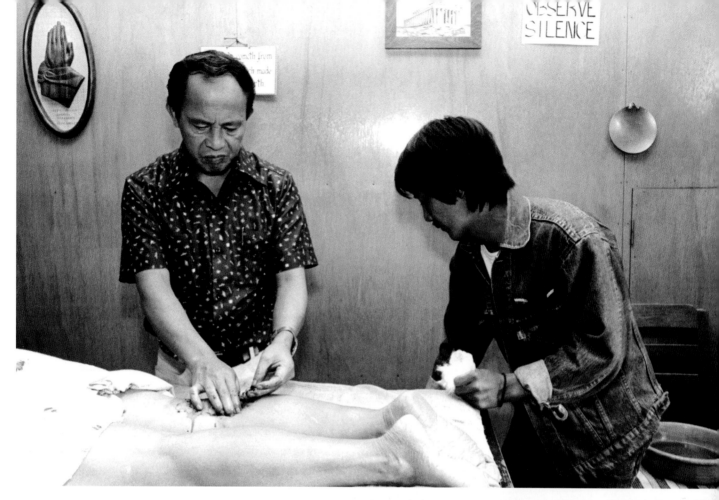

Lawrence S. Cacteng, un famoso sanador espiritual filipino, trata a un paciente con problemas de varices.

ción. Se acumulan informes de sanación de sordos, paralíticos y reumáticos. Se dan también curaciones espontáneas, aunque en este caso el proceso puede prolongarse por un espacio de tiempo más largo. La cuestión es que realmente la curación es médicamente demostrable. El doctor Kamp asegura que para curarse es imprescindible estar abierto a la energía curativa.

MEDIADOR DE ENERGÍA DIVINA

Los sanadores espirituales trabajan con algo que ellos mismos denominan «energía divina». Explican que la energía trabaja con ellos, a través de ellos, y que no son más que mediadores. Experimentar cómo la energía de las manos del sanador pasa por el cuerpo y opera tiene que ser sin lugar a dudas una vivencia muy especial. Presenciar una curación sin dolor y sin efectos secundarios nos demuestra cuánto nos hemos alejado de nosotros mismos y de nuestras raíces.

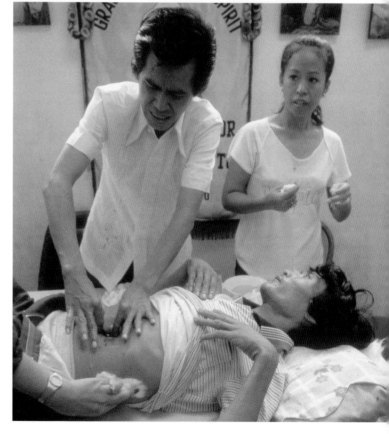

Otro sanador espiritual filipino durante una operación. Los sanadores espirituales se autodenominan «cirujanos de Dios» y se hacen cargo de enfermos a los que la medicina convencional ya no puede seguir ayudando.

CASOS REALES

A continuación se exponen cuatro casos (12) relatados por gente que ha sido curada por el sanador espiritual João Teixeira da Faria, también conocido con el nombre de João de Deus. Los informes proceden de grabaciones de su secretario en Abadiânia, Brasil. Es difícil saber a cuánta gente ha curado João, y aún más complicado si se cuentan las personas a las que ha sanado a distancia.

Pastora de una iglesia eucarística en Vitoria, Brasil, 1996

«Me operaron dos veces pero los problemas discales aparecían de nuevo. Entonces mis piernas se vieron afectadas de atrofia muscular y me vi obligada a andar con muletas. Entré en la sala de cura, João de Deus apareció, me puso la mano en las piernas y luego en la columna vertebral. Inmediatamente des-

pués de la cura dejé las muletas y me fui a casa. No las necesitaré nunca más».

Allesandreo Nardes Krug y Terezinha Krug, madre e hijo, Brasil, 1995

El joven, de 15 años, empezó a sentir unos dolores insoportables en las piernas. Al final se vio condenado a la silla de ruedas. Los médicos no sabían más: creían que podía tratarse de osteoporosis, esclerosis múltiple o una hernia discal, pero no estaban seguros. «Allesandreo vuelve a caminar como si nunca le hubiera pasado nada», dice el padre. «Lo curaron con una operación invisible, plantas y energía espiritual. Yo no pagué

El sanador espiritual brasileño João Teixeira da Faria, llamado João de Deus, trata a un paciente con angina de pecho

nada, sólo el viaje a Abadiânia». La madre de Allesandreo Krug, Terezinha, no podía andar a causa de un tumor maligno en la matriz que le causaba unos dolores insoportables. «João la curó mediante una extirpación quirúrgica del tumor sin sufrir dolor alguno y sin anestesia. La operación duró sólo cinco minutos», explicó el señor Krug.

Doctor Romeu Correa de Araujo Filho de Goiania, Brasil, 1996

El doctor Correa de Araujo se sometió a una operación y llevó como testigos a su colega el doctor Divaldo Matos Sautana y a tres médicos más, que observaron la operación. Se pidió al doctor Correa que tomara asiento en una silla. Un médium de la casa se puso ante él para dispensar energía y entonces João, como «eclipsado», hizo un corte de unos 6 cm de largo en el omóplato derecho del paciente. Primero extirpó partes de una úlcera y luego empezó a trabajar con el tumor principal, hasta que también lo extirpó, casi de una vez. El hueco se enjuagó con agua «descargada» para esterilizar la zona. Se suturó el corte con dos puntos y el joven doctor se retiró a descansar a la sala de reposo tras la operación. Los médicos observaron todo el proceso y luego se les dio el tumor para su análisis patológico.

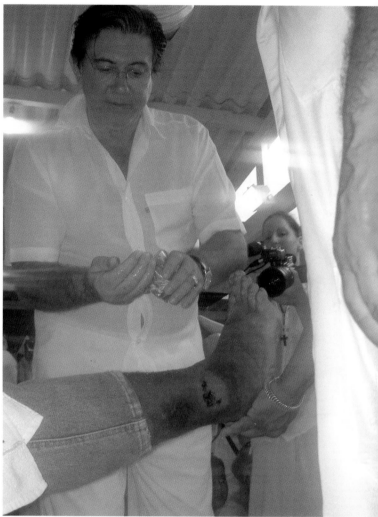

João de Deus aplica aceite bendecido al pie y la pierna de un hombre que ha sufrido quemaduras de gran consideración.

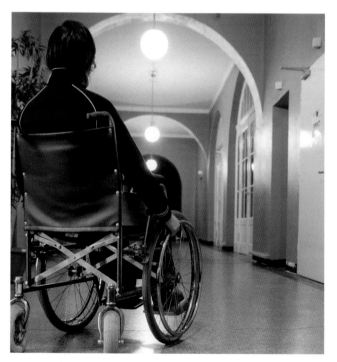

Muchas de las personas que sufren algún tipo de minusvalía siguen teniendo esperanzas de curación y buscan ayuda en la medicina alternativa o los curanderos. Algunas han conseguido dejar atrás para siempre la silla de ruedas.

Carta de agradecimiento de Caterina Pellgrino de Florencia, Italia, 1996

«Te escribo para agradecerte la operación invisible que me hicieron la semana pasada en Abadiânia. El genio del doctor Augusto de Almeida me extirpó una úlcera enorme que tenía en el intestino delgado, varias más del riñón izquierdo y otra pequeña del tamaño de una canica que tenía en el cuello. La del intestino me la diagnosticaron hace un tiempo en Australia, pero me daba demasiado miedo someterme a una operación convencional para que me la extirparan. Jamás podré llegar a agradeceros lo suficiente a ti y a tu genio que hayáis calmado mi dolor.

Mi visita a tu hospital fue una experiencia inolvidable, te lo agradezco.

Respetuosamente te saluda, Caterina Pellgrino».

Un chamán de la tribu sudafricana de los ndebele observa la puesta del Sol. En la cabeza lleva lo que se denomina *isiba*, un ornamento de púas de puercoespín. Uno de sus cometidos es predecir el futuro; para hacerlo, lanza unos huesos y después interpreta su disposición.

Chamanes

Un chamán es una persona dotada de facultades espirituales que es capaz de curar a enfermos, alejar el mal y ejercer influencia sobre el clima. El chamán es llamado a serlo a través de un sueño o visión. Los chamanes están en contacto directo con los mundos del más allá y su objetivo es restablecer la deteriorada relación entre el hombre y la divinidad. Los chamanes son pues mediadores entre las personas y el mundo espiritual.

LA MUJER MAGA DEL MANCHÚ

El concepto de «chamán» procede de las lenguas manchútungú de tribus de Siberia y Asia central y está documentado por escrito por primera vez en 1194. En aquellas lenguas significaba «sanador» y «guía espiritual». Era el término con el que los antepasados del manchú se referían a la mujer maga. Los chamanes no están ligados a ninguna religión en concreto. En la corriente del esoterismo y con el movimiento *new age* el concepto espiritual del chamanismo echó raíces tam-

bién en Europa. Los chamanes son mediadores entre el mundo espiritual y el material y disponen de la sabiduría antigua de la humanidad, sabiduría que les permite acceder a unas técnicas especiales y a rituales que los ponen en contacto con la realidad invisible que todo lo rodea. También se les llama «curanderos». Las prácticas y deberes que el chamán lleva a cabo dentro de una comunidad son muy parecidas en las tribus asiáticas, africanas e indias. Entre sus intensas experiencias, aparte de la curación del alma y también del cuerpo, se cuentan las experiencias cercanas a la muerte, mediante las cuales entran en contacto con el mundo intermedio.

FUNCIONES DE UN CHAMÁN: EXPERIENCIA PERSONAL, AUXILIO, CURACIÓN

Desde los albores de la humanidad existen personas cuya función es conservar y transmitir los conocimientos sobre medicina y métodos de curación de los antepasados. En Europa los chamanes viven y ejercen sus funciones de manera oculta porque, según ellos mismos dicen, nuestra sociedad no es lo bastante madura como para entender sus facultades y dones secretos. La gente que acude a los chamanes en busca de ayuda no lo hace públicamente. Sin embargo, la Organización Mundial de la Salud (OMS) reconoce y escribe sobre los rituales curativos chamánicos, cuya eficacia vendría a equivaler a la de la medicina convencional. En Estados Unidos la colaboración entre médicos convencionales y chamanes es cada vez más frecuente, y trabajan conjuntamente en hospitales. La medicina occidental puede aprender de las tradiciones mágicas más antiguas, que perciben la naturaleza como algo vivo y animado y ven las enfermedades como invasoras del cuerpo. Los chamanes dominan métodos que sirven para diagnosticar enfermedades. Hoy en día sienten que su función es la de detectar invasiones nocivas y extirparlas. Mediante

Esta foto de Edward Curtis muestra a un curandero de la tribu india norteamericana de los arikara.

estados de trance, los chamanes entran en contacto con maestros y antepasados espirituales, fuerzas animales, plantas, piedras... con todos los elementos. De ahí que la experiencia personal, el auxilio y la curación sean los puntos clave de su trabajo.

ÉXTASIS MEDIANTE DANZAS Y DROGAS

Los chamanes, hombres y mujeres, alcanzan el éxtasis con bailes, y a veces también con drogas. El éxtasis recuerda en muchos casos a la posesión, pero aquí la situación mágica es introducida conscientemente y dirigida de principio a fin. A través de los rituales se manifiestan en los chamanes fuerzas sobrenaturales, para así transformar esos contactos en energías que podrían ser de utilidad. Pero los chamanes no son controlados por los espíritus a los que llaman, sino que son mediadores entre el cielo y la tierra, entre hombres y dioses. Se trata de un viaje espiritual que los capacita para ver el futuro, guiar a los muertos a su destino y, sobre todo, curar a enfermos para prestar servicio a su comunidad.

Los chamanes cuentan con conocimientos especiales que les permiten acceder a una realidad invisible. Este chamán de Nigeria agita un sonajero durante un ritual.

Druidas

Los druidas eran los sacerdotes legendarios de los celtas, pero también se ocupaban de instruir a los jóvenes sobre moral y mitología. Predecían el futuro a través de la observación del cielo y las estrellas, y a veces también mediante el sacrificio humano. El culto de los druidas ha conseguido prevalecer hasta la actualidad.

LA ELITE ESPIRITUAL DE LOS CELTAS

Por la función que ejercían, los druidas representaban una especie de elite espiritual dentro de la sociedad celta. Pero también eran poetas, médicos, astrónomos, filósofos y magos. Todo lo que en la actualidad se sabe acerca de los druidas proviene de fuentes de la antigüedad, y no cabe duda de que esa información no tiene por qué ser objetiva: los autores de aquellos escritos no siempre se esforzaron en hacer una descripción objetiva. En la Edad Media, bajo la influencia cristiana, y sobre todo en épocas recientes, las descripciones son sobre todo esotéricas o neocélticas, y por lo tanto no susceptibles de comprobación y en la mayoría de los casos muy subjetivas. Ni tan siquiera el significado del nombre es del todo inequívoco: druida procede del celta *dru*, «básico» o «a través

Mujeres druidas

Se oye a menudo hablar de druidas femeninos. En los mitos celtas aparecen Mebd de Connacht y Ceridwen. Según parece, esta última fue una mujer druida que preparó una pócima que confería sabiduría sobre el pasado, el presente y el futuro. En principio el brebaje era para su hijo Affagdu, para compensar su fealdad con sabiduría. Pero cuando lo estaba preparando su ayudante tomó tres gotas y huyó para escapar a su ira. En su huida iba adoptando diversas formas, hasta que al final se transformó en un grano de trigo que Ceridwen se tragó. A consecuencia de eso Ceridwen se quedó embarazada, y dio a luz a otro hijo, al que se considera el padre de todos los druidas. Según esta leyenda se cree en la existencia de mujeres druidas, que incluso cumplían el papel de guías espirituales.

de», y *uid*, «sacerdote», pero otras etimologías lo hacen derivar de *drus*, «roble».

TRANSMISIÓN ORAL DE CONOCIMIENTOS

Julio César recoge en sus *Comentarios sobre la guerra de las Galias* el trabajo de los druidas; Plinio el Viejo los describe como hombres vestidos de blanco con hoces de oro y ramas de muérdago que tuvieron su época de esplendor durante las campañas militares de los romanos. Ciertas fuentes afirman que ya estaban en activo en Stonehenge. Sin embargo, otros críticos dicen que Stonehenge ya estaba en ruinas cuando los druidas llegaron a ese lugar. En cualquier caso, tomando como fuente los informes romanos, los druidas no erigieron ningún templo, sino que llevaban a cabo sus rituales en bosquecillos o en claros de bosque.

Por los escritos citados sabemos que los druidas transmitían a los novicios los conocimientos necesarios en forma de versos. Las fuentes históricas dicen que hacían falta 20 años para aprendérselos de memoria. En aquella época los celtas poseían ya una tradición escrita, pero se prohibía a los druidas que escribieran sus conocimientos sobre astronomía y fenómenos de la naturaleza. Sólo estaba permitida la transmisión por vía oral de una generación a otra. La rima facilitaba la memorización. Reflexionemos un momento cuántos conocimientos debía de grabar en su memoria un druida en el trans-

Un grupo de druidas modernos celebra el solsticio de verano, el 21 de junio, en el círculo de piedras de Stonehenge.

Los druidas eran los sacerdotes de los celtas. Al parecer, podían prever el futuro observando el cielo y las estrellas.

curso de 20 años. Muchas de las obras que por entonces se transmitían oralmente se conservan en verso. Hoy en día se sabe que las instrucciones de navegación se conservaron durante siglos gracias a la transmisión oral.

LOS DRUIDAS NEOCÉLTICOS

El arqueólogo William Stukeley (véase Stonehenge, en las páginas 40-43) se considera el padre de los druidas modernos. En 1792 se instauró en Gales una ceremonia para celebrar el solsticio de verano en la que se consagró a druidas. Con el incipiente movimiento nacionalista, Irlanda y Gales no se veían ya como parte de Inglaterra, sino como estados independientes con una lengua y cultura propias. Abocados a la clandestinidad, los druidas se situaban siempre cerca de las logias secretas. El druismo neocéltico se considera hoy una forma de paganismo, y los druidas actuales se ven a sí mismos como sucesores directos de los históricos.

Los druidas utilizan el muérdago como ingrediente en la preparación de sus pócimas mágicas. Para el sumo sacerdote el muérdago era signo de la presencia de los dioses en un árbol, y por consiguiente se consideraba una planta con poder curativo. Por eso sólo se cortaba con una hoz de oro, mientras se celebraban oficios divinos, y se recogía con un paño blanco.

Combustión espontánea

Cuerpos que de repente se ponen a arder. En los últimos 300 años se han descrito al menos 200 casos sobre este enigmático fenómeno, sin que ningún científico haya podido dar con una explicación concluyente. Algunas interpretaciones paracientíficas creen que se trata desde el castigo de los dioses hasta reacciones en cadena de átomos o procesos químicos desconocidos. ¿Qué clase de energías se liberan para provocar una combustión espontánea?

UN CONOCIDO ALCOHÓLICO DE LA CIUDAD ARDE EN SU CAMA DE PAJA

El hecho de que algunas personas empiecen a arder sin una fuente de ignición externa es uno de los fenómenos más misteriosos que se conocen. Según lo indica el controvertido especialista en este campo Larry Arnold, de origen inglés, los primeros informes sobre combustiones espontáneas datan de 1671: en París, un conocido borracho ardió de pies a cabeza en su cama de paja pero, sorprendentemente, la paja no se quemó. Desde entonces este tipo de casos encuentran su explicación, desde el punto de vista policial, en la combustión de gases que se genera en los alcohólicos. Pero esta teoría no es hoy en día del todo satisfactoria porque se han descrito demasiados casos. La pregunta que más se ha planteado es:

¿cómo es posible que una persona se queme completamente sin que se incendie su entorno inmediato?

INTENTOS DE EXPLICAR LO INEXPLICABLE

En todos los casos de combustión espontánea se reconoce el efecto de un fuego virulento. Pero no se trata de una muerte normal a causa del fuego: las personas que lo sufren arden por completo pero no mueren por quemaduras ni por asfixia. De ellas sólo queda un puñado de ceniza. En el transcurso de los años, científicos de diferentes disciplinas han ido dando diferentes explicaciones a este misterioso fenómeno. Podía tratarse de un castigo de Dios a los borrachos, o el persistente consumo de alcohol podría saturar las células del cuerpo hasta tal punto que incluso la mínima chispa, por ejemplo al encen-

¿Son las combustiones espontáneas un castigo de Dios, como suelen suponerlo los paracientíficos, o se trata más bien de una reacción de átomos en cadena? El enigma de este fenómeno digno de mención sigue sin hallar respuesta.

Sir David Brewster desarrolló el calidoscopio en el siglo XIX. Como estudioso del universo se ocupó también del fenómeno de la combustión espontánea, y redactó un famoso informe sobre uno de estos casos.

Las víctimas de combustiones espontáneas se queman casi por completo. Según algunos investigadores, el hecho de que a veces queden las piernas sin quemar del todo se explicaría por el efecto Docht.

der un cigarrillo, bastaría para empezar a arder. Pero pruebas con carne sumergida en alcohol no pudieron confirmar esta tesis. Otros investigadores hicieron responsables del fenómeno a los rayos globulares, pero esta hipótesis también ha sido rechazada ya que la energía que contienen esos rayos (véase la página 306) es demasiado escasa. Una nueva teoría responsabiliza a las reacciones en cadena de átomos en el cuerpo de las células. Otras hablan de la fisión fría, capaz de liberar tales energías. Así es como también se explica ese calor tan extremo. Sin embargo, no existen elementos nucleares conocidos ni en el cuerpo de ningún animal ni en el humano que pudieran conducir a una fisión. Los científicos conven-

cionales afirman simplemente que no existe el fenómeno de la combustión espontánea, porque el cuerpo se compone de tres cuartas partes de agua y sería muy difícil que ardiera.

El efecto mecha

La persona afectada arde como una vela: su ropa hace el efecto de mecha, y la grasa propia del cuerpo es como la cera. En el suelo, un aceite amarillo que huele a podrido rodea a la víctima, afirma el parapsicólogo Larry Arnold. Es un hecho absolutamente comprobado que el cuerpo se quema en su totalidad, lo que no se produce nunca en las incineraciones, después de las cuales siempre queda algún hueso. Según Arnold, primero se origina calor suficiente como para quemar la grasa corporal, y después se desencadena el efecto mecha y se va extendiendo por todo el cuerpo durante largo rato, hasta que ya no queda nada, porque un cuerpo sometido durante largo tiempo a temperaturas de más de 800 ºC quedaría totalmente desintegrado, incluidos los huesos. ¿Cómo es posible entonces que muchas veces no se quemen del todo las piernas? Larry Arnold da la siguiente explicación: las llamas arden hacia arriba, nunca hacia abajo.

Características de la combustión espontánea

- El 80% de las víctimas eran mujeres.
- Las víctimas solían sufrir sobrepeso y/o estaban alcoholizadas.
- Las víctimas casi siempre estaban solas y solían ser conocidas por su elevado consumo de alcohol.
- Los cuerpos se quemaban casi en su totalidad, mientras que el espacio en el que se encontraban, no.
- En la mayoría de los casos los cuerpos ardieron de pies a cabeza, mientras que la ropa casi siempre quedó intacta.
- Un aceite amarillo y maloliente rodeaba a las víctimas.

Lágrimas de cristal

Un antiguo cuento habla de una joven mujer, la bruja buena Aryuda, que se sentía rechazada porque su magia había despertado envidia. Decepcionada de las personas y de las otras brujas, se retiró a la cima de una montaña para estar sola. Preocupada por lo sucedido, empezó a llorar, y sus lágrimas eran de brillante cristal. Aryuda lloró hasta cubrir por entero su cuerpo de lágrimas y convertirse en una estatua de cristal.

ALGO MÁS QUE UN CUENTO

La facultad de llorar lágrimas de cristal no es un fenómeno que suceda sólo en los cuentos, sino uno de los grandes misterios para los cuales la ciencia no tiene explicación lógica. En marzo de 1996 la niña de 12 años Hasnah Mohamed Meselmani estaba en la escuela cuando empezó a quejarse de un dolor en el ojo. Algo le producía una sensación punzante, como si se le clavara en el ojo. Para gran sorpresa de la maestra, en el ojo vio un trocito de cristal, anguloso y que despedía destellos. Y para mayor perplejidad de la mujer, no había herida alguna. Por si fuera poco, al cabo de un rato el ojo volvió a producir más lágrimas de cristal: así fue como lo describieron los testimonios que lo presenciaron.

En un cuento, las lágrimas de una hechicera eran de cristal centelleante. La niña de 12 años Hasnah Mohamed Meselmani se quejaba de un dolor en el ojo; al parecer, también ella lloraba lágrimas de cristal.

MÉDICOS DESCONCERTADOS

El padre de Hasnah la llevó a un oculista que la observó durante dos semanas de tratamiento. La niña producía a diario lágrimas de cristal, cuyo origen el médico no pudo determinar. A pesar de su escepticismo, no le quedó más alternativa que confirmar la autenticidad de las lágrimas, que para entonces eran ya tan angulosas que podían cortar el papel y rayar el vidrio. Sin embargo, de forma sorprendente, las lágrimas de cristal no dañaban el ojo de la niña.

El padre de Hasnah llevó a su hija a otro oculista, el doctor Salomoun del Hospital Universitario Americano de Beirut. Pero tampoco allí dieron con la explicación del misterioso fenómeno. Hasta la fecha los médicos no han encontrado una explicación satisfactoria. El cirujano ocular Nasib El-Lakkis redactó un estudio detallado del caso, pero tampoco aportó datos significativos. El padre intentó recibir ayuda de especialistas europeos y americanos, sin resultado.

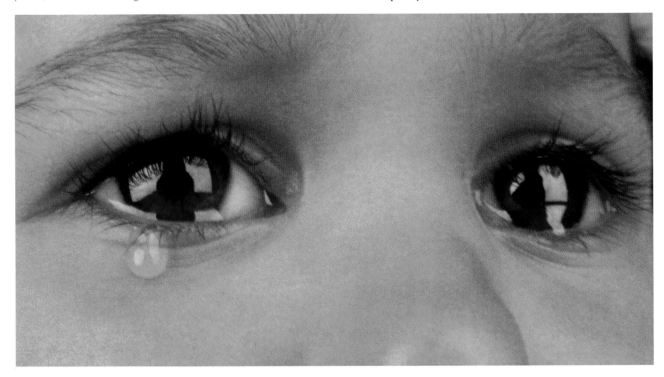

En muchas culturas los cristales se consideran lágrimas de los dioses, y se les atribuyen facultades curativas especiales.

VISITA NOCTURNA DE UN CABALLERO BLANCO

Tras varias semanas de incertidumbre y de lágrimas de cristal diarias, Hasnah contó a su familia que casi todas las noches alguien llamaba a su ventana. Al levantarse, veía fuera a un caballero vestido completamente de blanco que le pedía que saliera. Así es como empezó a hablar con él. El «caballero blanco» le informó de que ella era una mensajera de Dios en la Tierra, y de que las lágrimas de cristal lo probaban. No debía temer nada: todo sucedía según la voluntad de Dios. A su pregunta sobre cuándo dejaría de llorar cristal, la niña no recibió respuesta. El caballero blanco apareció varias veces. El hermano de Hasnah fue testigo de un encuentro pero sólo oyó y vio a su hermana: al hombre de blanco no pudo ni verlo ni oírlo.

LAS AUTORIDADES ACALLAN EL CASO

El caso despertó gran curiosidad en todo el mundo, y las connotaciones cristianas empezaron a preocupar a las autoridades islámicas competentes, que se ocuparon de que finalmente el padre de Hasnah, a cambio de una considerable suma de dinero, guardara silencio sobre el asunto. A continuación, tras el revuelo originado, el suceso se calificó de estafa y se imputó al padre ser él mismo quien ponía las lágrimas en el ojo de su hija, para sacar dinero.

Este caso sigue sin tener una explicación clara, y Hasnah continúa llorando misteriosas lágrimas a diario.

Hasnah Mohamed Meselmani decía que siempre que lloraba lágrimas de cristal veía a un caballero vestido de blanco, con el que también conversaba.

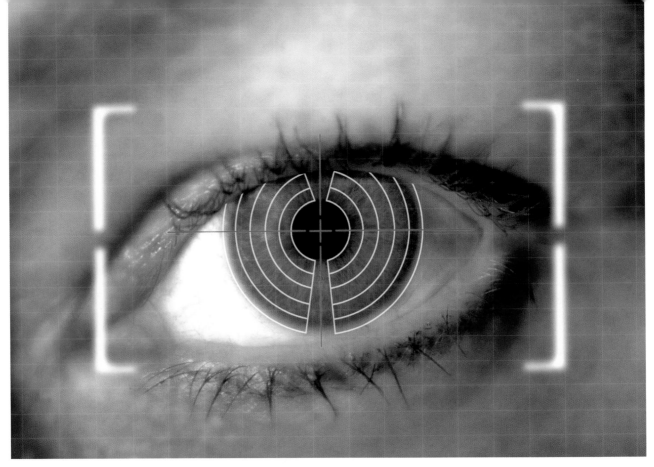

¿Puede el ojo humano mirar a través del tejido del cuerpo y, por lo tanto, tener visión radiográfica?

Visión radiográfica

Una radiografía es el examen con rayos X a que se somete una persona para poder diagnosticarle posibles lesiones en los órganos o huesos. En Rusia se han hecho famosos dos jóvenes que tienen el misterioso don de ver a través del cuerpo de la gente y diagnosticar enfermedades.

DE UNA MIRADA NORMAL A UNA MIRADA MÉDICA

Natasha Demkina de Saransk, del este de Moscú, tiene 17 años y desde los 10 sabe que puede cambiar su mirada a voluntad, de normal a «médica», como ella misma la llama. La chica tiene visión radiográfica, es decir, posee la facultad de hacer radiografías clínicas de la gente. Sin embargo, Natasha no puede aplicar ese don especial a sí misma.

Cuando tenía 10 años dibujó los órganos internos de su madre y de otros miembros de su familia. En su entorno vieron en eso algo mórbido y decidieron llevar a la niña al médico. Allí dibujó el estómago del médico con una úlcera. El médico se quedó perplejo, pues sabía que, en efecto, padecía una úlcera de estómago.

UN DON DIVINO

A principios del año 2004 la BBC contribuyó a hacer famoso el caso de la facultad misteriosa de Natasha. La llevaron ante cuatro personas desconocidas a las que debía radiografiar. Natasha dio con los diagnósticos correctos en los cuatro casos: la falta de un riñón, una lesión en la columna vertebral, una lesión de hombro y una cicatriz de operación en el bazo. El moderador y los médicos invitados quedaron visiblemente impresionados al comprobar que Natasha era realmente capaz de ver dentro de las personas. Por supuesto, se hizo famosa en una noche, y desde entonces una fila de gente hace cola ante su puerta. Natasha los mira a todos y hace su diagnóstico sin cobrarles dinero. Ella está convencida de que su deber para con el prójimo es poner su don a disposición de todo el mundo, don que ella misma considera divino y para el que nadie encuentra explicación. La jefa médica del hospital de su ciudad natal, Irina Katschan, conoce bien a Natasha: «El porcentaje de aciertos de los casos que ha diagnosticado Natasha es sumamente elevado».

LA GENTE ACUDE EN MASA PARA QUE LA CURE

Rafael Batyrov, de la provincia Bashkiria, al sureste de Rusia, tiene 11 años y el don paranormal de poder diagnosticar en un espejo las enfermedades de otras personas. Según las declaraciones de la gente, que ya acude en masa, Rafael también tiene la capacidad de curar. Como en el caso de Natasha, la casa familiar está asediada desde que los medios le dedicaron su atención. El chico descubrió su don hace unos años, cuando su padre le contó historias de personas que podían ver a través de otras: le pidió a su padre que se pusiera frente al espejo que necesita para sus diagnosis, y le vio un cáncer de pulmón. La madre de Rafael, Rasima Batyrov, es maestra de escuela, y llena de orgullo explica cómo su hijo ya ha curado a varios de sus colegas.

EL NIÑO-LÁSER
DEL SUR DE RUSIA

A sus seguidores les gusta llamarle «niño-láser». Este inteligente chico es vegetariano, renuncia a cualquier producto lácteo y lee escritos sagrados porque está del todo convencido de que su don es de origen divino. En el futuro, Rafael quiere poner a servicio de la humanidad su don paranormal, estudiar medicina, como Natasha, y dedicarse sobre todo a las ciencias paranormales. El mundo de la medicina está desconcertado ante las facultades de los dos jóvenes. Incluso a los escépticos radicales les es imposible poner en duda sus facultades o encontrarles una explicación lógica.

El niño de 11 años Rafael Batyrov, del sur de Rusia, puede diagnosticar enfermedades observando la imagen de una persona reflejada en un espejo.

En 1895 el físico alemán Wilhelm Conrad Röntgen inventó la radiografía, que posibilitó examinar con rayos X a las personas. Pero, ¿pueden realmente algunas personas tener visión radiográfica?

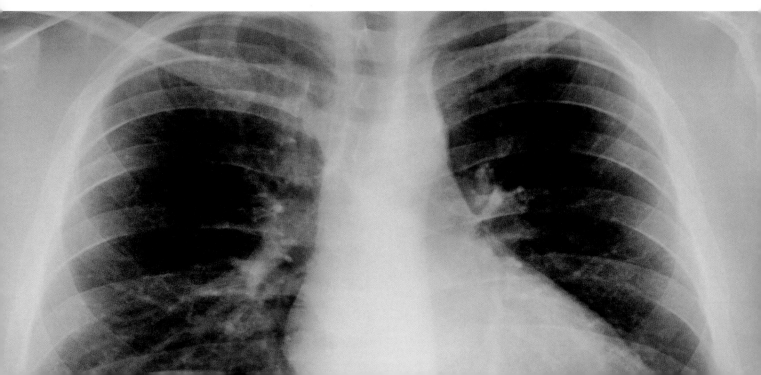

Déjà-vu

Déjà-vu significa «ya visto», y en psicología designa una ilusión de la memoria que consiste en que una situación nueva se percibe como conocida o ya vivida. El fenómeno se clasifica a menudo como trastorno psíquico o neurótico. El esoterismo lo explica con la transmigración de las almas y vidas anteriores.

En muchas ocasiones vemos a gente que creemos haber visto ya en alguna otra ocasión o lugar.

TRANSMIGRACIÓN DE LAS ALMAS COMO EXPLICACIÓN DEL FENÓMENO *DÉJÀ-VU*

Una persona encuentra a otra que de alguna manera se le antoja familiar, pero en realidad no sabe nada de ella y no la conoce; sólo reconoce en esa energía del alma algo procedente de otra vida. Hay gente con una percepción especialmente sensible que a lo largo de su vida se encuentra con antiguos compañeros de juego, e incluso los considera como su propia familia. Personas con esa disposición sensorial tienden a buscar lugares en los que ya han vivido. Allí encuentran señales de ellas mismas en otras existencias. Otra gente, dentro de diferentes envolturas humanas, se topa con las fuerzas primitivas de su propia alma. Los investigadores se preguntan cómo alguien puede saber cuándo y dónde ha vivido anteriormente.

VIDAS QUE SE DESVANECEN Y FLORECEN EN ALGÚN OTRO LUGAR

Un *déjà-vu* es esa sensación extraña de revivir una situación, de haber visitado ya un lugar, de haber visto ya alguna vez a una persona. La expresión la acuñó el filósofo y lingüista francés Emile Boirac (1851-1917) al utilizarla por primera vez en una de sus novelas.

El concepto está orientado al pasado, pero en realidad tiene más que ver con el presente, pues se trata de la sensación presente de revivir algo en este momento. A menudo uno se pregunta: ¿habré visto ya la película? ¿He estado alguna vez en esta ciudad? ¿Conozco a esta gente? La parapsicología explica fenómenos de este tipo como recurso de la memoria enterrada, con lo que viene a admitir vidas anteriores, reconociendo también fenómenos como la clarividencia. Para el esoterismo la vida de cada cual se deposita continuamente con todas sus interacciones en otras vidas nuevas, junto a nuevos compañeros de juego. Un niño muere sin motivo aparente porque en el círculo que lo ha elegido no se sentía a gusto. Las vidas se desvanecen y florecen en algún otro lugar.

La gente que suele experimentar más a menudo el fenómeno del *déjà-vu* busca lugares en los que cree haber vivido ya alguna vez, bien sea en el pasado o en otra vida.

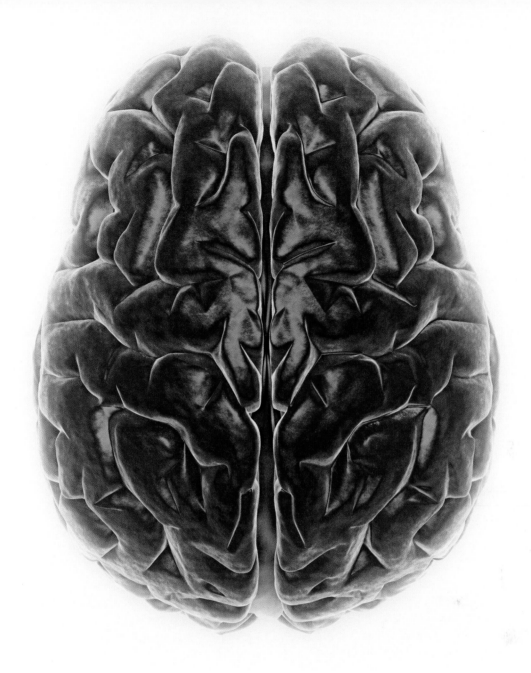

Los esotéricos opinan que en principio cada uno de nosotros «lo sabe», y que todo el conocimiento está almacenado en el subconsciente. Para ellos el camino para acceder a este saber es la meditación regresiva. Se puede ver transcurrir la vida anterior como si tratara de una película. En determinadas circunstancias pueden aflorar miedos, pero se superan fácilmente. El *déjà-vu* es simplemente el revivir de sucesos de vidas anteriores.

TRES EXPLICACIONES DESDE LA PSICOLOGÍA

La psicología contempla el *déjà-vu* como un fenómeno patológico y ofrece tres explicaciones: *a)* Una situación emocional no está del todo cerrada y una nueva orientación en la nueva situación no se consigue de manera inmediata debido a un

La psicología considera las experiencias de *déjà-vu* como trastornos del funcionamiento del cerebro. En cambio, el esoterismo las considera una prueba de la transmigración de las almas.

defecto psíquico. Por eso tiene lugar una transmisión de una circunstancia a la otra. *b)* Se percibe una situación que desencadena asociaciones con recuerdos reprimidos. La persona no quiere recordar pero no lo puede evitar. *c)* Se está ante un *déjà-vu* cuando se toma como vivencia del pasado la situación percibida aunque nunca haya tenido lugar: simplemente la mente lo imagina así.

Interpretación de los sueños

El sueño es una experiencia que se presenta mientras dormimos y escapa a la conciencia. Se considera la puerta al subconsciente, y desde tiempos inmemoriales representa el estado consciente de místicos, poetas, pintores y músicos. Los sueños son muy importantes: su obstrucción puede provocar trastornos mentales. Ya hace mucho tiempo que la interpretación de los sueños es un objetivo del ser humano, que espera poder sacar de ellos conclusiones sobre su vida.

La sistematización de los sueños

Fue Sigmund Freud quien, a finales del siglo XIX, consiguió hacer del psicoanálisis una ciencia sistemática que se ocupa del inconsciente para curar defectos o traumas psíquicos; en buena parte se basa en los sueños. Pero además de las interpretaciones freudianas existen muchas otras teorías del sueño. Los psicólogos más significativos pioneros en ocuparse de este tema fueron C. G. Jung, Alfred Adler y Erich Fromm. Ellos diferenciaban entre sueños agresivos camuflados, sueños de huida, sueños compensatorios, sueños diurnos, pesadillas y sueños que satisfacen los deseos. Independientemente del significado secreto de la imagen interior, siempre es una repre-

sentación proyectada del correspondiente estado anímico. Jung se ocupó en especial del concepto de los arquetipos, imágenes o conceptos primitivos que son genéticamente comunes a todo ser humano desde tiempos inmemoriales y se transmiten como una especie de herencia. Los arquetipos son parte del inconsciente colectivo, símbolos manifiestos que han estado vivos en todos los pueblos y todas las épocas. Encuentran su expresión en particular en cuentos, mitos, la religión y el arte.

Durante el sueño aparecen asociaciones de imágenes y sentimientos que no están bajo el control de la conciencia de la vigilia.

A partir de Sigmund Freud la interpretación de los sueños pasó a ser parte esencial de las sesiones de psicoterapia para curar los trastornos neuróticos, porque los sueños son la expresión del inconsciente.

HERENCIA DE ANTIGUAS CULTURAS

Durante mucho tiempo la civilización occidental estuvo convencida de que el descubrimiento y la investigación metódica de los sueños era una conquista de Occidente que había empezado con el psicoanálisis. Pero ya antiguas culturas como las de Mesopotamia, Persia, Grecia, Egipto, la India, China, el Tíbet y las indígenas de América consideraban la interpretación de los sueños uno de los grandes artes. Gentes de todas las culturas y todos los tiempos se han sentido fascinadas por los símbolos que ofrecen las imágenes del mundo nocturno. Los sueños y sus contenidos se contemplan asimismo a nivel profético o clarividente, aunque también están los sueños los «profanos», que sólo elaboran los conflictos personales de la vida cotidiana. Los sueños llevan consigo soluciones para muchos problemas, tienen un efecto terapéutico y también pueden poner en marcha la curación del cuerpo, ofreciendo así posibilidades en el terreno del autoconocimiento y la autoayuda.

EL SUEÑO LÚCIDO

La investigación moderna de los sueños ha incrementado su estudio dedicado al fenómeno del sueño lúcido, es decir, el sueño claro y transparente, en el que la persona que está durmiendo reconoce, de repente, que está soñando. Es como si se despertara en medio del sueño y ya en estado consciente se preguntara a sí misma qué es más cierto o más verdad, el sueño o la realidad. Tribus indias de la selva brasileña creen que en sus mitos, tras la realidad de los sueños, está la ilusión de la realidad, y organizan su vida según esa concepción.

El psicoanálisis de Occidente ha convertido en objeto de estudio lo que ya formaba parte del saber de las secretas enseñanzas de los chamanes y sabios, ya que en sueños quien habla es el alma. Sin embargo, parece que es ardua tarea descifrar el lenguaje en clave de los sueños con el pensamiento meramente científico. En el mundo de los sueños se tiene que penetrar de manera intuitiva, de modo similar a lo que se hace en el mundo de los llamados «primitivos»; de otro modo se convierte en un laberinto impenetrable.

Sigmund Freud (1856-1939), padre del psicoanálisis, investigó a fondo el mundo de los sueños.

Cadáveres incorruptos

Algunos santos hacen milagros incluso después de muertos. Muchos de ellos quedan libres del proceso natural de descomposición por el que pasa todo mortal. Sin recurrir a métodos de conservación, sus cuerpos presentan el aspecto exacto que tenían en el momento de su muerte.

SANTA BERNARDITA DE LOURDES

Santa Bernardita murió a la edad de 36 años, en 1879. En 1908 se abrió su ataúd y su cadáver presentaba el aspecto de alguien que hubiera muerto hacía poco tiempo: las venas del antebrazo desprendían un resplandor azulado y sobresalían ligeramente, y las uñas estaban intactas y rosadas. En 1919 se volvió a abrir y seguía incorrupto, con el mismo aspecto de hacía 11 años. Recubierto con una capa de cera, su cuerpo yace en un relicario en la capilla de las hermanas de Nevers.

CADÁVERES INCORRUPTOS
DE OTROS SANTOS

San Cuthbert de Lindisfarne murió en el noroeste de Inglaterra en el año 687. En el siglo XVI su cadáver estaba incorrupto: había resistido 900 años totalmente incólume.

En 1922 los cismáticos profanaron la tumba de san Andrés Bobola, en Polonia, y el cuerpo del santo muerto en 1657 se mantenía intacto. Ya en 1917 se había encontrado el cadáver incorrupto, y se expuso para que los creyentes le pudieran rezar. Hoy en día se conserva en una iglesia de Varsovia.

Según parece, sobre todo los cuerpos de personas estigmatizadas quedan eximidos del proceso de descomposición. En 1375 santa Catalina de Siena le pidió a Dios que dejaran de ser visibles los estigmas y que sólo le quedara el dolor. Se le concedió el deseo pero tras su muerte, en 1380, los estigmas volvieron a aparecer bajo su piel intacta. En 1430 el Papa concedió el permiso de exhumar su cuerpo incorrupto y dividirlo para conservarlo como reliquias. En 1855, 400 años más tarde, se llevó a cabo una última partición, y también entonces los restos estaban casi perfectamente conservados.

EL CUERPO INCORRUPTO
DE UN LAMA SIBERIANO

En 1927 murió el sumo sacerdote budista de Siberia Dashi-Dorzho Itigilov, a los 75 años. Antes de morir había pedido a sus discípulos congregados que durante 30 años «visitaran y contemplaran su cuerpo». En 1957 exhumaron su cadáver y lo encontraron tal y como había muerto: en la posición del loto con las piernas cruzadas. Como en los años cincuenta la práctica religiosa estaba prohibida en la Unión Soviética, enterraron de nuevo el cadáver y sólo se hablaba de ello en los círculos budistas.

En 2002, a instancias del joven lama Bimba Dorzhiyev, se exhumó de nuevo el cadáver. El lama buscó a un monje que estuvo presente en la exhumación de los años cincuenta y que todavía sabía dónde yacía el cadáver. Bimba Dorzhiyev docu-

Santa Bernardita de Lourdes murió en 1879 a la edad de 36 años. En el año 1919, cuarenta años después de su muerte, su cuerpo, tal y como se vaticinó, no presentaba el menor signo descomposición.

mentó el evento junto con dos técnicos en criminología, un fotógrafo y una docena de testigos: el cuerpo de Itigilov estaba en perfecto estado. Hoy en día el cuerpo, todavía en posición del loto, se conserva en un monasterio de Ivolginsky. Un reportero del *New York Times* describe el cuerpo sentado rodeado de velas, con platillos metálicos llenos de aceite sobre una sencilla mesa. Presenta un parecido indiscutible con la foto de 1913. Sus miembros son flexibles, la piel está suave y las uñas intactas, y su cabello sigue corto.

«Es el mayor milagro que he visto en mi vida», dice el lama Hambo Ajuscheyev, que desde 1995 es el líder espiritual del monasterio. «Esto demuestra que existen acontecimientos sobre los que el tiempo no tiene ningún poder. Mucha gente no ve lo evidente, no lo quiere creer aunque lo vea».

San Cuthbert de Lindisfarne murió en el nordeste de Inglaterra en 687. En el siglo XVI su cuerpo estaba todavía incorrupto. En la catedral de Durham, Reino Unido, se encuentra la llamada «Neville Screen», que desde 1380 separa el altar de la tumba de san Cuthbert.

Sigue siendo todo un misterio por qué algunos cadáveres no sufren el proceso de descomposición, sino que permanecen incorruptos durante siglos.

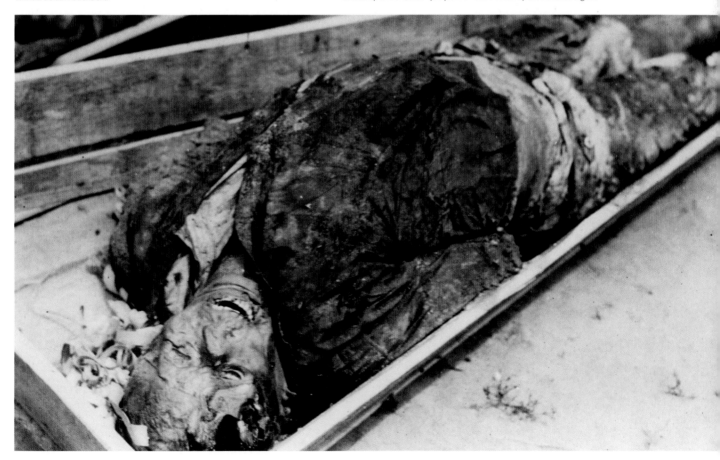

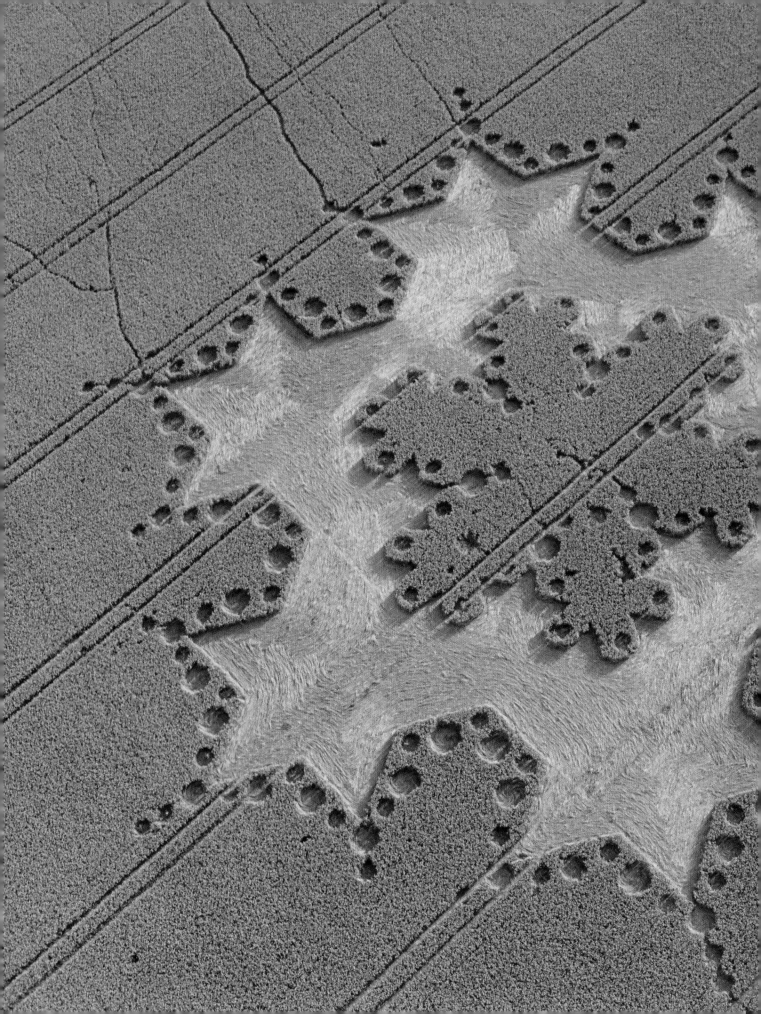

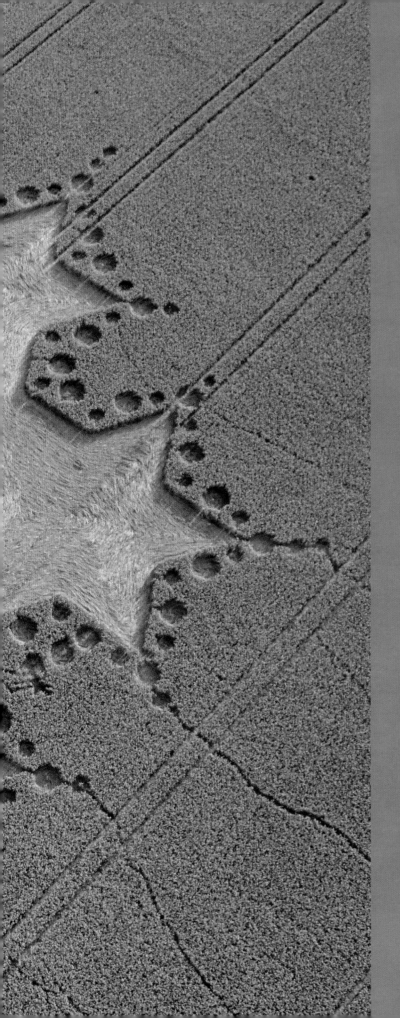

Fuerzas extrañas

Uno de los primeros objetos de estudio de quienes investigan lo paranormal, lo fantástico, lo que traspasa fronteras, es el universo que nos rodea. La cuestión de si estamos solos o si existen otras civilizaciones en planetas lejanos preocupa al ser humano desde que tiene la capacidad de pensamiento. Y es lógico que esta cuestión sea asimismo una de las fundamentales para las religiones, ya que los fenómenos cósmicos están muy ligados a nuestra noción de religión.

Muchos investigadores observan fenómenos y fuerzas extrañas que ocurren en la Tierra y los interpretan a la luz de los conocimientos más nuevos en investigación de ovnis. ¿Cómo es posible que la tribu de los dogon de Malí, en el oeste de África, disponga de una sabiduría esotérica sobre la estrella Sirio, cuando los científicos contemporáneos hace relativamente poco tiempo que han sabido de su existencia? ¿Qué son los misteriosos círculos que aparecen por todo el mundo en los campos de trigo, formando constelaciones cada vez más complejas? Otros pensadores buscan posibles relaciones entre los agujeros negros y los saltos en el tiempo, que se han ido documentando a lo largo de la historia, e investigan si alguna vez llegará a ser realidad que nosotros, las personas, podamos viajar a través del tiempo. Como es natural, estudian también el punto de la Tierra donde han tenido lugar más veces desapariciones inexplicables, es decir, el triángulo de las Bermudas. ¿Qué clase de fuerzas siniestras actúan en ese lugar del trópico donde, de repente, aviones y barcos desaparecen? Los científicos también investigan la inmensa figura que está dibujada en el desierto australiano, de 4,5 kilómetros de largo. ¿Quién ha podido realizar semejante obra, que corresponde a la imagen de un aborigen y que sólo se puede reconocer desde gran altura?

Los inexplicables dibujos geométricos en campos de trigo aparecen casi siempre de un día para otro, durante la noche, y para ellos aún no se ha hallado explicación lógica alguna. En la fotografía, una toma aérea de un complejo dibujo en un campo de trigo.

Dados los miles de avistamientos de objetos voladores no identificados, cabría suponer que desde hace miles de años visitan la Tierra seres extraterrestres. Aquí, una imagen de ciencia ficción de un platillo volante sobre el antiguo World Trade Center de Nueva York.

Objeto volador no identificado: ovni

Fotos de triángulos o platillos volantes en distintos lugares del mundo, luces, dibujos en campos de trigo, informes de naves estrelladas, noticias de personas abducidas por seres extraños... Los investigadores y entusiastas de los ovnis hablan de miles de avistamientos no identificados en el cielo, internet vibra con los continuos comunicados sobre encubrimientos militares o de los servicios secretos. Pero, ¿qué hay de verdad tras todas esas noticias? ¿Estamos solos en el universo? ¿Hay vida inteligente en otros planetas y han estado y están «ellos» aquí?

ANTIGUAS INSCRIPCIONES EGIPCIAS
SOBRE OBJETOS VOLADORES

En escritos indios antiguos se habla de carros voladores en el cielo, y en las crónicas de los romanos aparecen descripciones de escudos voladores. Pero las explicaciones más detalladas se hallan en el Egipto del faraón Tutmosis III (hacia 1483-1425 a.C.). El llamado «Papiro Tulli» dice, según la traducción del egiptólogo Donald J. Long de 1993: «En el año 22, tercer mes, primer día, a la hora seis... sucedió que los escritores estaban en la casa de la vida cuando un círculo de fuego

apareció en el cielo, sin cabeza. Su boca exhalaba un aliento que apestaba. Su cuerpo medía una vara de largo y una vara de ancho (1 vara = 52,3 metros). No hacía nada de ruido... pues sucedió que esos objetos empezaron a aparecer... en gran número, al cabo de tres días más que antes. ¡Estos objetos brillaban como el Sol en el cielo! Viajaban hasta las cuatro esquinas del cielo... Subieron a lo alto en dirección sur y de ahí se fueron volando». (14)

¿Eran ovnis lo que el faraón vio en su cielo hace casi 3.500 años?

LOS ESCÉPTICOS

Los entusiastas del fenómeno ovni hablan continuamente de pruebas de avistamientos, e incluso de aterrizajes. Pero esos avistamientos no disfrutan de una confirmación oficial. Los partidarios de las teorías de conspiración están convencidos que los gobiernos y los servicios secretos ocultan o destruyen las pruebas intencionadamente. De hecho, sigue habiendo comunicados de testimonios «válidos», como policías, pilotos o astrónomos, que dicen haber visto en el cielo objetos voladores no identificados. En 1991, en un estudio de 300 comunicados a propósito de ovnis, la asociación de investigación científica de paraciencias demostró que la mayor parte de los avistamientos eran fruto de ilusiones ópticas o bien se trataba de otros objetos, por ejemplo, globos sonda. Además, los comunicados de avistamientos de ovnis provocan a su vez más comunicados, y existe un sector que hace negocio con estas cuestiones. Las películas se utilizan como si de pruebas se tratase, se venden fotos de cadáveres de extraterrestres, se escriben libros con revelaciones sensacionales, se descubren documentos secretos de la CIA. Pero, ¿cómo hay que tratar los casos de avistamientos que no tienen explicación alguna? ¿Han tenido lugar o no?

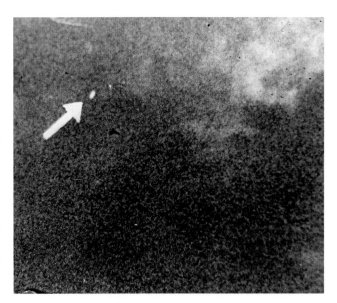

Continuamente aparecen fotos de supuestos ovnis. Muchas de estas «pruebas gráficas» tienen, sin embargo, poca credibilidad.

En una pequeña localidad llamada Rachel, en el estado de Nevada, se encuentra el famoso Little A'Le'Inn, un hostal con decoración basada en los ovnis y extraterrestres que atrae a muchos visitantes.

Contador para medir las sustancias radioactivas.

ATERRIZAJE DE UN OVNI EN VORONEZH, RUSIA

En 1989 se divulgó el siguiente comunicado de la agencia de prensa rusa TASS: «Científicos soviéticos han confirmado el aterrizaje de un objeto volador no identificado en un parque de la ciudad rusa de Voronezh. Se ha reconocido el lugar de aterrizaje y se han encontrado huellas de extraterrestres…».

«Los extraterrestres han visitado este lugar al menos tres veces después de su irrupción en la oscuridad», explicaron los habitantes de Voronezh, que también aseguraron haber visto una gran esfera brillante sobre el parque. Según el testimonio de los allí presentes, el ovni aterrizó, se abrió una puerta y salieron entre una y tres criaturas parecidas a nosotros y un pequeño robot. Los testigos dijeron que los extraterrestres medían unos tres o incluso cuatro metros de alto y que tenían la cabeza pequeña. Se pasearon cerca de la esfera o platillo y entonces desaparecieron. A los espectadores los embargó un sentimiento de miedo que les duró varios días.

Voronezh está a unos 500 km al sur de Moscú y tiene alrededor de 800.000 habitantes. Numerosos testigos confirmaron varios aterrizajes, porque después del primero siguieron otros. En el aterrizaje, el objeto volador aplastó hierba y plantas como por medio de un campo energético, parecido a los misteriosos círculos en campos de trigo.

INVESTIGACIÓN CIENTÍFICA DEL FENÓMENO RUSO

El profesor Genriz Silanov, físico del laboratorio de análisis espectral del Instituto Geofísico de Voronezh, explicó:

El botánico soviético Valeri Dvuzhilny muestra, el 23 de diciembre de 1989, materiales que supuestamente han dejado en la Tierra los extraterrestres.

«Nosotros descubrimos un círculo de 20 metros de diámetro. Había huellas de una profundidad de 4 a 5 cm y un diámetro de 14 a 16 cm, fáciles de reconocer y que se encontraban en las cuatro esquinas de un rombo. Descubrimos dos misteriosas muestras de roca. A primera vista parecían piedras de arenisca negra pero análisis mineralógicos demostraron que esa sustancia no se encuentra en ningún lugar de la Tierra.»

La directora de la investigación, Ludmila Marakov, dijo: «La elevada radioactividad que medimos es la prueba de aquí ha sucedido algo fuera de lo común».

OTRO ENFOQUE

El ufólogo inglés Ivan T. Sanderson critica en su libro *Uninvitid Visitors,* de 1967, que el trabajo sobre el fenómeno ovni está demasiado vinculado al ser humano, y que lo observamos como si lo que tuviera que venir del universo no fuera otra cosa que nuestra réplica, o sea «humanos» de otros planetas. El autor Donald Keyhole habla por ejemplo de una raza mortal que busca nuevos espacios vitales. Sanderson, en contra-

posición, desarrolló la teoría de que los ovnis vendrían a ser el producto de una inteligencia artificial, una inteligencia mecánica muy superior a la nuestra, y propone observar a los ocupantes de los ovnis como formas de vida artificial. Sanderson explica que ni el ser humano ni criaturas similares están hechos para sobrevivir en el universo: sólo podrían hacerlo seres artificiales, una nueva especie que quizá podría estar constituida con parte de nuestro ADN o actuar simplemente como máquinas.

AL BORDE DE UNA NUEVA CIVILIZACIÓN

Los científicos que estudian la inteligencia artificial están básicamente convencidos de que nos encontramos al borde de una nueva civilización. Lo que ellos denominan «singularidad» designa la capacidad de los ordenadores de desarrollarse por sí mismos, de reprogramarse una y otra vez, hasta que finalmente puedan adquirir «conciencia». La inteligencia de los ordenadores se desarrolla tan rápidamente que la humana se va quedando atrás. Según ellos, la inteligencia humana «explota» en dimensiones biológicas en unos millones de años. La mecánica sería muchísimo más rápida. Pensemos en la ley de Moore de 1965 (nombrada por Gordon E. Moore, fundador de Intel). Viene a decir que la cantidad de transistores en circuitos de conexión integrados se duplica cada 18 meses: en 1971 el circuito de conexión integrado disponía de unos 200 transistores, en 2000 ya eran 42 millones. El investigador Ray Kurzweil lo explicó como sigue: «El desarrollo será tan acelerado que escapa a nuestra imaginación. Las personas no se darán cuenta porque cuando empiece seguirá existiendo una imagen reconocible del mundo. Pero su esencia, lo que llamamos "inteligencia humana", se irá poco a poco reemplazando. Viviremos una inteligencia que partirá de la humana pero que le dará cien vueltas». (15)

Kurzweil cree que en 2040 ya dominará el mundo una inteligencia mecánica; lo que está por ver es si para entonces la humanidad aún sobrevive.

Los extraterrestres siempre han inspirado la fantasía de los artistas. El ufólogo inglés Ivan T. Sanderson critica esa imagen tan similar a la del ser humano.

Vida inteligente en el universo

Desde que el ser humano reconoce que la Tierra no es el centro del universo, sino que gira alrededor del Sol y no al revés, y desde que existen telescopios con los que se investiga el universo y se van descubriendo partes desconocidas, se plantea la pregunta de si está solo en este universo que siente como infinito. Todo invita a pensar que nosotros no somos los únicos seres vivos y que en otros planetas existe también vida inteligente.

Un pequeño cálculo de probabilidades

Sólo en el sistema de la Vía Láctea hay unos 135.000 millones de cuerpos celestes. Suponiendo que un porcentaje de ellos haya desarrollado una atmósfera, quedarían unos 1.350 millones. Suponiendo que hubiera a su vez un porcentaje con las condiciones necesarias para que hubiera agua y se desarrollaran formas de vida inferiores, quedarían aún unos 13,5 millones donde se podría desarrollar vida como pasó en la Tierra. Si se desarrollaran formas de vida superior en un tanto por ciento de esos planetas parecidos a la Tierra, habría unos 135.000 planetas con vida en la Vía Láctea, en los que existirían culturas avanzadas y progreso, como nosotros lo entendemos. Si un tanto por ciento estuviera más avanzado que nosotros, ocurriría que en 1.350 planetas se pensaría y viviría a un nivel muy superior al nuestro. Los 133.650 planetas restantes estarían en otros niveles de desarrollo. Además, debemos tener presente que hasta ahora sólo hemos hablado de nuestro sistema, la Vía Láctea.

El metauniverso

La ciencia moderna no parte del hecho de que nuestro universo es uno de muchos, sino más bien de que es uno de una cantidad infinita de ellos. Es lógico suponer que, dejando al

¿Tendrán los aliens un aspecto similar al humano o, en el caso de que existan, serán más bien criaturas que no tengan nada que ver con nuestro concepto de «ser vivo»?

La nave espacial Viking regresó a la Tierra el 26 de enero de 1989 con filmaciones de la superficie del planeta Marte. En ellas aparecía la famosa «cara de Marte». Muchos paracientíficos la consideran una prueba de la existencia de vida extraterrestre.

margen el origen de nuestro universo y teniendo en cuenta la cantidad de universos de la que aquí se está hablando, existan mecanismos comunes en el proceso de origen de los demás universos. El conjunto de todos los universos se denomina «metauniverso». Cada universo es único y se desarrolla independientemente, pero sería bastante lógico pensar que existen universos más avanzados que el nuestro, que ya han pasado por ciclos desconocidos para nosotros. Seguro que en cada uno de esos universos hay vida. Vida en cualquiera de sus formas, tal y como nosotros las conocemos o podemos imaginar o como no podemos ni imaginar: vida artificial o tipos de conciencia e inteligencia que no tienen nada que ver con lo que nos rodea. Se podría asegurar que existe un amplio espectro de posibles formas de vida.

INTERCAMBIO DE DATOS ENTRE UNIVERSOS

Está en la naturaleza de la vida, en especial de la vida inteligente, el abrirse, extenderse, investigar o explorar nuevos espacios vitales. La vida busca constantemente nuevos caminos. En nuestro mundo existen conexiones e interacciones entre partes muy distintas y separadas las unas de las otras. Algo parecido debe de suceder con los diferentes universos del metauniverso, sobre todo si se piensa que uno resulta del otro. De ahí que se pueda pensar que, al menos, haya tenido lugar un intercambio de datos. No se podría hablar de información, ya que para serlo debería haber sido elaborada y ser susceptible de reactualización. Los datos son sólo datos hasta que se conectan con otros datos, momento en que se convierten en

información. Sería lógico suponer que la vida, desde hace infinidad de años, se ha extendido sobrepasando fronteras por todo el metauniverso.

Probablemente la vida se habrá impuesto y seguirá imponiéndose y expandiéndose. En cualquier caso, la velocidad con la que la vida se propaga en el metauniverso debe de ser muy elevada. ¿Habremos mantenido ya el contacto? ¿Lo tenemos ahora? ¿Lo conseguiremos? El grado de posibilidad es muy alto. La probabilidad habla a su favor.

ET, el extraterrestre más famoso, protagonista de la película que lleva su nombre, dirigida por Steven Spielberg en 1982.

Círculos en campos de trigo

Uno de los fenómenos más conocidos que no encuentran explicación lógica son los recurrentes círculos en campos de trigo. De repente, de la noche a la mañana, aparecen dibujos geométricos sumamente complejos para los que ningún investigador ha encontrado respuesta. Los informes sobre estos misteriosos círculos en campos de trigo se remontan ya a varios siglos atrás. Unos científicos creen que se trata de campos energéticos muy potentes, otros piensan que sus artífices son los ovnis y los extraterrestres.

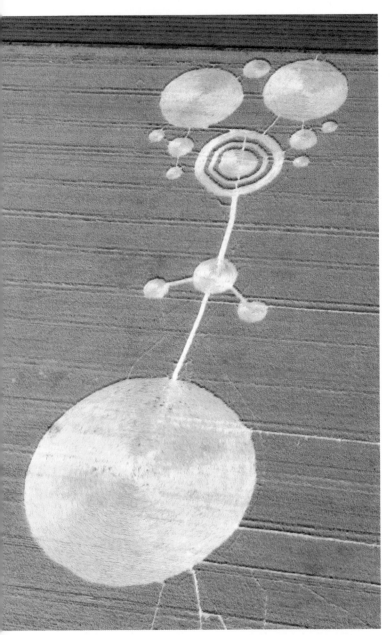

Fotografía aérea de círculos en un campo de trigo, descubiertos por un granjero en 2003 en Colorado, Estados Unidos.

LA ESTACIÓN DE LOS CÍRCULOS EN CAMPOS DE TRIGO: DE PRIMAVERA A VERANO

Ya en 1880 la famosa revista científica *Nature* informaba sobre círculos que habían aparecido en campos de trigo en el condado de Surrey, Reino Unido. Luego, a partir de 1978, empezaron a surgir otros, primero en Inglaterra y después por todas partes, y se convirtieron en objeto de investigación en todo el mundo. Al parecer, Inglaterra sigue siendo uno de los lugares predilectos para estos círculos, ya que en 1991 se documentaron un total de 300. En todo el mundo han aparecido unos miles, que se van complicando en su estructura y disposición. Los círculos no surgen durante todo el año, sino de primavera a verano, lo que resulta del todo lógico porque sólo en esa época hay trigo en los campos. Digno de mención es el hecho de que las espigas ni se rompen ni se doblan, sino que se tumban a unos centímetros del suelo, de manera que siguen creciendo horizontalmente. No hay huellas que lleven hasta los dibujos, y tampoco hay rastros que partan de los mismos, y la tierra de debajo queda intacta.

IMITADORES DE CÍRCULOS EN CAMPOS DE TRIGO

La aparición de los dibujos parece ir acompañada de los más misteriosos fenómenos: pájaros que cambian su rumbo de vuelo, cámaras que dejan de funcionar, luces intermitentes... hasta descargas de baterías. Investigadores de las más diversas disciplinas científicas se han ocupado de este fenómeno y han dado su opinión sobre su origen. Las tesis apuntan desde a la invasión de insectos hasta emplazamientos para el apareamiento de ciervos o pequeños tornados repentinos. En los últimos años se han dado casos de imitaciones de círculos en campos de trigo, es decir, de gente que de noche se desplaza a los campos para falsificar círculos. Pero los especialistas desenmascaran el fraude muy rápidamente porque no es fácil imitar la precisión y complejidad estructural que los caracteriza.

CÍRCULOS A ESCALA MUSICAL

El biofísico americano William C. Levengood estudia los círculos desde hace años y ha demostrado que la naturaleza del trigo y el reparto de fluidos en las plantas son de tales

características que sólo puede tratarse de un impulso calórico semejante al de un microondas. Según Levengood el calentamiento debe de producirse en un tiempo inferior a 30 segundos. En ciertas áreas del suelo y en algunas espigas se encon-

Las espigas que dibujan los círculos no se rompen, sino que simplemente están dobladas a ras de suelo y después vuelven a levantarse, sin que la cosecha se resienta. Los círculos en campos de trigo atraen continuamente a curiosos.

tró una capa de óxido de hierro que tenía aspecto de esmalte, fenómeno que sólo se da a temperaturas de más de 500 ºC. Además, en los círculos se encontraron campos energéticos que tienen los efectos anteriormente mencionados. El matemático Gerald Hawkins descubrió que las dimensiones de muchos círculos eran proporcionales a los intervalos de una escala musical. Ambos científicos rechazan la posibilidad de intervención del ser humano.

HABITANTES DE OTROS PLANETAS

Los círculos en campos de trigo se relacionan cada vez más con los ovnis. Varios testigos creen haber visto objetos voladores o luces allí donde después se han encontrado círculos. Muchos de ellos han documentado esos fenómenos con cámaras. El autor Benjamin Crème dice que, exceptuando las falsificaciones que han hecho algunas personas, los responsables de estos círculos son habitantes de otros planetas. De manera muy concreta, dice: «Los ocupantes de los ovnis visualizan la forma que quieren conseguir. Mediante concentración de la mente, disponen cada una de las formaciones, que en ocasiones completan con algún tipo de añadido. Luego hacen descender sus vehículos hasta acercarse a la superficie del campo.» (16)

Este círculo fue descubierto y fotografiado en 2000, en Inglaterra. Con el transcurso de los años, los círculos presentan unos dibujos cada vez más complejos.

El misterio de Sirio

Los dogon son un pueblo africano que habita en la región central de Malí y en el norte de Burkina Faso. Son sencillos agricultores de la sabana que también tienen ganado y se distinguen sobre todo por su arte en la forja y la talla de madera. Pero los dogon también poseen conocimientos sobre la estrella fija más luminosa del firmamento, Sirio, conocimientos que no tienen los astrónomos modernos. Los científicos estudian el misterio para así averiguar si los dogon recibieron la visita de seres inteligentes desde la estrella del perro, Sirio.

EL MISTERIO DE SIRIO, DE ROBERT K. G. TEMPLE

«A tenor de las pruebas consistentes que parecen existir, todo invita a pensar que pudiera haberse dado realmente un contacto de este tipo [la visita de seres de Sirio] hace relativamente poco tiempo, entre unos 7.000 y 10.000 años atrás. El material que conduce a esta suposición no permite ninguna otra interpretación». Esto es lo que escribió el inglés Robert K. G. Temple en 1976 en su libro *El misterio de Sirio* (17).

Temple explica que se amontonan los indicios que apuntan a pensar que los conocimientos de los dogon tienen más de 5.000 años, que los antiguos egipcios ya disponían de ellos, y que los dogon los habrían heredado como descendientes directos.

Esta fotografía de la constelación Orión con Sirio clara y luminosa fue tomada en 1995 en Flagstaff, Arizona.

EL MITO DE CREACIÓN DE LOS DOGON

El punto de partida del mito de los dogon es la estrella Digitaria, de la que se dice que es un satélite de Sirio que lo circunda. Digitaria sería desde el principio movimiento creador hecho materia. El mito dice que es la más pequeña de entre todas las estrellas, pero también la más pesada, la que contiene la esencia de todas las cosas. Su rotación alrededor de su eje y su movimiento en torno a Sirio garantizarían la subsistencia de las fuerzas creadoras del universo.

En realidad no se trata del lejano Sirio, que está a unos 8,6 años luz de distancia de la Tierra, sino más bien de su satélite. Ambos forman un sistema doble. Lo misterioso en las tradiciones de los dogon es que saben de la existencia de ese acompañante que a simple vista no se aprecia y sólo se pudo ver entrado ya el siglo XX con un telescopio. Hoy se distingue entre Sirio A y B. Según la leyenda, de ese sistema estelar, que abarca

Sirio en la historia

En el antiguo Egipto Sirio tenía un significado especial. La llama-ban Sotis o Sothis y la identificaban con la diosa Sopdet. Muchos templos se construyeron de tal modo que su luz incidiera en sus altares. Sirio gozaba en Egipto de gran relevancia tanto en la vida cotidiana como en el ámbito religioso, y el transcurso del año se contaba por esa estrella. Mucho después, en la Edad Media, Sirio se consideraba signo anunciador de la rabia. Por eso en muchas representaciones de los peregrinos de Santiago había un perro, Sirio, la «estrella del perro». Antiguamente los peregrinos del camino de Santiago seguían en su viaje a Sirio; por eso el camino se solía llamar «camino de la estrella». En la década de 1990 los seguidores de la secta de los templarios llevaron a cabo suicidios colectivos creyendo que volverían a nacer en Sirio.

en conjunto nueve estrellas conocidas, llegaron unas criaturas que los dogon llaman *«nommo»*. Eran parecidas a los peces y aterrizaron en un arca en forma de espiral. Muchas de las más-caras de los dogon quieren simbolizar todo eso, y más que más-caras parecen naves espaciales propulsadas por cohetes.

ENANAS BLANCAS

Sirio A es casi el doble de grande que nuestro Sol, su tempe-ratura superficial es el doble de alta y brilla con una intensi-dad unas 24 veces más fuerte. Sirio B, en cambio, es un poco más pequeño que la Tierra, pero con una densidad tal que un metro cúbico de su materia pesa 3 millones de toneladas.

Un mapa antiguo de Orión. En la Edad Media Sirio se consideraba signo y anun-ciador de la rabia; por eso en las representaciones medievales se suele dibujar un perro, que remite a la estrella del perro, Sirio.

¿Es posible que los dogon, un milenario pueblo africano que habita en el centro de Malí y en el norte de Burkina Faso, recibieran la visita de seres inteligentes proce-dentes de Sirio que les transmitieran el saber secreto sobre la estrella?

Dada su alta temperatura y su reducido tamaño, se la cuenta entre las llamadas «enanas blancas». Las enanas blancas son estrellas relativamente pequeñas que han llegado al final de su vida y han empezado a condensarse, con lo que su densidad sigue aumentando. ¿Procede realmente la sabiduría de los dogon de una supuesta inteligencia extraterrestre de Sirio que visitara a pueblos de África hace miles de años? La pregunta central y sin respuesta es cómo es posible que gentes sin ins-trumentos astronómicos tuvieran conocimiento de movi-mientos y cualidades de cuerpos celestes que no pueden verse a simple vista. Walter Hain escribe que probablemente los dogon son un pueblo inteligente pero se pregunta si se puede deducir de ello un contacto con inteligencias extraterrestres. Para él, eso es todavía una incógnita.

El triángulo de las Bermudas

El triángulo de las Bermudas es uno de los grandes misterios de nuestro mundo. Incontables películas y libros recogen los accidentes misteriosos que tienen lugar en ese tristemente célebre trozo de mar, pues desde hace un siglo desaparecen allí barcos y aviones sin dejar rastro.

El 5 de diciembre de 1945, a las dos en punto de la tarde, cinco bombarderos Grumman Abenger salieron de la base naval del fuerte Lauderdale de Florida para hacer unos ejercicios aéreos rutinarios. Nunca regresaron.

EL LIBRO DE CHARLES BERLITZ

El territorio entre Florida, las Bermudas, Puerto Rico y las Bahamas se denomina «triángulo de las Bermudas» desde que en 1974 salió al mercado el libro de Charles Berlitz (1914-2003) del mismo título. Berlitz expone en él una serie de teorías que explicarían la misteriosa desaparición de barcos y aviones en esa zona. Además de esas explicaciones, existen incontables informes de testigos oculares que han sobrevivido a los accidentes.

ALGUNOS SUCESOS

Entre los años 1945 y 1975 se comunicó la desaparición de 37 aviones, un globo y 41 barcos en la región del triángulo de las Bermudas. Al parecer, también desapareció un submarino atómico, y además se encontró un yate que iba a la deriva sin tripulación. Sin embargo, nunca se hizo una llamada de socorro. De repente reinaba la calma en la radio, y después todo desaparecía. Informes de testigos oculares supervivientes hablan de fenómenos como nieblas de colores, el agua borboteando, calma o ruidos horribles de instrumentos estropeados. Si los vehículos conseguían salir de la niebla, los aparatos volvían a funcionar.

En otro caso, el contacto por radio entre un avión de pasajeros de National Airlines y la torre de control quedó interrumpido durante diez minutos, y el aparato desapareció del radar. Cuando aterrizó, la tripulación no informó de ningún suceso inexplicable: ellos no habían notado la interrupción del contacto, pero todos los relojes de a bordo, así como también los de la tripulación y los pasajeros, estaban diez minutos atrasados.

EXPLICACIONES Y TEORÍAS

Existen las siguientes teorías:
- Extraterrestres de Venus han construido una base en el mar a una profundidad de 910 metros, lo que equivale a la presión en su planeta. Ellos utilizarían fuertes tracciones magnéticas que desmaterializarían la materia.
- El misterioso continente de la Atlántida está justo bajo esa zona. La Atlántida se hundió durante el diluvio, que fue el resultado de una guerra atómica de tiempos remotos.

La paz reinante en el triángulo de las Bermudas es engañosa. Aquí han desaparecido sin dejar huella y sin explicación incontables barcos y aviones.

• En el triángulo se han modificado las energías físicas. Se ha dado origen a un salto en el tiempo y en el espacio, y los objetos desaparecidos, o fueron transportados al futuro, al pasado o a otro lugar del mundo, o están flotando por el universo.

• Los efectos del misterioso experimento Filadelfia (véase el recuadro) de la marina estadounidense de 1943 son los responsables de lo que allí ocurre.

• Las personas y objetos desaparecidos han sido abducidos por extraterrestres con la finalidad de estudiarlos.

• Bajo el agua vive una desconocida colonia de seres parecida a la humana y esas criaturas son las responsables de lo que sucede en la zona.

• Sobre el triángulo hay una especie de agujero en el cielo. Por eso existe una fuerte curva del espacio que lo arrastra todo al universo.

• Del interior de la Tierra se escapan allí gases químicos desconocidos con una poderosa radiación que destroza barcos y aviones y desencadena en las personas estados de trance.

• Extraterrestres procedentes de planetas desérticos absorben agua en esa zona. Los barcos y aviones se ven arrastrados o absorbidos por el remolino.

Las numerosas teorías son una demostración del interés de la gente por este fenómeno misterioso. Se hacen listas de los sucesos y se redactan teorías, pero hasta ahora nadie ha

El experimento Filadelfia

En la década de 1940 la marina estadounidense llevó a cabo el llamado «experimento Filadelfia». Se quería hacer invisible un barco de la marina con toda su tripulación. El objetivo era romper así las líneas enemigas. Ahí debía encontrar una aplicación práctica la inacabada teoría de los campos de Einstein. Al parecer, se emplearon campos electromagnéticos muy potentes y, por lo visto, el experimento salió bien: se empezó a perder de vista el barco, hasta que desapareció en poco tiempo. Poco después del experimento murió gran parte de la tripulación. Los supervivientes sufrieron graves trastornos psíquicos incurables. Como por motivos políticos se guarda total silencio sobre el experimento, sigue siendo un misterio si realmente todo eso sucedió y el ejército americano consiguió crear un campo magnético de tales dimensiones.

podido encontrar pruebas que aclaren las posibles causas que originan el fenómeno. ¿Existen lugares en el mundo (según el investigador Ivan T. Sanderson habría 12 zonas de este tipo) en los que el futuro, el pasado y el presente existen paralelamente? La solución está en manos de la ciencia, que está llamada a investigar más intensivamente este tipo de sucesos.

Mapa del triángulo de las Bermudas, frente al golfo de México: se extiende desde la costa de Estados Unidos hacia el sur hasta Puerto Rico, y hacia el este hasta las Bermudas, a las que debe su nombre.

El lago Eyre está situado al sur de Australia, en medio del desierto, a 16 metros bajo el nivel del mar. Es uno de los lagos de agua salada más grandes del mundo.

Imagen de un aborigen en la selva australiana

Situado en el desierto del sur de Australia, a 16 metros por debajo del nivel del mar, el Eyre es uno de los lagos salados más grandes del mundo. Según la incidencia de la luz, parece una extensión nevada en el desierto. En 1998 se descubrió allí la gigantesca imagen de un aborigen, de 4,5 km de longitud. La imagen sólo se puede ver desde una altura de 1.000 metros. A diario sobrevuelan la zona miles de aviones, ¿por qué se ha descubierto tan tarde?

Una enorme figura excavada en la tierra

Al norte de Adelaida, cerca del lago Eyre, en el desierto, se descubrió en julio de 1998 una imagen gigante de un aborigen australiano. Se trata de una figura perfectamente proporcionada y de trazo claro, fácilmente reconocible, de 4,5 km de longitud y un perímetro de 15 km. La figura fue descubierta por Ray Goss, un hombre de negocios de una ciudad vecina, que recibió una serie de faxes anónimos que le hablaban del fenómeno.

La figura estaba dibujada, o mejor dicho, excavada, conformando un surco de 6 m de ancho. Desde tierra prácticamente no se puede reconocer, porque es demasiado grande, pero desde una altura de mil metros se aprecia una silueta oscura, de un color tostado que contrasta con los tonos de beis del suelo del desierto. Goss explicó que la figura era la imagen de un hombre con una lanza en la mano.

Extraterrestres como autores de la imagen

Las opiniones sobre el origen del dibujo son muy dispares. La misteriosa figura ha despertado la atención de los medios de comunicación y se han hecho todo tipo de especulaciones. El abanico de interpretaciones va desde pensar que se trata de una broma de los habitantes de la zona para atraer al público internacional, y así disfrutar de una buena inyección financiera proporcionada por el turismo, hasta las explicaciones paranormales que creen que el autor de la imagen se encuentra en el ámbito extraterrestre.

La tercera teoría

De 1953 a 1963 los ingleses llevaron a cabo en este desierto del sur de Australia pruebas atómicas que produjeron radiaciones en amplias zonas del país y provocaron daños irreparables a los aborígenes. Por aquella época no se consideraba a los aborígenes ciudadanos, con lo que recibían el mismo trato que animales. Sólo en 1960 se les reconoció como ciudadanos australianos con derecho a prestaciones sociales. Dos años más tarde obtuvieron el derecho al voto, y hubo que esperar a 1967 para que consiguieran todos los derechos de los ciudadanos. Desde entonces, el Estado ha indemnizado a los aborígenes, con unos 14 millones de dólares australianos, por los daños sufridos como consecuencia de los efectos de las pruebas atómicas.

Pero actualmente el Gobierno está planificando ubicar en ese territorio un vertedero de residuos y gases atómicos. Un comunicado de los aborígenes dice: «Ellos llamaban a nuestra patria *terra nullius*. Pero no es un desierto deshabitado donde depositar minas, uranio y residuos atómicos. Es nuestra patria. Con la primera ola invasora fuimos expropiados por la pasticultura y convertidos en refugiados en nuestra propia tierra. Y a pesar del genocidio hemos conseguido mantener el contacto con nuestra tierra. Hoy nuestra tierra está amena-

El Gobierno planea ubicar un vertedero de residuos atómicos en la tierra de los aborígenes. Se cree que la figura se hizo para impedir este plan.

zada por la mina más grande de uranio del mundo, Roxby Downs, y el vertedero de residuos atómicos planificado en Billa Kalina, el valle del lago Eyre».

La suposición que va ganando puntos es la que sustenta que la figura dibujada en el desierto quería conseguir lo que ya está provocando, es decir, despertar la atención internacional, para así impedir que se ubique allí el vertedero de residuos atómicos y que se sigan realizando explotaciones abusivas en la tierra.

Pero la teoría de los extraterrestres persiste. De todas formas, sigue siendo un misterio quién ha excavado la magnífica imagen.

Policías australianos detienen a una mujer mestiza durante la manifestación para reivindicar el derecho sobre la tierra de los habitantes autóctonos de Australia.

Saltos en el tiempo

En la historia se dan cada vez más casos de personas que desaparecen de golpe y reaparecen en otro lugar. Hay investigadores que hablan de la existencia de dimensiones temporales paralelas; dicen que el pasado, el presente y el futuro transcurren paralelamente, y que sería posible ir desplazándose a través de los agujeros de ese continuo de tiempo-espacio entre los diferentes lugares y tiempos. Pero, ¿existen los viajes controlados por el tiempo? ¿Podría ser realidad el sueño de H. G. Wells de una máquina del tiempo?

TRES CASOS DE SALTOS EN EL TIEMPO

El soldado de Manila

En 1953 soldados de México D. F. vieron a un centinela que iba vestido con un uniforme totalmente diferente al que ellos llevaban. Se le preguntó por lo que hacía, y el hombre respondió que obedecía órdenes y que estaba vigilando el palacio del gobernador de Manila. Dijo que ya se había dado cuenta de que en ese momento no estaba ante el palacio, pero una orden es una orden, y él tenía que cumplir con su deber. Manila está a unos 18.000 km de Ciudad de México. Tomaron al soldado por enfermo mental y lo encerraron en la cárcel. Dos meses más tarde llegó la noticia a México de que el gobernador de Manila había sufrido un atentado exactamente la misma noche de la aparición del misterioso soldado. Mientras tanto en Manila se le buscaba desesperadamente, porque había desaparecido sin dejar huella y se le relacionaba con el atentado. Como el soldado hablaba español, no hubo problemas de comunicación, aunque tuviera un acento raro para los mexicanos.

El diplomático Benjamin Bathurst

En 1809 Benjamin Bathurst viajó en una importante misión diplomática de Viena a Londres. En una parada durante el viaje desapareció en un abrir y cerrar de ojos y nunca más lo volvieron a ver. Los ingleses culpaban a los franceses de haberlo secuestrado, pero ellos juraban no saber nada. El señor Bathurst siguió sin aparecer.

La película de 1985 *Regreso al futuro*, de Robert Zemecki, es una de las más famosas sobre los viajes a través del tiempo.

VIAJES EN EL TIEMPO

¿Será posible algún día viajar al futuro o al pasado a través de agujeros negros? La respuesta a esta pregunta es simple: los viajes a través del tiempo son fáciles, y nosotros solemos emprenderlos... Por desgracia, sólo lo hacemos en una dirección. Los filósofos hablan desde hace miles de años del continuo del tiempo, comparándolo con un río. El problema es que nosotros nadamos a contracorriente, o queremos adelantarnos. El objetivo es viajar en cualquier dirección a través del tiempo y el espacio. Naturalmente, esta idea abre perspectivas fascinantes. Las distancias inalcanzables hacia planetas infinitamente lejanos quizá ya no representen ningún obstáculo para ciertas civilizaciones extraterrestres. Quizá para ellas las medidas del espacio y el tiempo sean relativas y las fronteras no estén bien delimitadas. ¿Quién podría afirmar o negar hoy que nosotros pronto podremos viajar al pasado para experimentar cómo vivían nuestros antepasados? La investigación ha dado con lugares donde se encuentran dibujos antiguos de seres con instrumentos y utensilios que en aquella época nadie podía conocer. Muchos investigadores opinan que se trata de representaciones de extraterrestres. También se podría estar hablando de algún tipo de viaje a través del tiempo, de gente que viajó de nuestra época actual al pasado para ver las civilizaciones primitivas.

El juez August Peck de Montana desapareció sin dejar rastro ante varios testigos cuando estaba andando campo a través. Hoy en día se sigue sin saber dónde puede estar.

El juez August Peck

En septiembre de 1880 el juez August Peck de Gallatin, Montana, Estados Unidos, hizo una visita a su amigo David Lang. Varios testigos lo vieron pasar por un campo y desaparecer de repente sin dejar huella. La gente creía que se habría caído en un hoyo, pero ni la policía ni los bomberos encontraron el mínimo rastro del juez. Hoy en día sigue sin saberse nada del paradero del juez Agust Peck.

En 1953 un soldado de la guardia filipina que estaba vigilando el Palacio Gubernamental de Manila desapareció de allí y apareció en Ciudad de México.

Cuando aparecen divergencias del magnetismo de la Tierra se producen trastornos en el funcionamiento de la brújula, que se mueve descontrolada.

El deber de la ciencia seguirá siendo comprobar cómo son posibles estos misteriosos fenómenos, e indagar sobre si en un futuro serán posibles los viajes en el tiempo.

Página siguiente: Los tuaregs conocen una zona en el Sahara que denominan «tierra de dunas sin retorno». A los extranjeros que pretenden pasar por allí se les pone sobre aviso: se les dice que no podrán regresar jamás.

Abajo: El físico alemán Karl Schwarzschild (1873-1916) fue quien acuñó la expresión «agujero negro» para el estadio final del desarrollo de una estrella. Las estrellas estallan como consecuencia de la fuerza de gravedad cuando se extinguen en su interior los procesos de fusión nuclear.

DOS LUGARES DONDE SE HAN OBSERVADO SALTOS EN EL TIEMPO

El autor inglés Ivan T. Sanderson (1911-1973) recopiló en sus investigaciones paracientíficas un total de 12 lugares de la Tierra donde se ha informado de saltos en el tiempo y sobre la desaparición sin rastro de diferentes personas. Diez de esos lugares están situados en los grados de longitud 30 y 73. Una de esas zonas está en territorio tuareg, en el Sahara. Los tuaregs conocen el lugar como «tierra de dunas sin retorno» y dicen que de allí no se regresa jamás. Desde hace mucho tiempo se advierte a los extranjeros de que no pasen por allí, porque se perderían y no podrían volver. Se sabe que en la zona se producen trastornos en el funcionamiento de las brújulas debido a la presencia de divergencias magnéticas.

Sanderson desarrolló en sus estudios la teoría de que había gente que en determinados puntos del mundo desaparecía, para aparecer en otra dimensión. A ese fenómeno se le llama «agujero negro», aunque no tiene nada que ver con los agujeros negros de la astronomía. Desde Einstein, los investigadores no contemplan por separado el espacio tridimensional y el tiempo, sino que los ven como dos aspectos de un «espacio-tiempo» de cuatro dimensiones. En la investigación de las partículas subatómicas los físicos cuánticos parten incluso de la idea de que el tiempo puede ir hacia delante y hacia atrás.

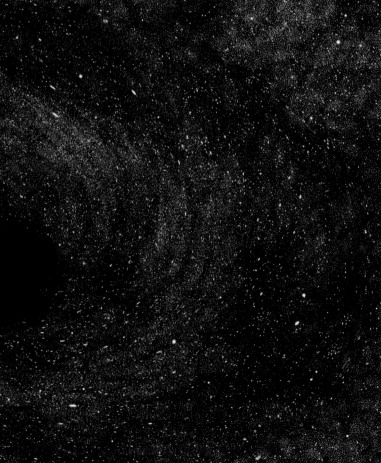

Agujeros negros

El físico alemán Karl Schwarzschild (1873-1916) fue quien acuñó la expresión «agujero negro» para el estadio final del desarrollo de una estrella. Las estrellas estallan, a consecuencia de la fuerza de gravedad, cuando ya se han extinguido en su interior los procesos de fusión nuclear. Se produce el llamado «colapso gravitacional». Estrellas con una masa mayor se contraen sobre sí mismas en un diámetro muy pequeño y alcanzan una densidad extremadamente elevada, formando así las «enanas blancas» (véase la página 296). Se trata de la creación de un nuevo continuo espacio-tiempo del que no puede fugarse ni luz ni materia. La gravitación dentro de un agujero negro es tan grande que deforma cualquier sistema de tiempo-espacio convirtiéndolo en una singularidad, es decir, se genera una forma de anillo en el espacio-tiempo, mientras que el agujero del centro permite el paso a otro lugar o a otro tiempo. Así surgen agujeros negros de estrellas con una masa elevada, partiendo como mínimo de cinco masas de Sol (véase el recuadro). Aparte de los agujeros negros estelares, se cree que pueden existir los «agujeros negros primigenios», cuyo origen se remonta a los primeros tiempos del universo; por ejemplo, los agujeros negros con varios millones de masa de Sol cuya ubicación se supone en el centro de las galaxias. Pero no se puede asegurar que existan. Una estrella explota, y el tiempo y el espacio adquieren en los agujeros negros nuevas dimensiones. El tiempo puede deformarse debido a la fuerza de gravedad y la velocidad. El matemático austriaco Kurt Gödel (1906-1978) estaba convencido de que se podrían excavar túneles en el tiempo, siempre y cuando se deformara con la fuerza suficiente. Hasta el descubrimiento de los agujeros negros, no se sabía cómo conseguirlo. Hoy en día parece que, al menos teóricamente, nos estemos acercando.

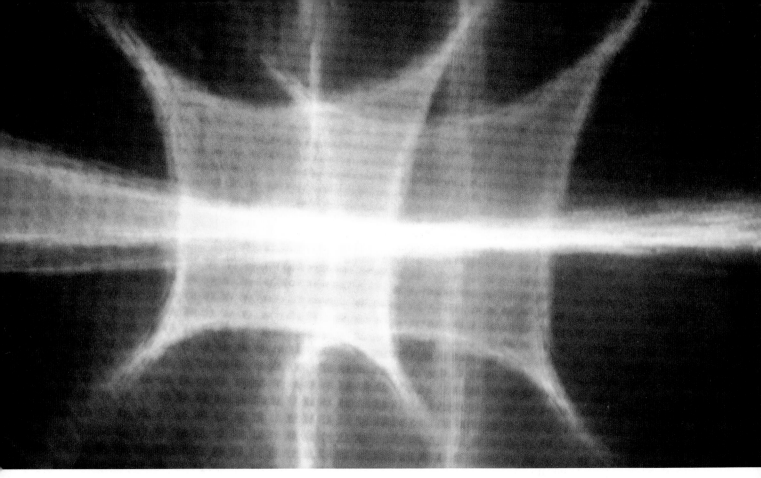

Desde 1986 aparecen por todo el mundo señales y cruces luminosas de origen desconocido.

Señales y cruces luminosas

Desde 1986 se da por todo el mundo un misterioso fenómeno: señales y cruces luminosas se proyectan en fachadas, pero también como hologramas que flotan libres en el aire. Las apariciones empezaron en Estados Unidos y se han ido extendiendo a otros muchos países. Sin existir una fuente de luz reconocible, de repente se distinguen señales luminosas que suelen tener forma de cruz. Se suelen ver cuando hace sol y no durante la noche. Pero nadie es capaz de identificar la fuente de esta misteriosa luz.

INVESTIGADORES DE TODO EL MUNDO
FRENTE A UN ENIGMA

Las señales luminosas aparecen de la noche a la mañana, sin que cristales o ventanas hayan sufrido manipulación alguna. Este fenómeno se dio primero en Estados Unidos, para luego extenderse a Canadá y México, y con el tiempo también a Alemania, Francia, Eslovenia, Australia, Nueva Zelanda y Filipinas. Los testigos oculares hablan de una sensación de profundo respeto y paz interior al contemplar las señales y cruces luminosas. No existe explicación científica convincente para el fenómeno. Investigadores de todo el mundo se encuentran frente a un enigma.

EXPLICACIONES PARA LAS SEÑALES LUMINOSAS

Los escépticos contemplan la tesis de que se trata simplemente del reflejo de los cristales de las ventanas cercanas. Este argumento no sería válido porque no tiene en cuenta el hecho de que la única estructura a partir de la cual se podría generar la forma de una cruz sería la intersección de líneas verticales y horizontales: los cristales reflejan la luz en su misma forma, rectangular, cuadrada o redonda. Ahora bien, debido a que en el proceso de fabricación industrial el vidrio adquiere un perfil ligeramente ondulado, este tipo de cristales casi nunca reflejan formas concretas, sino que se reflejan difusamente en las paredes colindantes, lo que se puede ver fácilmente en cualquier gran ciudad. Además, y esto es lo más sorprendente, el fenómeno de las señales luminosas no suele aparecer en zonas urbanizadas, es decir, no existen grandes fachadas en los alrededores que puedan producir los reflejos. Según parece, los físicos han demostrado que las ventanas de doble cristal, gracias al vacío entre los cristales, podrían producir cruces. Contradice la teoría el hecho de que los acristalamientos dobles no tienen un espacio vacío en medio, sino aire seco. Ninguna de las numerosas teorías existentes explica este fenómeno y, sobre todo, nadie se explica cómo es posible que estas apariciones vayan proliferando tanto que ya se puedan observar por todo el mundo. Los cristales de las ventanas colindantes a los lugares afectados no son nuevos, sino que están desde hace años ubicados en los mismos lugares. Paralelamente a las explicaciones frustradas, el fenómeno también va extendiéndose, pero su origen sigue siendo un misterio.

SEÑALES DE EXTRATERRESTRES
O EL REGRESO DE CRISTO

Actualmente el fenómeno de los círculos y cruces luminosos se observa en el sur de Alemania. Dibujos de luz, pintados como por obra de una mano fantasma, pueden verse en las fachadas del centro de la ciudad de Múnich. ¿Se trata de un milagro, de extraterrestres o simplemente de un fenómeno para el que los científicos no encuentran respuesta? Mucha gente cree que estamos ante la forma auténtica en que se aparecen los ovnis, y opina que con los conocimientos que ofrece la ciencia no se puede llegar muy lejos. Se cree que las señales luminosas son indicadores de una nueva época. Mucha gente

Además de las señales luminosas aparecen hologramas en forma de cruces luminosas que flotan en el aire. Los científicos están ante un enigma.

que ha sido testigo de estas fantásticas señales dice que ha conseguido más firmeza y esperanza para su vida, sobre todo en el caso de las cruces: la cruz vendría a ser símbolo de la cercanía de Cristo. En especial los cristianos hablan del regreso inminente del Mesías y están convencidos de haber sido testigos de un auténtico milagro.

Señales luminosas en una fachada de Berlín. Proceden de una fuente desconocida y no son fruto de posibles reflejos producidos, por ejemplo, por las ventanas colindantes.

Rayos globulares

Entre todas las posibles variantes de rayos, como los lineales y los difusos, el rayo globular es el fenómeno atmosférico que ha generado mayor cantidad de historias misteriosas. Muchos investigadores creen que se trata de una ilusión óptica, pero demasiada gente dice haber sido testigo del fenómeno.

ELABORACIÓN DE BALONES DE PLASMA EN UN LABORATORIO JAPONÉS

Un rayo es una descarga de luz en forma de arco de reducida duración pero con una intensidad de corriente muy elevada y un voltaje de unos cien millones de vatios. Los rayos descargan cargas desiguales entre las nubes o entre las nubes y la Tierra. Se aconseja no refugiarse bajo los árboles, en cuevas o cerca de objetos de metal cuando hay tormenta, para evitar ser fulminado. Los rayos globulares son una variante misteriosa de los rayos cuya existencia se sigue negando. Las teorías a su alrededor dicen que es una ilusión óptica, una ceguera repentina, lo que provoca la percepción de una mancha de luz clara *como si* fuera un resplandor.

Investigadores japoneses creen que los rayos globulares son balones de plasma. Pero esta teoría se pone bastante en duda porque los balones globulares ascienden como los globos aerostáticos de calor, mientras que los rayos globulares, no. El físico ruso Piotr Kapitsa piensa que los rayos globulares son descargas libres de electrodos causadas por ondas ultracortas estáticas de origen desconocido, pero que se originan siempre entre la Tierra y las nubes. Los neozelandeses John Abrahamson y James Dinniss dicen que los rayos globulares son bolitas ardientes de silicio conectadas, generadas por el rayo tridente.

LA DURACIÓN DE LOS RAYOS GLOBULARES: HASTA 30 VECES LA DE UN RAYO NORMAL

Según informes de testigos oculares, los rayos globulares son balones de luz de unos 20 cm que pueden irradiar una gran gama de colores; los más frecuentes son verde, azul, amarillo, naranja y rojo. Pero hay que confiar en los informes de los testigos porque apenas hay fotos de rayos globulares, y las que existen son por su naturaleza inutilizables. Las fotos de fenómenos lumínicos son siempre difíciles de hacer y ofrecen poca información porque podrían corresponder a muchas cosas y, por tanto, no sirven de prueba. De ahí la dificultad de acceso al misterio que envuelve a los rayos globulares.

Un rayo globular dura mucho más tiempo que un rayo normal, entre uno y ocho segundos. Pero existen informes que hablan de hasta treinta segundos. Su duración depende de su tamaño y decrece con la claridad. Según los testigos oculares las bolas naranjas y azules duran más que las de otros colores. Los rayos globulares penetran a través de paredes y ventanas, sin dañar nada a su paso, y se mueven relativamente despacio, a sólo dos o tres metros por segundo. Su movimiento es paralelo al suelo pero van dando saltos hacia arriba.

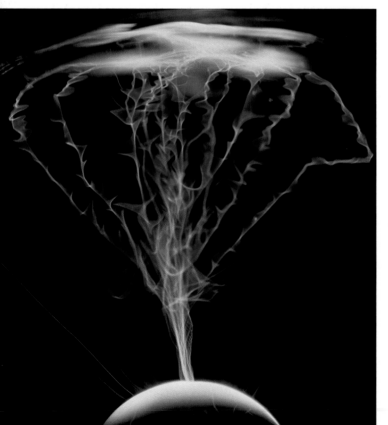

Investigadores japoneses creen que los rayos globulares son balones de plasma.

Informe del testimonio ocular de Brad Jagger, Estados Unidos
«Cuando tenía 9 años visité a mi familia de Pittsburg. De repente, en el aparcamiento del hotel vi una pelota de luz que se dirigía volando hacia mí: parecía un cometa. Tenía el tamaño de una pelota de voleibol y dejaba tras de sí una cola luminosa. Me alcanzó en la muñeca y me dejó una quemadura en forma de V. Lo más curioso fue que la bola de luz llegó hasta el asfalto y luego saltó de nuevo hacia arriba: llegó haciendo un ángulo de 45° y se elevó de nuevo formando también otro ángulo de 45°. Ahora tengo 36 años y aún se me ve la cicatriz en la muñeca.» (18)

Su energía corresponde a una luciérnaga

Durante mucho tiempo se ha creído que los rayos globulares eran perjudiciales para el ser humano, e incluso se han relacionado con el fenómeno de la combustión espontánea. Sin embargo, no parece que estos rayos entrañen un gran peligro: algunos investigadores dicen que la energía que contienen es la misma que la de una luciérnaga. Existe incluso un informe de un testigo que dice haber apartado la bola simplemente con la mano sin haber sufrido daño alguno.

El fenómeno de los rayos globulares ha sido observado en todo el mundo y en todas las épocas. Los científicos no dudan de su existencia pero todavía no han dado con una explicación lógica.

Un rayo descarga violentamente sobre una ciudad. Algunos investigadores consideran que los rayos globulares son fruto de una ilusión óptica y que en realidad no son más que rayos comunes.

Algunos científicos creen que la energía que contienen los rayos globulares equivale a la de una luciérnaga, por lo que no pueden suponer peligro alguno para las personas, contrariamente a lo que se ha pensado durante mucho tiempo.

El evento de Tunguska

El 30 de junio de 1908 a las 7:14 hora local se produjo una explosión de una fuerza inimaginable en las cercanías del Tunguska Pedregoso, uno de los afluentes del Yeniséi, en Siberia. La detonación desencadenó una fuerza de 10 a 15 megatones, o hasta 50 megatones según ciertas fuentes, lo que equivale a 1.150 kilotones, es decir, la fuerza explosiva de la bomba atómica que los estadounidenses lanzaron en Hiroshima en 1945. El «evento de Tunguska» sigue siendo, después de 100 años, uno de los enigmas no resueltos del siglo XX.

EFECTO POSITIVO DE LA LLUVIA DE METEORITOS

El astrofísico británico Fred Hoyle atribuye el fenómeno a la caída de un meteorito. Hasta 1927 no se consiguió llevar a cabo una expedición por el intransitable territorio del río Tunguska, y allá se vio una escena desoladora: más de 6.000 m² de bosque destruido, manadas de renos pulverizadas, cualquier forma de vida aniquilada. El cuerpo celeste se hizo pedazos a una altura de 10 km, y por eso la caída no originó un cráter. La onda expansiva arrancó de raíz árboles en un radio de muchos kilómetros, y otros ardieron por el calor que se había liberado en la zona. La detonación tenía la fuerza de 10.000 rayos. Testigos oculares explicaron que en la colonia de Vanavara, a 65 km de allí, estallaron todas las puertas y ventanas. Incluso a 500 km se percibieron la onda expansiva y el resplandor del fuego, y una mujer de Huntingtonshire, Inglaterra, dijo haber visto un resplandor en aquella dirección pasada la medianoche.

Según Hoyle, la Tierra tiene que contar con el paso de una lluvia de cometas una vez al año. Muchas veces se produce la caída de esos cometas. Para Hoyle, esos sucesos son los responsables de muchos de los fenómenos inexplicables que acontecen en la Tierra, como el final de la era de hielo y la desaparición de los dinosaurios. Pero no sólo son fuente de destrucción, sino que también han hecho avanzar a la humanidad. Gracias al calor que liberaban se originaba una gran masa de carbón vegetal incandescente, y allí donde había filones en la superficie de la tierra se llegó a los procesos naturales de fundición. Las tribus nómadas encontraron cobre fundido y pudieron usarlo y moldearlo consiguiendo formas distintas gracias a su flexibilidad. La Edad de Piedra acababa y daba inicio la Edad de los Metales.

Esta fotografía del 13 de febrero de 1929 muestra los daños irreversibles que ocasionó la caída de un meteorito en Siberia.

Otras teorías

Varios testigos oculares vieron caer del cielo un objeto alargado que desprendía una luz blanquiazul, levantando una columna de luz de 20 km, seguida de una nube en forma de hongo. Se han expuesto miles de hipótesis sobre este fenómeno. El astrofísico alemán Wolfgang Kundt sostiene que se trata de una explosión de gas natural. Durante días se habrían

Rocas a orillas del río Tunguska, Siberia, en la actualidad.

escapado, a través de fisuras, 10 millones de toneladas de gas natural, que habrían subido a capas superiores de la atmósfera y se habrían quemado allí. Existen explicaciones alternativas: unas hablan de un pequeño agujero negro o de la caída de una nave espacial extraterrestre; otras, de antimateria o bien de una detonación nuclear como consecuencia de un accidente de un ovni. Pocas horas después del evento de Tunguska, en un pueblo ucraniano cerca de Kiev se atestiguó la caída de un meteorito, lo que vendría a reforzar la teoría de Hoyle, ya que los meteoritos aparecen en grandes grupos. Después de cien años de la catástrofe, se conocen todos los datos del misterioso suceso pero la investigación no ha dado todavía con una explicación definitiva.

Casos similares

Al parecer, en 1930, en una zona del Amazonas tuvo lugar una explosión similar aunque 100 veces menor. Y en Estados Unidos, por lo visto, se dio un fenómeno parecido. El 22 de septiembre de 1979 hubo una explosión al sur del océano Atlántico, pero presuntamente fue una prueba de bomba atómica de Sudáfrica e Israel. Este suceso se conoce como «incidente Vela» porque un satélite de la generación Vela la registró. Pero no se sabe con total certeza si realmente fue una bomba atómica, ya que el satélite no pudo identificarla como explosión nuclear de forma fehaciente debido a los daños electrónicos sufridos. Investigadores estadounidenses afirmaron que se trataba del impacto de un pequeño meteorito. Una prueba atómica, especialmente con la participación de Israel, hubiera podido desencadenar una crisis política. Por eso se cree que la interpretación de Estados Unidos fue algo tendenciosa.

¿Fue realmente el impacto de un meteorito la causa del evento de Tunguska, catástrofe que provocó la extinción de cualquier tipo de vida en un territorio de 6.000 km²?

Rocca di Papa es una pequeña localidad situada a orillas del lago Albano, en el Lacio, a unos 25 km de Roma. Aquí hay una calle en la que los coches se deslizan cuesta arriba y el agua no fluye hacia abajo, es decir, donde la fuerza de gravedad está anulada.

Rocca di Papa

Rocca di Papa es una localidad situada a orillas del lago Albano, en la región del Lacio, a unos 25 km de Roma. Debe su nombre al papa Eugenio II. Aquí cabe preguntarse si las leyes de la naturaleza son válidas en todas las épocas y todos los lugares. ¿Existen zonas en el mundo en las que esas leyes no tienen validez, donde el agua de la montaña fluye cuesta arriba y queda anulada la fuerza de la gravedad?

UN AUTOBÚS CON 30 PERSONAS SE DESLIZA CUESTA ARRIBA

Uno de los primeros testigos oculares que dieron testimonio del misterioso suceso fue un cura alemán, en 1992. Él mismo explica: «De repente, el autobús, durante su trayecto de Nápoles a Florencia, paró en alguna parte de la Via dei Laghi. Tal como ya nos habían dicho, allí el agua corría cuesta arriba. El conductor del autobús paró al pie de la colina y puso punto muerto. El autobús, primero poco a poco y después ganando velocidad paulatinamente, empezó a avanzar hacia arriba con 30 personas en su interior». En el autobús viajaban también un ingeniero y un policía, que confirmaron lo inexplicable y aseguraron que no era ningún truco. ¿Existen lugares en el mundo donde la fuerza de la gravedad se anula y las cosas se desplazan no sólo cuesta abajo, sino también cuesta arriba, donde el agua corre hacia arriba por un lado de la montaña, y por el otro, hacia abajo? ¿Cómo puede el hombre relacionarse con un mundo que cada vez le resulta más desconcertante, que incluso hace tambalear sus principios básicos, como que todo aquello que se deja caer, cae hacia abajo? Está claro que

sigue siendo válida la sentencia de que la excepción confirma la regla. Y eso nos tranquiliza, pues viene a poner el contrapunto en este mundo de las ciencias exactas y el ámbito de la medición y la comprobación rigurosas.

UNA PIEDRA CAE AL SUELO, EL AGUA FLUYE HACIA ABAJO

Galileo Galilei (1564-1642), Johannes Kepler (1571-1630) e Isaac Newton (1643-1727) reconocieron y postularon la ley de la gravedad, que pasa por ser una de las más fiables porque sin la gravedad no existiría nuestro mundo: sus componentes se desintegrarían. La gravedad es la fuerza básica más constante, y las otras fuerzas no ejercen sobre ella influjo alguno ni pueden anularla. A su vez, es la fuerza natural más misteriosa, pues aunque notemos su efecto a diario y sea comprobable en todas las cosas, falta hasta la fecha una teoría que pueda enca-

«Quien sólo entiende lo que tiene una explicación entiende muy poco.»
Marie von Ebner-Eschenbach (1830-1916)

Experimento que demuestra que en la carretera de
Rocca di Papa los objetos ruedan cuesta arriba.

jarla en el equilibrio matemático de todas las fuerzas naturales. Pero si esa fuerza se anulara, si el agua fluyera hacia arriba
y las piedras se desplazaran también hacia arriba, la gravedad
ya no garantizaría la sujeción del todo y los fundamentos del
universo se quebrantarían de raíz.

¿SÓLO UNA ILUSIÓN ÓPTICA?

Al acercarse a Rocca di Papa se ve un tramo recto de carretera
en la Via dei Laghi. Al principio el tramo declina, pero más o
menos hacia la mitad, en el punto más bajo, vuelve a ascen-
der. Allí es donde está el misterioso tramo por el que los
coches se deslizan y el agua fluye hacia arriba. Al preguntarle
por el fenómeno, el diplomado en geología doctor Johannes
Fiebag explicó: «El hecho de que el nivel de burbuja muestre
un ascenso justo allí donde esperamos encontrar un descenso
podría ser fruto de una ilusión óptica. O bien estamos realmente ante un fenómeno de gravitación inexplicable, que
hace que el nivel también se altere. Pero la cuestión es que en
este momento es difícil llegar a una conclusión. En realidad
estamos ante un enigma». (19)

El autor Eckhard Etzold explica que esta aparente anoma-
lía de la gravedad tiene una causa psicológica y no física: la
gente *cree* ver correr el agua hacia arriba. La ilusión óptica se
debe al paisaje circundante. Por otro lado, admite que no se
puede juzgar con seguridad si se trata de una ilusión óptica o
de un fenómeno inexplicable, aunque se ha recurrido a métodos clásicos y alternativos de medición y análisis.

En un simulador de vuelo espacial queda anulada la fuerza de gravedad al igual
que sucede en el espacio. Los objetos flotan y no caen hacia abajo. ¿Es posible que
la ley de la fuerza de gravedad quede anulada en algunos lugares?

Bibliografía

(1) Michell, John: *The New View over Atlantis*. Nueva York, 1983
(2) Wilhelm, Richard: *Die Seele Chinas*. Fráncfort, 1980
(3) www.padrepio.catholicwebservices.com
(4) Richet, Charles: *Souvenirs d'un Physiologiste*. París, 1933
(5) *Merck Manual of Medical Information*. Whitehouse Station, 2004
(6) en: Zaleski, Carol: *Nah-Todeserlebnisse und Jenseitsreisen*. Fráncfort, 1993
(7) Heuvelmans, Bernard: *On the Track of Unknown Animals*. Londres, 1955
(8) Raab, Wladislaw: *Unheimliche Begegnungen. Ein Forschungsbericht*. Múnich, 1998
(9) Keel, John: *The Mothmann Prophecies. Tödliche Visionen*. Múnich, 2002
(10) Wiesendanger, Harald: *Geistheiler. Der Ratgeber*. Schönbrunn, 2005
(11) www.drossinakis.de
(12) www.staette-der-heilung.de
(13) www.diewunderseite.de
(14) en: Lars A. Fischinger: *Die Götter waren hier! Außerirdische Besucher durch die Jahrtausende*. Leipzig, 2002
(15) Kurzweil, Ray: *Homo sapiens. Leben im 21. Jahrhundert. Was bleibt vom Menschen?* Colonia, 2002
(16) Crème, Benjamin: *Die große Annäherung. Neues Licht und neues Leben für die Menschheit*. Múnich, 2002
(17) Temple, Robert K. G.: *Das Sirius-Rätsel*. Fráncfort, 1985
(18) www.amasci.com
(19) Fiebag, Johannes: *Rätsel der Menschheit*. Luxemburgo, 1982

[autor no especificado] *Rätselhafte Vergangenheit*. Gütersloh, 1987
[autor no especificado] *Das Undenkbare denken. Vom Ursprung des Lebens bis zum Weltuntergang*. Gütersloh, 1987
Borrmann, Norbert: *Vampirismus*. Múnich, 1999
Borrmann, Norbert: *Lexikon der Monster, Geister und Dämonen*. Colonia, 2001
Brookesmith, Peter (ed.): *Unglaubliche Erscheinungen: Wenn's Fische regnet und Steine wandern*. Gütersloh, 1986

Charpak, Georges / Broch, Henri: *Was macht der Fakir auf dem Nagelbrett?* Múnich, 2003
Cotterell, Arthur: *Die Enzyklopädie der Mythologie: nordisch – klassisch – keltisch*. Reichelsheim, 2000
Cox, William: *Precognition: An Analysis*, en: *Journal of the American Society for Psychical Research* 50/1956, 99-109
Derlon, Pierre: *Unter Hexern und Zauberern. Die okkulten Traditionen der Zigeuner*. Múnich, 2002
Dessoir, Max: *Vom Jenseits der Seele*. Stuttgart, 1967
Eisenbud, Jule: *Gedankenfotografie. Die Psi-Aufnahmen des Ted Serios*. Remseck, 1987
Fiebag, Johannes y Peter: *Zeichen am Himmel. Ufos und Marienerscheinungen*. Berlín, 1997
Fiebag, Johannes: *Von Aliens entführt. Die 25 spektakulärsten Fälle seit Roswell*. Berlín, 1997
Fiebag, Johannes: *Das UFO-Syndrom*. Múnich, 2001
Fischinger, Lars A.: *Begleiter aus dem Universum*. Lübeck, 1999
Frayling, Christopher: *Alpträume*. Colonia, 1996
González, José G. David Heylen: *El enigma de los animales imposibles*. Madrid, 2002
Gööck, Roland: *Die letzten Rätsel dieser Welt*. Augsburgo, 1994
Hale, Gill: *Feng Shui*. Colonia, 1999
Horn, Roland M.: *Gelöste und ungelöste Mysterien der Welt*. Múnich, 2000
Horn, Roland M.: *Rätselhafte und phantastische Formen des Lebens*. Lübeck, 2002
Hoyle, Fred: *Kosmische Katastrophen und der Ursprung der Religion*. Fráncfort, 1997
Jung-Stilling, Johann Heinrich: *Theorie der Geisterkunde*. Nördlingen, 1987
Kardec, Allan: *Buch der Medien. Medial empfangene Antworten auf unsere Daseinsfragen*. Darmstadt, 2004
Kardec, Allan: *Buch der Geister. Grundsätze der spiritistischen Lehre*. Darmstadt, 2004
Messner, Reinhold: *Yeti – Legende und Wirklichkeit*. Fráncfort, 1998
Moody, Raymond: *Leben nach dem Tod. Die Erforschung einer unerklärlichen Erfahrung*. Reinbek, 2001
Sanderson, Ivan T.: *Uninvited Visitors*. Spearman, 1967
Schreiber, Hermann Georg: *Geheimbünde*. Múnich, 1993
Westwood, Jennifer (ed.): *Atlas de lugares misteriosos*. Madrid, 1989

Créditos de las ilustraciones

Archivo Christos Drossinakis: 263 (ab.)

Archivo Reinhard Habeck: Dr. A. M. Juanéda-Calvier 76, 77 (ar.); Erich von Däniken 79 (ar.); 79 (ab.)

Archivo Ulrich Hellenbrand: 171

Berhorst, Robert (www.berhorst-net.de): 55 (der.)

Brachhausen, Robert (www.rolf-keppler.de): 311 (ar.)

Corbis: 2/3 Bettmann, 4 Gianni Dagli Orti, 5 Greenhalf Photography, 6 Parapictures Archiv, 7 Dale O'Dell, 8 Bettmann, 10/11 Gianni Dagli Orti, 12/13 Jason Hawkes, 14 Danny Lehman, 15 Paul C. Pet/zefa (ab.), 17 Klaus Hackenberg/zefa (ar.), PNC/zefa (ab.), 18 Kazuyoshi Nomachi, 19 Paul C. Pet/zefa (ar.), Reuters (ab.), 20 Randy Faris, 21 Gianni Dagli Orti (ar.), Charles & Josette Lenars (ab.), 22 Gianni Dagli Orti, 23 Archivo Iconografico, S.A. (ar.), Angelo Hornak (ab.), 24 Wolfgang Kaehler, 25 Hubert Stadler, 27 Bettmann (ab.), 28 Lucidio Studio Inc., 29 Lucidio Studio Inc., 30 Paul Almasy, 31 David Reed (ar.), Robert Holmes (ab.), 32 Dave Bartruff, 33 Richard T. Nowitz (ar.), Vanni Archive (ab.), 34 José Fuste Raga/zefa, 35 Hans Georg Roth (ar.), Gérard Degeorge (ab.), 36 Chris Hellier, 37 Araldo de Luca (ar.), Roger Wood (ab.), 38 Adam Woolfitt, 39 Hugh Rooney/Eye Ubiquitous (ar.), Adam Woolfitt (ab.), 40 Adam Woolfitt, 41 John Wilkinson/ Ecoscene (ar.), Adam Woolfitt (ab.), 42 Roger Ressmeyer, 43 Stapleton Collection (izq.), Hulton-Deutsch Collection (der.), 44 Adam Woolfitt, 45 Sandro Vannini, 46 Greenhalf Photography, 47 Sandro Vannini (ar.), Cordaiy Photo Library Ltd. (ab.), 48 Homer Sykes, 49 Adam Woolfitt (ar.), Barry Lewis (ab.), 50 Tim Hawkins/Eye Ubiquitous, 51 Greenhalf Photography (ar.), Darryl Gill/Eye Ubiquitous (ab.), 52 Adam Woolfitt, 53 Felix Zaska (ar.), Philippe Giraud (ab.), 54 Fridmar Damm/zefa, 55 Wolfgang Meier/zefa (ar.), 56 Keren Su, 57 Richard T. Nowitz (ar.), James L. Amos (ab.), 58 Mark Laricchia, 59 Paul A. Souders, 60 Georgia Lowell, 61 Nevada Wier, 62 J. Balhi/Le Cherche-Midi/Corbis Sygma, 63 J. Balhi/Le Cherche-Midi/Corbis Sygma (ar.), Dean Conger (ab.), 64 William Manning, 65 Mimmo Jodice (ar.), Paul C. Pet/zefa (ab.), 66/67 Charles & Josette Lenars, 68 Bettmann, 69 Dave G. Houser/Post-Houserstock (ar.), Kevin Schafer (ab.), 70 Layne Kennedy (ar.), Roman Soumar (ab.), 71 Skyscan, 72 Charles & Josette Lenars, 73 Sophie Bassouls/Corbis Sygma (izq.), Charles & Josette Lenars (der.), 74 Hulton-Deutsch Collection, 75 Angelo Hornak (izq.), David Cumming/Eye Ubiquitous (der.), 84 Bettmann (ar.), Macduff Everton (ab.), 86 Buddy Mays, 87 Bob Krist (ar.), Carl & Ann Purcell (ab.), 88 Craig Lovell,

89 Bettmann (ab.), 92/93 Greenhalf Photography, 94/95 Burstein Collection, 96 Ted Spiegel, 97 Mimmo Jodice (ar.), Bettmann (ab.), 98 Macduff Everton, 99 Third Eye Images (ar.), Bettmann (ab.), 100 Kevin Schafer, 101 Massimo Mastrorillo (ar.), 102 Bettmann, 103 Bettmann (ar.), Chris Hellier (ab.), 104 Eliana Aponte/Reuters, 105 Adam Woolfitt (ar.), Staffan Widstrand (ab.), 106 Chuck Keeler, Jr., 107 Bettmann (ar.), Michael St. Maur Sheil (ab.), 108 Hulton-Deutsch Collection, 109 Jonathan Hession/ Touchstone/Bureau L.A. Collections (ar.), Richard T. Nowitz (ab.), 110 Origlia Franco/Corbis Sygma, 111 Elio Ciol (ar.), Bettmann (ab.), 112/113 Hulton-Deutsch Collection, 114 Stefano Bianchetti, 115 Bettmann (ar.) (grabado en b/n), David Keaton (ab.), 116 John C. Trever, PhD./The Dead Sea Scroll Foundation, Inc., 117 Richard T. Nowitz (ar.), Bettmann (ab.), 118 Elio Ciol, 119 Brooklyn Museum of Art (ar.), Dennis di Cicco (ab.), 120 Bettmann, 121 Bettmann (ar.), Inst. Optique/Zoko/Corbis Sygma (ab.), 122 Inst. Optique/ Zoko/Corbis Sygma (ar.), David Lees (ab.), 123 Corbis Sygma, 124 Brooklyn Museum of Art, 125 Lynsey Addario (izq.), Bettmann (der.), 127 Thom Lang (ab.), 128 Matthew Klein (ab.), 130 Werner Forman, 131 Elio Ciol (ar.), Christie's Images (ab.), 132 Layne Kennedy, 133 Michael Nicholson (izq.), Bettmann (der.), 134 Hulton-Deutsch Collection (izq.), Francis G. Mayer (der.), 135 Christie's Images, 136 Orban Thierry/Corbis Sygma, 137 Reuters (ar.), Damir Sagolj/Reuters (ab.), 138 Bettmann (izq.), Hulton-Deutsch Collection (der.), 139 Alessandro Bianchi/Reuters, 140 Brooklyn Museum of Art, 141 Brooklyn Museum of Art (ar.), Mimmo Jodice (ab.), 142 Magnus Johansson/ Reuters (ar.), Fabian Cevallos/Corbis Sygma (ab.), 143 Thierry Orban/Corbis Sygma, 144 Julio Donoso/Corbis Sygma, 145 Michael Boys (ar.), Neri Grazia/Corbis Sygma (ab.), 146 Bettmann, 147 Stefano Bianchetti (ar.), Fine Art Photographic Library (ab.), 148 Bettmann, 149 Reuters (ar.), Gianni Dagli Orti (ab.), 150/151 Bettmann, 152 Massimo Listri, 153 Stapleton Collection (ar.), 154 Bettmann, 155 Bettmann, 156 Bettmann (izq.), Corbis (der.), 159 Bettmann (ar.), 160 Stapleton Collection, 161 Bettmann (ar.), Bob Krist (ab.), 162 Stapleton Collection, 163 Alberto Pizzoli/Corbis Sygma (ar.), The Cover Story (ab.), 164 Bettmann (ar.), Sven Hagolani/zefa (ab.), 165 Strauss/Curtis, 166 Theo Allofs/zefa, 167 Stapleton Collection (ar.), Bettmann (ab.), 168 Earl & Nazima Kowall (ar.), Michael T. Sedam (ab.), 169 Claudius/zefa, 170 Joson/zefa, 171 Jon Davies/Jim Reed Photography (ar.), 172 Joson/zefa, 173 Aaron Horowitz (ar.), Patrick Bennett (ab.), 174 Michael & Patricia Fogden (ar.), Fernando Camino/Cover (ab.), 175 Underwood & Underwood, 176 Leonard de Selva, 177 Bettmann (ar.), Jeff Vanuga (ab.), 178 Paul Mounce, 179 Dave G. Houser/Post-Houserstock (ar.), Bettmann (ab.), 180 Bettmann, 181 Historical Picture Archive (ar.), Austrian Archives (ab.), 182 Keith Dannemiller, 183 Keith Dannemiller (ar.), Bettmann (ab.), 186/187 Bettmann, 190 Bill Varie (ar.), 193 Bettmann (ab.), 194 Hulton-Deutsch Collection, 200 Bettmann, 201 Archivo Iconográfico, S.A. (ab.), 203 Bettmann (ab.), 204 Bettmann, 208 Bettmann, 210 Bettmann, 211 Hulton-Deutsch Collection (ar.), Bettmann (ab.), 214 George B. Diebold (ar.), Edward Holub (ab.), 215 David Lees, 216 Lester Lefkowitz (ab.), 217 Bettmann, 218 Sheldan Collins (ar.), Elio Ciol (ab.), 219 Hulton-Deutsch Collection, 220 Kapoor Baldev/ Sygma (ar.), Reuters (ab.), 221 Bettmann, 222 Bettmann (ar.), Craig Lovell (ab.), 223 William Findlay, 224 Earl & Nazima Kowall, 225 Roman Soumar, 226 Felix Ordonez/ Reuters, 227 Anders Ryman (ar.), Reuters (ab.), 228/229 Bettmann, 230 Theo Allofs, 231 Tom Brakefield (ar.), 232 Cortesía del Museo Diocesano de Mallorca; Ramon Manent (ar.), Ladislav Janicek/zefa (ab.), 233 Corbis, 234 Buddy Mays, 235 Walter Geiersperger (ar.), Stapleton Collection (ab.), 236 Charles Philip Cangialosi, 237 Vo Trung Dung/Corbis Sygma (ar.), Ralph White (ab.), 238 Bettmann, 239 DK Limited (ar.), Kevin Schafer (ab.), 240 Bettmann, 241 Paul A. Souders (ar.), Bettmann (ab.), 242 Bettmann, 243 Bettmann (ar.), Jason Burke/Eye Ubiquitous, 244 Peter Schouten/ National Geographic Society/Reuters, 245 Kevin Schafer (ab.), 246 Julie Houck (ar.), Leonard de Selva (ab.), 248 George D. Lepp, 249 Kevin Schafer (ar.), Annie Griffiths Belt (ab.), 250 Michael & Patricia Fogden, 251 W. Perry Conway (ar.), Richard T. Nowitz (ab.), 252 Guy Motil (izq.), Darrell Gulin (der.), 253 Ron Watts, 254 Chris Mattison/Frank Lane Picture Agency, 255 Steve Bein (ar.), Michael & Patricia Fogden (ab.), 256/257 Dale O'Dell, 258/259 Alain Nogues/Corbis Sygma, 260 Ian Bradshaw, 261 Pallava Bagla (ar.), Ron Boardman/Frank Lane Picture Agency (ab.), 262 Hulton-Deutsch Collection, 263 Roger Ressmeyer (ar.), 264 Bettmann, 265 Alain Nogues/ Corbis Sygma (ar.), Nik Wheeler (ab.), 267 Ragnar Schmuck/zefa (ab.), 268 Lindsay Hebberd, 269 Christie's Images (ar.), Paul Almasy (ab.), 270 Reuters, 271 Chris Rainier (ar.), Bettmann (ab.), 272 Creasource (izq.), Hulton-Deutsch Collection (der.), 273 Bettmann, 274 Chris Collins/zefa, 275 Phil Schermeister (ar.), Summerfield Press (ab.), 276 Cameron Heryet/ MaXx Images Inc./zefa, 277 Frank Bodenmueller/zefa (ab.), Robert Llewellyn (ab.), 278 M. Thomsen/ zefa (ar.), Ronald W. Weir/zefa (ab.), 279 Matthias Kulka/zefa, 280 Turbo/zefa, 281 José Luis Peláez, Inc. (ar.), Corbis (ab.), 282 Bettmann, 283 Angelo Hornak (ar.), Corbis (ab.), 284/285 Gideon Mendel, 286 G. Baden/zefa, 287 Bettmann (ar.), Mark Peterson (ab.), 288 Lester V. Bergman (ar.), Bettmann (ab.), 289 Thom Lang, 290 Envision, 291 Roger Ressmeyer/NASA (ar.), Christian Simonpietri/Sygma (ab.), 292 Paul Chinn/San Francisco Chronicle, 293 Reuters (ar.), Christopher Cormack (ab.), 294 Roger Ressmeyer, 295 Peter Adams/zefa (ar.), Stapleton Collection (ab.), 296 Bettmann (ar.), Lawson Wood (ab.), 298 Corbis, 299 Penny Tweedie, 300 Corbis Sygma, 301 Danny Lehman (ar.), Paul Almasy (ab.), 302 William Whitehurst (ar.), 302/303 Aaron Horowitz (ar.), 303 José Fuste Raga (ar.), 306 Josh Westrich/zefa, 307 Rob Matheson (ar.), Pat Jerrold/ Papilio (ab.), 308 Bettmann, 309 Wolfgang Kaehler (ar.), Denis Scott (ab.), 311 Jim Sugar (ab.)

Dahmke-Schag, Petra (www.share-berlin.de): 304, 305

Fiebag/Dunkel: 16 (ab.)

Fiebag/Eenboom: 81

Fischer-Leitl, Astrid: 101 (ab.), 297

Habeck, Reinhard (www.reinhardhabeck.com): 78, 80, 82, 83, 85, 89 (ar.)

Hausdorf, Hartwig: 77 (ab.)

Ouvarov, Valerij/Hartwig Hausdorf: 90, 91

Parapictures Archiv: 184/185, 188, 189, 190 (ab.), 191, 192, 193 (der.), 195, 196, 197, 198, 199, 201 (ar.), 202, 203 (ar.), 205, 206, 207, 209, 212, 213, 216 (ar.izq., ar.der.)

Ritter, Thomas (www.thomas-ritter-reisen.de): 26, 27 (ar.)

Herbert Schöttl/SAFE – Suiza. Arbeitsgemeinschaft für Freie Energie (safeswiss.org): 314

Schorch, Robert M. / Hartwig Hausdorf: 15 ar.

Stempell, Kyra: 128 (ar.), 153 (ab.), 157, 158, 159 (ab.), 231, 245 (ar.), 247

Tschirwa, Alexander (www.frankreich-experte.de): 126, 127 (ar.), 129

Wiesli, Beatrix (www.lichtfluss.org): 266, 267 (ar.)

Índice
alfabético

Copyright © Parragon Books Ltd
Creado y producido por The Bridgewater Book Company Ltd.

Copyright © 2007 de la edición española:
Parragon Books Ltd
Queen Street House
4 Queen Street
Bath BA1 1HE, Reino Unido

Packaging: ditter.projektagentur Gmbh
Coordinación del proyecto y selección de imágenes: Irina
Ditter-Hilkens
Corrección: Ulrike Kraus
Diseño: Claudio Martínez
Fotocomposición: Klaussner Medien Service GmbH

Texto:
Herbert Genzmer: 20-23, 30 s., 40-65, 136 s., 187-311
Ulrich Hellenbrand: 11-19, 24-29, 32-39, 67-135, 138-183

Traducción del alemán: Ana María Gutiérrez y Lola Ponce para
Equipo de Edición, S.L., Barcelona
Redacción y maquetación: Equipo de Edición, S.L., Barcelona

ISBN: 978-1-4054-9020-7

Printed in Malaysia